E ste libro
A pertenece
a la colección
privada de

Zaki
Heintzelman

JONATHAN SWIFT

JONATHAN SWIFT

LOS VIAJES DE GULLIVER

© Edita:
S. A. de Promoción y Ediciones
CLUB INTERNACIONAL DEL LIBRO
Avda. Manoteras, 50-52
28050 Madrid

ISBN: 84-7461-246-2
Depósito legal: M-2686-94
Imprime: Gráfica Internacional, S. A.
Madrid
Encuaderna: Larmor, S. A.
Madrid

PROLOGO

A María del Carmen Zaragoza y a
Laura Zanchetta, compañeras y ami-
gas inigualables.

*Resulta muy difícil decir cuándo una obra es infantil o cuándo no lo es.
La crítica literaria se ha equivocado en varias ocasiones en tal apreciación.
Dentro de estos errores —a mi modo de ver—, podemos incluir la novela
satírica de Jonathan Swift* Los viajes de Gulliver. *Se la ha considerado
apropiada para los niños por su deliciosa mezcla de fantasía y de realidad,
aunque algunos eruditos hayan negado a Swift capacidad creativa. Tras la
tramoya de los sensacionales periplos a Liliput, Brobdingnag, Laputa...,
palpita una ideología que no es otra sino la del mismo autor. Precisamente
los pensamientos mordaces y amargos la convierten en literatura de adultos.
No creo que todos la lleguen a comprender, pues, para entenderla, se necesitan unos conocimientos de las corrientes intelectuales y políticas de la
época escasamente adsequibles. Pero bajo este fondo más o menos superficial,
hay aún otro de carácter general: la sátira contra el género humano, que
adquiere el calificativo de cruel en la última parte, el viaje al país de los
houyhnhnms.*

*Los viajes de Gulliver han forjado la idea de un Swift misántropo,
amigo de la soledad y despreciador de la maloliente masa de sus semejantes.
Sobre ello, así como sobre el verdadero significado o «mensaje» de sus relatos, existen opiniones opuestas entre sí. Swift era un utópico y su obra, la
materialización de esa utopía. No faltan en su biografía datos que le
califiquen de temperamento fuera de lo normal.*

*Jonathan Swift, descendiente de una familia emigrada de Yorkshire
durante las guerras civiles que azotaron Inglaterra en el siglo* XVII, *nació
en Dublín un 30 de noviembre de 1667, siete meses después de la muerte
de su padre. Su infancia, según sus palabras, fue triste y enfermiza, des-
arrollándose en una oscura pobreza que obligó a la madre a trasladarse
a Leicester, su país natal, mientras él quedaba bajo la custodia de su tío*

Goldwin, quien le matriculó primero en la escuela de Kilkenny y luego en el Trinity College, donde obtuvo el título de bachiller por speciali gratia. La revolución de 1688 derrocó a los Estuardos y entronizó a Guillermo de Orange, partidario de una monarquía más liberal, cimentada en las ideas políticas de Locke. Los ingleses debieron de huir de Irlanda, y entre ellos el joven Jonathan, reunido de nuevo, merced a la convulsión nacional, con su progenitora. Pronto obtuvo una colocación con su pariente Guillermo Temple. En 1694 se ordenó de sacerdote. Como le disgustara su oficio en la prebenda de Kilroot, decidió volver a Moork Park con su antiguo señor. Son estos momentos decisivos en la vida de Swift en los que termina de madurar su inteligencia y personalidad, y en los que conoce a Stella. Su verdadero nombre era el de Esther Johnson. Las malas lenguas decían de ella que era hija natural de Temple, quien encargó a Swift su educación. Entre ambos se entabló una sólida amistad corraborada con la dedicatoria del Journal to Stella. Esther Johnson es un enigma más en la existencia de Swift, pues se murió sin aclarar si estaba verdaderamente casado con ella o no.

Pero lo que más destaca en la biografía de Swift es su carácter. Siempre le atormentó la ambición y el egoísmo. No le importaba cuanto debiera hacer para conseguir un alto cargo o un cierto renombre. Por eso se sintió defraudado al recibir el deanato de San Patricio, ya que aspiraba a más. Su sutil ironía fue su mejor arma. Con ella combatía a los enemigos y recreaba a los que consideraba útiles para sus proyectos. Espíritu inquieto y frío, participaba en las reyertas político-religiosas, tomando parte a favor de los liberales, si bien no les podía seguir en su protección a los disidentes protestantes. Trataba de aclarar su paradójica postura con la publicación de múltiples folletos como A proyect for the advancement of Religion and Sentiments of a church man of England.

Swift tuvo momentos de éxito y de fracaso. Amargos fueron sus últimos años, enfermo de laberintibitis y privado de sus facultades mentales. Desde 1741 hasta su muerte, acaecida el 19 de octubre de 1745, vivió aislado y vigilado. En su testamento dejó una considerable cantidad de dinero para la construcción de un manicomio.

Las composiciones satíricas de Tale of a Tub, donde plantea la polémica de cristianismo, luteranismo y calvinismo, que le valió la acusación de ateo, y de Battle of the Books, le dieron cierta fama entre sus contemporáneos. Mas serían Los viajes de Gulliver la obra que le inmortalizaría. No resulta difícil adivinar la personalidad de Jonathan Swift en las palabras de su protagonista, Samuel Gulliver. Aquella vio la luz en 1726 y la primera edición apareció anónima. Gustó mucho al público, y la sociedad, a la que tanto se la censuraba en sus páginas, la aceptó de buen grado. Era una crítica realizada en un aparente tono humorístico, pero cargada de realidad y de amargura. Si Swift la hubiera redactado en forma de tratado filosoficomoral, con una expresión rígida y severa, habría alcanzado menos de la mitad del triunfo que logró. Se han indicado como precedentes de Los viajes de Gulliver, La Verdadera Historia, de Luciano, El Atlante, de Bacon, La Utopía, de Tomás Moro y el Reinaldo el Zorro.

En el siglo XVIII se inicia el juicio contra el concepto de Europa, en otro tiempo indiscutible. Ahora se la compara con regiones lejanas, incluso desconocidas para la mayoría. Se empieza a perfilar, como un lugar común, la idea de la felicidad del buen salvaje, sin duda alguna de antecedentes españoles como las ideologías directrices de la Revolución francesa, y que obtendría un desarrollo inusitado en la literatura de finales de esta centuria. El hombre civilizado, lleno de prejuicios y frivolidades, es decadente. Se diría que la comodidad corroe los valores humanos y los hace desaparecer de manera paulatina. Quien se percata de ello, quien se da cuenta de que, casi paradójicamente, el progreso supone destrucción axiológica o por lo menos aletargamiento axiológico, se separa de la multitud feliz, porque se encuentra vacía, sin ningún problema transcendental capaz de inquietarla. Los sentimientos primitivos afloran impetuosos en una desenfrenada pasión de comunión con la naturaleza. Sin embargo, ya no brotan naturalmente, sino como un medio de huida de nosotros mismos. Un halo misterioso nos determina y nos priva de la espontaneidad. Actuamos para liberar nuestro subconsciente. En parte hemos dejado de ser libres, exentos, para sumarnos a una larga cadena de circunstancias históricas y personales.

Jonathan Swift, con su estilo preciso, sin rebuscamiento alguno, inicia en Los viajes de Gulliver un camino conducente al nihilismo. Nos demostrará, sin apenas apreciarlo, que el hombre es una miseria irremediable; que nuestra pequeñez corporal es el símbolo y la causa de nuestra pequeñez moral. Para ello se vale únicamente de dos cosas: de su mordaz ironía y de su endiablado juego con la magnitud, hábil para confundirnos. Sus «queridos» semejantes están representados en Liliput por los diminutos habitantes, y en Brobdingnag, por Gulliver, el protagonista que nos narra en primera persona sus aventuras. En una y en otra región nos reduce a nada. Durante el primer viaje, nos hace ver lo nimio de la soberbia y de la ambición del género humano, siempre predispuesto a matarse por estupideces ante la mirada de un ser superior a nosotros. Entre los gigantes, Gulliver es objeto de burlas o admirado como una prodigiosa máquina parlanchina, pero nunca es valorado en la «insigne» categoría de hombre.

En esta segunda parte, donde la sátira va perdiendo su carácter jactancioso y desenfadado, Swift gusta de mostrarnos la relatividad de los ideales. De forma acre, nos despoja de nuestra altanería y se esfuerza por presentarnos en una desnudez repulsiva. La belleza femenina, mirada desde

7

el nuevo plano de Gulliver, de pequeño a grande, carece de mesura y de encanto. La ridiculiza con descripciones exageradas y hasta nauseabundas. Entre tanto sarcasmo y entre tanta crítica destructiva, un remanso de paz y de amor materializado en la figura de Glumdalclitch, la niña que cuida del médico viajero, huésped de honor en Brobdingnag. Cuando Jonathan Swift se refiere a ella, sus palabras pierden por unos momentos el tono hiriente y se vuelven cariñosas y afectivas. Se ha querido identificar la personalidad de Glumdalclitch con Esther Johnson. No se ha encontrado otra explicación a ese brusco cambio estilístico que acaece al mencionarla.

Toda la novela rezuma una fina ironía contra la sociedad y las costumbres de su época. El clero y los políticos, que tan bien conocía Swift, se pudieron dar por aludidos en repetidas ocasiones. Distintas personalidades de los exóticos países visitados por Gulliver, se extrañan de las instituciones vigentes en la nación del ilustre visitante. No se puede hablar de Inglaterra en particular, sino de Europa y del mundo civilizado. El siglo XVIII, en el cenit de la Ilustración, es atacado con su instrumento predilecto: la amabilidad. He ahí el éxito de Swift. De manera suave, entretenida más exactamente, como si los proporcionara un dulce en vez de un veneno, se ríe de sus semejantes y del abstracto universo que ellos mismos han creado a su alrededor. Pero ese mundo de conceptos queda reducido a una mera vanidad humana. Pensamos que sabemos algo y en realidad sólo hemos aprendido palabras vacías, huecas, sin ninguna importancia. La razón se considera capaz de dominar la naturaleza, de descubrir sus más íntimos secretos y de suplantar a la fe. Elabora así un cosmos científico, técnico, más carente de sentido, impulsado por un mecanismo absurdo. La falta de ese sentido, desequilibra al hombre, arquitecto de un hermoso edificio inútil. Este aspecto de la sabiduría no podía ser pasado por alto por Swift, quien aprovecha el tercer viaje de su inquieto personaje a la isla volante de Laputa, para burlarse de los filósofos y matemáticos. Los describe como seres ensimismados en sus pensamientos, habitantes de un más allá sublime, paraíso del sabio, de donde regresan merced a los toques de los criados con unos mosqueadores en los oídos, ojos y boca. Unicamente de esta forma descienden a la realidad y prestan atención a cuanto sucede en torno suyo. No menos cruel es la crítica dirigida contra los académicos de Lagado, ciudad regida por unas leyes incomprensibles para nosotros y que nos llevan a reflexionar un instante sobre si no está gobernada por unos locos que han invertido el orden natural de las cosas.

La penúltima parte del libro comprende, además de los ya citados, otros dos breves periplos: a Glubbdubdrid y Luggnagg, meras justificaciones para atacar la veracidad histórica y la pasión de inmortalidad. En el primer país, contempla los espectros de los grandes personajes históricos, gracias al poder del gobernador para evocarlos. Gulliver conversa con ellos y le expresan toda la verdad, «pues el mentir era un talento sin aplicación alguna en el mundo interior». Descubre que la historia antigua y moderna debe ser corregida ya que se halla cimentada en errores y mentiras.

En Luggnagg habitan los struldbrugs, es decir, los inmortales. Nacen con una mancha en la frente y están condenados a no morir jamás. Swift se encarga de destruir nuestra ilusión al describírnoslos sumidos en una terrible soledad y en un hastío irreparable.

El nihilismo de Swift aún no se ha detenido. Proseguirá implacable su labor aniquiladora. El hombre ha quedado reducido a nada. Sus ideales también. La ironía impregnada de humorismo, degeneró en una sátira mordaz y desembocará en una manifiesta misantropía, soporte de un deseo de perfección. Ridiculizada la sociedad y sus vicios morales, procurará encontrar un nuevo modelo conforme con sus exigencias humanísticas. La imagen del superhombre de Swift, se realiza en el houyhnhnms o caballoultrarracional que somete a los yahoos, descendientes de una pareja humana en su más ínfima degradación. Cuando Gulliver regresa a su patria, sentirá desprecio por sus semejantes. Le resultará muy difícil acostumbrarse a su olor y a sus hábitos. Durante un largo período de tiempo, vivirá apartado de su familia y conocidos, con la esperanza de que llegue un día en que pueda reconciliarse con ellos. Pero esta reconciliación será un tanto ardua, mientras subsista en su memoria el recuerdo de los houyhnhnms, síntesis de las mayores perfecciones a que debe aspirar cualquier animal racional.

Tal es, en resumen, la argumentación y la ideología de Los viajes de Gulliver. Ahora le toca al público lector decidir sobre si es una obra infantil o de adultos. Sólo es aconsejable una cosa: que se lea con detenimiento. Unicamente así es comprensible el alcance de cada una de sus palabras y percatarse de algo sorprendente. Tras su estilo hiriente, hay un gozo espiritual, una sensación de grandeza y de evocación. Cuando se cierra el libro, los fabulosos personajes creados por Swift parecen cobrar vida en nuestra imaginación y representar sus episodios en este intangible escenario. Casi me atrevería a afirmar, que Swift carece de fantasía. Mezcla la verdad y la ficción en la proporción justa y necesaria. Reproduce la realidad invirtiendo algunos términos y se vale de ella para satisfacer sus indignaciones y odios; para atacar cuanto él consideraba arbitrario. Aunque dé la impresión de contradecirse con lo dicho, Swift era un hombre profundamente humano. Aspiraba a mejorar la conducta de los suyos; a encaminarles hacia una utopía irrealizabe. Por ello se le ha acusado de moralista.

¿Qué se propuso Swift? ¿Ridiculizarnos haciéndonos ver nuestros defectos? ¿Comunicarnos un mensaje de amor y de ansias de perfección? Eso solamente lo supo él mismo, y todas las conjeturas que hagamos serán voces perdidas en el vacío.

Luis Angel García Melero

PRIMERA PARTE

VIAJE AL PAIS DE LOS PIGMEOS

CAPITULO PRIMERO

El autor explica los motivos que le indujeron a via-
jar. — Arrojado al mar en un naufragio, aborda a
nado las costas de la Pigmeonia. — Los naturales
le prenden y le internan en el país.

Me llamo Samuel Gulliver, y soy el tercer hijo de un modesto propietario del condado de Nottingham.

A la edad de catorce años, me enviaron mis padres al
colegio Emmanuel, de Cambridge, donde permanecí estudiando hasta los diecisiete, pero habiendo disminuido las
rentas de nuestro patrimonio, hubo necesidad de buscarme
una plaza de practicante en casa del doctor Santiago Bates,
de Londres, en cuya compañía permanecí otros cuatro años.
No obstante, como mi vocación me inclinaba visiblemente
hacia la carrera de marina, las pequeñas remesas de dinero
que, de vez en cuando, me hacía mi familia, las empleaba
íntegras en costearme los estudios de náutica y de matemáticas,
que cursé clandestinamente.

Cuando salí de la clínica del doctor Bates, mi padre, después de oído el parecer de mi tío Juan y de otros parientes
convocados al efecto, resolvió hacerme seguir la medicina en

la universidad de Leyde, entregándome cuarenta libras esterlinas para los gastos de instalación, con promesa de mandarme anualmente otras treinta libras para costearme el pupilaje; y yo, que comprendí que esos estudios me serían de gran utilidad en mis futuros viajes marítimos, acepté inmediatamente su proposición.

A mi vuelta de Leyde, y merced a las buenas relaciones de mi antiguo principal, obtuve el cargo de médico de la fragata *Golondrina*, en cuyo bordo permanecí tres años y medio a las órdenes del capitán Abraham Panell, navegando con preferencia por los mares de Levante.

Concluido el tiempo de mi ajuste en la *Golondrina*, el doctor Bates me aconsejó que me estableciese definitivamente en Londres, ofreciéndome cederme algunas de sus visitas; y así lo hice; tomando en arriendo una pequeña casa del barrio de Old-Jewry, donde a poco me casé con la señorita María Burton, hija segunda del señor Eduardo Burton, sombrerero de la calle de Newgate, que me aportó en dote cuatrocientas libras. Al principio, no me fue del todo mal en el ejercicio de mi profesión, pero habiendo fallecido a los dos años mi digno protector, la clientela que se había venido sosteniendo a su sombra, empezó a disminuir sensiblemente, con mayor motivo cuanto que la rectitud de mi conciencia, no me permitía fomentarla recurriendo a los procedimientos censurables que ponían en práctica la mayoría de mis colegas.

Esto dio lugar a que, después de una seria deliberación con mi esposa y algunos amigos íntimos, me decidiese de nuevo a embarcarme, desempeñando, sucesivamente, el cargo de médico en dos buques, y aumentando mi reducida fortuna con los ahorros de mi sueldo y con mi parte de beneficios en los viajes, que por espacio de seis años, hicimos a las Indias Orientales y Occidentales. Y como la Providencia me ha dotado de un espíritu estudioso y observador, durante la navegación procuraba entretener mis ratos de ocio a bordo, con la lectura de algunas obras escogidas de los mejores autores, antiguos y modernos, al paso que al bajar a tierra, aprovechaba el tiempo investigando los hábitos y costumbres de los pueblos entre quienes me hallaba, y aprendiendo sus respectivos idiomas, trabajo este último sumamente fácil para mí, a causa de mi extraordinaria memoria.

Así andaban las cosas, cuando un balance desdichadísimo que hicimos en nuestra última expedición, y que mermó considerablemente mi capital, hizo decaer mi afición a la vida del mar, inclinándome de nuevo a la vida sedentaria de familia, y al ejercicio de mi profesión, para lo cual, y para adquirir una buena parroquia entre la marinería de los muelles, me trasladé de Old-Jewry a Felter-Lane y más adelante a Wapping.

Sin embargo, después de haber esperado por espacio de otros tres años prosperar en mi carrera sin haberlo podido conseguir, no tuve otro partido que volver a embarcarme, aceptando las proposiciones ventajosísimas con que mi amigo, el capitán Guillermo Prichaud, me ofreció la plaza de cirujano de su buque, el *Antílope*, recién salido del astillero y próximo a zarpar para los mares del Sur. Cerrado el trato, tomé posesión de mi camarote el día 4 de mayo de 1699, y dos días después, nos hicimos a la vela con toda felicidad.

Considero excusado aburrir al lector con la relación de los sucesos del viaje; bastará que le diga que en el Mar de las Indias sufrimos una violenta tempestad, que nos desvió hacia el Noroeste de la tierra de Van-Diemén. Nos hallábamos en aquella ocasión a los treinta grados y diez minutos de latitud meridional, y la tripulación contaba ya una baja de doce hombres, que habían sucumbido de exceso de fatiga y de insuficiencia de alimentos, estando los restantes del todo extenuados.

En semejante situación, al apuntar el día cinco del mes de noviembre, en que empieza el verano en aquellos países, nos sorprendió de repente la voz del vigía, que señalaba una roca a la distancia de dos cables en la dirección en que nos empujaba el viento, en cuyo escollo nuestro buque acabó por encallar. Cinco tripulantes y yo nos arrojamos a la chalupa, y pudimos alejarnos felizmente del barco zozobrado, corriendo más de tres leguas a fuerza de remo, hasta que el cansancio nos impidió continuar; entonces nos abandonamos a merced de las olas, que nos hicieron derivar por espacio de otra media hora, y, finalmente, un golpe de viento volcó nuestra embarcación.

Ignoro cuál fue la suerte de mis camaradas del bote, así como la de los náufragos del buque, pero es de presumir que perecieron todos. Por mi parte, nadando a la ventura, pude encontrar una corriente favorable, que me fue acercando a tierra, cuando ya la tempestad iba amainando su furia; seguí andando por una playa de pendiente poco pronunciada, con el agua a la cintura, hasta que a las ocho menos cuarto logré salir del agua.

Una vez en tierra, me interné como un cuarto de legua sin descubrir vestigios de habitantes ni habitaciones, o al menos la turbación de mi espíritu no me consintió, por de pronto, observarlos. Y como las pasadas congojas, el calor, y en particular medio azumbre de aguardiente que había bebido al desamparar el buque, me incitaban a dormir, me tendí sobre un césped sumamente blando, que alfombraba la costa, y no tardé en quedarme dormido tan profundamente que no desperté hasta nueve horas más tarde, cuando era ya claro día. Al abrir los ojos traté de incorporarme, pero me fue imposible, pues, durante mi sueño alguien se había entretenido en amarrarme al suelo por medio de numerosas ligaduras, que sujetaban sólidamente mis extremidades, mis cabellos y todo mi cuerpo, desde los sobacos hasta los muslos, y lo peor del caso era, que como me había acostado de espaldas y el sol se hallaba ya a bastante altura en el horizonte, sus rayos me herían directamente la vista, causándome un insufrible malestar, impidiéndome, además, mi posición forzada, averiguar la procedencia de un rumor confuso que se oía en torno mío.

No obstante, pronto sentí una especie de cosquilleo que se corría a lo largo de mi pierna izquierda, observando que un cuerpecito se adelantaba con precaución hacia mi pecho, y fijando más la atención, llegué a descubrir que el bulto era una criaturilla humana, de medio pie de altura, con arco y flechas en la mano, a la que seguían unos cuarenta muñecos de iguales dimensiones. El asombro que me produjo semejante aparición fue tal, que no tuve bastante dominio sobre mí mismo para ahogar algunos gritos de sorpresa, los cuales infundieron tan terrible pavor a esa pequeña tropa, que todos a una se precipitaron atropelladamente al suelo, quedando muchos de ellos descalabrados, según me enteré más adelante, de resultas de la caída. Pero pronto se repusieron, y el más atrevido, que llegó a avanzar hasta la altura de mi rostro, al notar mis descomunales facciones, levantó ambos brazos al cielo en señal de admiración, y con una vocecita chillona, pero muy inteligible, pronunció las palabras *hekinah degúl,* que repitieron a coro los demás pigmeos.

En medio de todo esto, y tras muchos esfuerzos que hice para soltarme, tuve la suerte de poder romper las ataduras que sujetaban mi brazo derecho a unas estaquillas clavadas en tierra, pues las sacudidas que daba me hicieron comprender que estaba amarrado de esta manera, y luego, mediante otro violento empuje, que me causó un dolor intensísimo, conseguí aflojar los cordones que amarraban mis cabellos por este mismo lado derecho, con lo cual pude ya volver un poco la cabeza. Entonces, aquellos bichos humanos que pululaban a mi alrededor, emprendieron una precipitada fuga, prorrumpiendo en destemplados gritos, que fueron sofocados por una voz de mando de diapasón mayor que las otras, que gritaba *tolgo phonac,* y en el mismo instante sentí mi mano izquierda penetrada por multitud de flechas punzantes como alfileres. A poco hicieron una nueva descarga al aire, a la manera de los fuegos parabólicos de nuestros obuses, cayendo las saetas como granizo sobre mi cuerpo y sobre mi cara, a pesar de que hacía lo posible para resguardarla. Cuando hubo cesado la lluvia de flechas, probé otra vez de levantarme, pero al momento dispararon una tercera descarga más importante que las anteriores, mientras los muñecos más próximos trataban de atravesar con sus lanzas el recio traje de ante de que felizmente iba vestido.

A la vista de tales demostraciones de hostilidad, comprendí que el partido más prudente era el de estarme tranquilo y sin cambiar de postura hasta que llegase la noche, y entonces desenredando bonitamente el brazo izquierdo, ponerme yo mismo en libertad a las barbas de los habitantes del país, ya que podía con razón considerarme capaz, yo solo, para desbaratar los más pujantes ejércitos que pudiesen oponerme, si los soldados fuesen de las exiguas dimensiones de los que tenía a la vista.

Al hacer yo estos cálculos no preveía ciertamente el desenlace distinto que la suerte iba a dar a mi aventura.

Cuando la muchedumbre observó que me había sosegado del todo, cesó de acribillarme a flechazos y levantó un susurro continuo que me dio a comprender que su número aumentaba considerablemente, y luego, a dos varas de mi oído izquierdo, pude escuchar durante más de una hora como un martilleo de muchos obreros que trabajasen con ardor. Y en efecto, volviendo la cabeza hacia aquel lado en cuanto me lo permitían las ataduras, vi una especie de tablado, de un palmo y medio de alto, con algunos escalones, a cuya plataforma se habían subido cuatro de aquellos hombrecillos, uno de los cuales, que parecía ser de categoría superior a los demás, me endilgó una larga arenga, de la cual no entendí una palabra.

Al empezar su discurso gritó tres veces seguidas *langro dehul san*, a cuyas voces se adelantaron cincuenta hombres, que cortaron de golpe las cuerdas que sujetaban mis cabellos por el lado derecho, con lo cual pude inclinar la cabeza del lado opuesto y examinar el talle y el gesto de la personilla que tenía la palabra. Aquel personaje era de mediana edad, y de estatura algo mayor que los tres que le acompañaban; uno de ellos, de tamaño como mi dedo meñique, con trazas de paje, sostenía la cola de su vestido, mientras los otros dos permanecían de pie, uno a cada lado. El orador desempeñaba a conciencia su papel, y por sus ademanes pude comprender que alternaba en su discurso las promesas con las amenazas, haciendo, además, numerosos gestos de compasión y sensibilidad. Yo, por

18

mi parte, le contesté lacónicamente con tono sumiso, levantando la mano derecha y los ojos al cielo, como para ponerle por testigo de que hacía muchas horas que no había tomado alimento, y que, por lo tanto, me estaba muriendo de hambre; y hasta, faltando a los buenos modales, llevé repetidas veces el dedo a la boca, para demostrarle mi apremiante necesidad de comer.

Aquel funcionario (o el *hurgo*, como le llaman en el país), me comprendió perfectamente, y apeándose del catafalco, mandó arrimar a mis costados gran número de escaleras de mano, por las cuales se encaramaron en un abrir y cerrar de ojos más de cien personas cargadas con sendas canastas de víveres, que habían sido acaparados y traídos de antemano, en virtud de un decreto que dio el soberano tan pronto como le enteraron de mi desembarque. Entre los comestibles, me sirvieron diferentes guisos de carne de varios animales, cuyas especies no pude distinguir de pronto: había muslo, lomo chuletas, etc., todo cortado en piezas como en Europa, pero en trozos tan diminutos que a cada bocado engullía dos o tres de ellos, con más de tres o cuatro panes de a libra del tamaño de balas de fusil. Aquella gentecilla me proporcionó todos esos objetos con vivas demostraciones de simpatía, y en medio del aturdimiento que les causaba mi colosal estatura y mi prodigioso apetito.

Algo repuesto mi estómago, hube de hacer a los pigmeos seña de que necesitaba de beber, y ellos, calculando por la voracidad con que yo había comido, que una medida común de vino apenas me llegaría al gaznate, se dieron maña para levantar un gran tonel, lo rodaron con gran desembarazo hasta el alcance de mi mano y lo desfondaron. Yo cogí aquel vaso improvisado, que vendría a tener la capacidad de un litro, y apuré de un solo trago el vino que contenía, de sabor parecido al Borgoña pero algo más aromático. A continuación me trajeron otro tonel, que despaché con igual presteza, y aunque volví a pedir por signos que me trajesen más vino, ya no les fue posible complacerme, porque se había agotado la provisión.

Cuando los pigmeos vieron que yo estaba satisfecho renovaron sus exclamaciones de júbilo, y una parte de ellos se puso a bailar encima de mi cuerpo, repitiendo las frases que ya habían pronunciado anteriormente, *hekinah degúl*. Los de arriba, que estaban más próximos a mi oído, después de haber avisado prudentemente a los que permanecían abajo que se apartasen, me indicaron que podía dejar otra vez en el suelo los dos barriles vacíos, diciéndome *borach mevolah*, y cuando vieron caer y estrellarse los toneles se levantó un vocerío general.

Debo confesar ingenuamente que mientras aquéllos andaban de acá para allá, encima de mi persona, me entraron tentaciones de agarrar una docena de ellos y aplastarlos, pero el recuerdo de mis anteriores infortunios, y el temor de que quizá podrían hacérmelos sufrir mayores, aparte de la promesa tácita que les había hecho de no emplear contra ellos la fuerza de que me hallaba dotado, alejaron de mi mente aquellas ideas; con mayor motivo, cuanto que por otra lado yo me consideraba ligado por las sagradas leyes de la hospitalidad con ese pueblo que me trataba con tanta esplendidez. Sin embargo, yo no cesaba de admirar el arrojo de esos seres tan exiguos, que se atrevían a huronear sobre mi cuerpo, siendo así que no ignoraban que con el brazo que tenía libre me bastaba para hacerles pedazos a todos.

Las demostraciones de entusiasmo de los pigmeos fueron cesando poco a poco, y entonces acompañaron hasta mí a uno de los magnates de la corte, enviado expresamente por Su Majestad, que se subió por una de mis pantorrillas, escoltado por doce guardias de corps. Cuando estuvo a distancia conveniente, desdobló ante mis ojos sus credenciales de embajador autorizadas con el sello imperial, y con una entonación sosegada, pero firme, pronunció un breve discurso manifestándome que el rey su Señor, con acuerdo de su Real Consejo, había dispuesto que se me trasladase a su presencia, a cuyo efecto se me iba a llevar inmediatamente a la capital, que, según señalaba con la mano el embajador, caía hacia la parte del horizonte que daba frente a mi rostro. En contestación a su discurso, pasé mi brazo libre por encima de las cabezas del mensajero y de su séquito, y lo apoyé acto seguido sobre mi otra mano y sobre mi cabeza, como diciéndole que lo que deseaba era que me desatasen. El enviado, no obstante, obrando en virtud de órdenes recibidas, no solamente se hizo el sordo, sino que, por el contrario, me manifestó explícitamente que debían conducirme a la corte atado tal como estaba, si bien guardándoseme todas las consideraciones compatibles con mi estado de prisionero. El coraje que esto me dio, me indujo nuevamente a probar de romper mis ligaduras, pero sintiendo otra vez las puntas de sus flechas en mis manos y cara, en la cual aún permanecían clavadas muchas de las que me habían dirigido anteriormente, menguó en gran manera mi brío, precisándome a ratificarme en la palabra que ya les había empeñado de someterme a todo lo que tratasen de hacer conmigo. Cuando el mensajero vio mi resignación, se retiró con su escolta haciendo grandes demostraciones de urbanidad y afecto.

A poco se oyó una exclamación general, y en tanto que la muchedumbre gritaba repetidas veces *peplum selam*, algunos pigmeos aflojaron las cuerdas que sujetaban mi cuerpo por la derecha, facilitándome el poder volverme de lado para orinar, función orgánica que cumplí holgadamente con gran estupor del pueblo, que comprendiendo lo que me proponía practicar, abrió calle a todo correr para que no le alcanzase la inundación. Momentos antes me habían dado también unas fricciones en la cara y manos, con cierto ungüento de un olor muy agradable, que hizo desaparecer casi del todo el escozor de las flechas.

Todas estas circunstancias, unidas a las libaciones que había hecho, y al alimento sólido que había tomado, me predispusieron a coger el sueño, habiendo efectivamente dormido cerca de ocho horas, a lo que contribuyó no poco, según se me dio a conocer más adelante, la influencia de cierto narcótico, que los médicos de cámara habían tenido cuidado de mezclar con el vino que yo había bebido.

Parece que, tan pronto como los habitantes del litoral me habían descubierto dormido cerca de la playa, habían enviado un propio al monarca, quien había resuelto que me encadenasen en la forma que queda dicha, que se me mandasen provisiones de boca en cantidad considerable y que se montase un sólido armatoste para conducirme a la capital del reino. Esta resolución parecerá acaso harto temeraria y arriesgada, hasta el extremo de que quizá no se encontraría en Europa un soberano que se permitiese obrar de tal suerte en un caso parecido; no obstante, en mi concepto, aquellas medidas estaban dictadas por la más exquisita prudencia, pues en verdad que si los pigmeos hubiesen tratado de asesinarme aprovechándose de mi sueño, yo me habría despertado súbitamente a la primera sensación dolorosa, y centuplicando entonces la rabia, mis fuerzas habría despedazado sin piedad a todos los circunstantes.

Aquel pueblo sobresale en las artes mecánicas, que el soberano protege abiertamente, poseyendo, entre otros vehículos de transporte, unos ingeniosísimos carromatos construidos para arrastrar los cascos de las naves de su escuadra (algunas de las cuales miden hasta nueve pies de eslora) desde los bosques donde se construyen hasta las dársenas donde son botados a agua. Quinientos ingenieros y carpinteros recibieron, pues, el encargo de disponer una de esas máquinas de dimensiones a propósito para conducir a la corte mi inconmensurable persona, consistente en un carricoche de siete pies de largo por cuatro de ancho, colocado sobre doce ruedas, que emplazaron junto a mí en posición paralela a mi cuerpo. La dificultad mayor que hubo que vencer consistió en colocarme encima de carro, pero los pigmeos salieron del apuro fijando en el suelo cuarenta postes de cuatro pies de alto, con sus correspondientes garruchas, por las que pasaron luego fuertes sogas del grueso de un cordel ordinario, uno de cuyos extremos estaban sujetos a unas tiras que me habían ceñido alrededor de mi tronco y piernas, y tirando de las maromas cuatrocientos hombres elegidos de entre los más robustos, me levantaron y me dejaron descansar sobre el vehículo, que era arrastrado por doscientas cincuenta parejas de bueyes de cuatro pulgadas y media de alzada.

Todo esto lo cuento de referencia, y sólo por lo que me refirieron más adelante mis amigos de la corte, pues la maniobra de subirme a la carreta la practicaron aquella gente hallándome yo completamente aletargado, y sin que pudiese darme cuenta de ella.

Ya llevábamos cuatro horas de viaje, cuando me hizo despertar de pronto un incidente sobrado vulgar. Fue el caso que, en un momento en que los conductores se detuvieron para recomponer no sé qué cosa, cuatro o cinco jóvenes de buen humor, deseando ver la facha que yo tenía estando dormido, se subieron al carromato, y avanzando pasito a paso hasta mi rostro, uno de ellos, capitán de guardias, se propasó a introducir su estoque en la ventana izquierda de mi nariz, ocasionándome, como es de suponer, un vivo cosquilleo que me hizo estornudar repetidas veces, en tanto que los autores de tan pesada broma se descolgaban calladamente, de manera que hasta al cabo de tres semanas no llegué a descubrir el motivo que me había hecho despertar con tal sobresalto.

Anduvimos el resto de aquel día, y por la noche acampamos al raso, montando la guardia a mi alrededor quinientos hombres, mitad con antorchas y mitad armados de arcos prontos a atravesarme con sus saetas, al menor movimiento que yo hubiese hecho. Al otro día, al rayar el alba, emprendimos de nuevo la marcha, llegando al mediodía a cien toesas de la puerta de la ciudad, donde el emperador y toda su corte salieron para verme; pero los grandes dignatarios no consintieron a Su Majestad que expusiese su real persona subiéndose encima de mi cuerpo, como lo hicieron casi todos los cortesanos.

En el sitio donde se detuvo la carreta, existía un antiguo templo considerado como el más capaz del reino, el cual, por haber sido profanado algunos años antes por un homicidio, fue declarado inhábil para las ceremonias del culto, a tenor de las prácticas religiosas del país, y por lo tanto fue despojado de todos sus adornos y destinado a almacén y a otros usos. Aquel vasto edificio, que tenía una puerta de cuatro pies de alto por dos de ancho mirando al Norte, y dos ventanillas abiertas a seis pulgadas del suelo, fue escogido por los pigmeos para mi morada. A este objeto, los cerrajeros de palacio, después de haber pasado por la ventana izquierda noventa y seis cadenas parecidas a las que cuelgan de los relojes de bolsillo de nuestras damas, si bien algo menos gruesas, remacharon sus extremos a la garganta de mi pie izquierdo, cerrándolas con treinta y seis gruesos candados.

Frontero a ese templo, y al otro lado del camino, existía una antigua torre de unos diez pies de altura, y a ella se subieron el monarca y los principales señores de la corte, para poderme examinar con toda comodidad sin ser vistos. Las personas que salieron de la ciudad atraídas por la curiosidad, pueden calcularse en cien mil, y creo que, a no haberse promulgado un decreto prohibiendo que nadie traspusiese el cordón de guardias que me rodeaban, no hubiera bajado de diez mil el número de personas que se habrían paseado por mi cuerpo para poder verme más a su sabor.

Luego que los cerrajeros hubieron asegurado sólidamente las cadenas para que no las pudiese romper con mis sacudidas, cortaron todas las ataduras que me detenían cautivo, con lo cual ya tuve el alivio de poder ponerme en pie, y como los grilletes que me aprisionaban eran de unos doce pies de largo y estaban clavados a siete pulgadas de la puerta, no solamente tenía libertad para moverme dentro de un semicírculo de cierta extensión, sino que, pasando por encima de la pared de la fachada, podía acostarme a lo largo del templo.

CAPITULO II

*El rey de la Pigmeonia, acompañado de su corte, va a
visitar al autor en su prisión. — Descripción de la persona y traje de Su Majestad pigmea. — Se nombran
dos sabios para enseñar el idioma del país al autor. —
Este, con la dulzura de su carácter, se atrae las generales simpatías. — Le registran y le secuestran las
armas y todos los demás objetos que lleva.*

Cuando llegué a poder levantarme, lo primero que hice
fue tender una mirada a mi alrededor, y debo confesarlo ingenuamente: jamás en mi vida he contemplado un panorama
tan encantador como el que allí me rodeaba. Los alrededores
se asemejaban a un parterre, y los campos, en su mayoría de
cuarenta pies cuadrados de extensión y cercados de paredes
de un pie de alto, me produjeron el efecto de los dibujos de
un parque. Mezclados con los campos, se veían bosques de
medio acre de superficie, cuyos árboles más corpulentos tenían
una altura de siete pies, y hacia la izquierda se divisaba la
capital, que parecía pintada en perspectiva en un telón de
teatro.

Después de haber echado una ojeada al interior de la casa
que se me había destinado, me apresuré a salir de nuevo al
exterior, para gozar otra vez de las delicias de un paisaje
tan extraordinariamente bello, en ocasión en que se acercaba
el monarca seguido de todo su cortejo. Su Majestad venía a
caballo, lo cual por poco le cuesta la vida, pues su cabalgadura, asustada con mi presencia, y creyendo que se movía

25

ante sus ojos una montaña, se encabritó y empezó a dar saltos de lado; no obstante, el rey, que era muy valiente y un jinete de primer orden, pudo mantenerse firme en la silla hasta que acudieron sus cortesanos y refrenaron el desbocado corcel. Entonces, el monarca echó pie a tierra y estuvo examinándome por todos lados con gran asombro, si bien manteniéndose siempre a distancia, y aún para mayor precaución, permaneció a la defensiva teniendo desnuda su espada de unas tres pulgadas de largo, con puño y vaina de oro y pedrería.

El emperador mandó a sus gentilhombres, que estaban esperando sus órdenes, que me trajeran de comer y beber, lo cual aquéllos hicieron prontamente, disponiendo que los víveres se colocasen en carritos que los criados iban arrimándome sucesivamente. Trajeron veinte carretones de viandas, cada uno de los cuales contenía la cantidad suficiente para dos a tres bocados, y diez carritos cargados de pellejos de vino, que vertía yo en una vasija y apuraba de un solo trago.

La emperatriz y las infantas habían acudido también a verme, acompañadas de muchas damas principales, sentándose todas en sillones a mi alrededor y bastante lejos, excepto un momento en que se acercaron sobresaltadas al emperador, cuando le ocurrió el accidente del caballo.

La talla del monarca sobrepuja en un recorte de uña la de los magnates de su corte, lo que le da un aspecto sobremanera imponente. Su voz es aguda, pero clara y vibrante, pudiendo yo oírle fácilmente, aunque me encontrase de pie. Los rasgos de su fisonomía son pronunciados y varoniles, tiene el labio inferior algo adelantado, la nariz aguileña, el color moreno, el porte arrogante, los miembros bien proporcionados y los movimientos marciales y airosos. En aquella época frisaba ya en los veintinueve años, y se hallaba en el séptimo de su reinado, que había sido notable por una gran prosperidad y por una serie continuada de triunfos. Su traje era ajustado y de forma sencilla, el corte entre oriental y europeo, cubriendo su cabeza un ligero casco dorado incrustado de piedras preciosas, que remataba en un gracioso penacho.

Para poder mirar al rey más cómodamente, me había tendido de costado, de manera que su cuerpo se hallaba al nivel de mi rostro a la distancia de una toesa. Más adelante he tenido el honor de colocarle muchas veces en la palma de la mano, y por este motivo no puede pecar de inexacta la descripción que llevo hecha de su persona.

Las damas y señores vestían también trajes de corte suntuosísimo, sobresaliendo por su riqueza los de la reina y de las infantas, de suerte que el terreno que ocupaban se representaba a mis ojos como una hermosísima alfombra de vivos colores, extendida en el suelo y bordada de figurillas de oro y plata.

Su Majestad imperial me honró a menudo con su conversación, contestándole yo cada vez aunque sin poder llegar a entendernos, en vista de lo cual mandó el rey a algunos sacerdotes y letrados (al menos yo los creí tales por sus vestiduras) que se hallaban junto a él, que me dirigiesen la palabra; yo también les hablé en todos los idiomas de que tenía la más ligera noción, tales como el latín, el holandés, el francés, el flamenco, el español, el italiano, el borgoñón, pero todo inútilmente.

Al cabo de dos horas se retiró la corte dejándome una fuerte guardia para impedir cualquier desmán que, con intención o sin ella, tratase de cometer el numeroso populacho que rebullía a mi alrededor y que se atropellaban sin compasión para poder acercárseme más y más. Con todo, no pudo evitarse que, en un momento en que me hallaba tendido a la puerta de mi morada, unos cuantos mozalbetes se permitiesen la avilantez de lanzarme algunas flechas, una de las cuales por poco me salta un ojo. El oficial de la guardia dispuso acto seguido que se arrestase a media docena de ellos, y que me los entregasen bien agarrotados, para que yo mismo les impusiese la pena que considerase merecía su delito, lo cual se ejecutó inmediatamente acosándolos los soldados hacia mí con la punta de sus lanzas. A medida que fui teniendo a mi alcance a los reos, los fui cogiendo uno tras otro y metiéndoles tranquilamente en la faltriquera de mi levitón, a excepción del último que conservé en mi mano haciendo ademán de querer comérmelo vivo. El desdichado muñeco daba unos alaridos horrorosos, que tenían consternados a la tropa y al pueblo, aumentando más la compasión general cuando, viéndome sacar el cortaplumas, creyeron de veras que iba a degollar a mis prisioneros. Sin embargo, no quise prolongar por más tiempo su ansiedad, pues, dirigiéndome afablemente al trastornado pigmeo, corté con gran cuidado los cordeles que le oprimían y lo coloqué suavemente en el suelo, donde echó a correr más ligero que el viento; de la misma manera procedí con los cinco restantes, sacándoles uno a uno del bolsillo y devolviéndoles la libertad, con gran satisfacción de los presentes a quienes no pudo menos de impresionar una acción tan generosa.

Al anochecer entré en la casa con algún trabajo, y me acosté en el duro suelo, único lecho que tuve durante muchas noches, interín se estaba construyendo la cama que el emperador había encargado para mi uso. Constituían esta cama cuatro filas sobrepuestas de ciento cincuenta colchones cada una, todos cosidos entre sí, y todavía no resultó un lecho muy blando por más que a mí me lo pareciese mucho, comparado con el piso del templo sobre el cual había dormido hasta entonces.

La noticia de mi extraordinaria magnitud, que había circulado ya por todo el reino, atrajo a la capital una considerable muchedumbre de curiosos y desocupados, hasta el extremo de dejar el vecindario abandonadas las poblaciones y las faenas del campo, lo que indudablemente habría ocasionado una carestía general dentro de un plazo muy breve, si Su Majestad no hubiera prevenido el peligro a tiempo, ordenando publicar pregones por los que se mandaba que las personas que me hubiesen visto ya una vez, se volviesen inmediatamente a sus casas, sin poderse acercar de nuevo a la ciudad sino mediante especial permiso y bajo pena, en otro caso, de hacer efectiva una fuerte multa. Pero tal era la curiosidad que yo había despertado en el país, que muchos prefirieron pagar el apremio antes que privarse del placer de contemplarme, ingresando por tal concepto cantidades de importancia en las arcas del Tesoro.

Entre tanto, el emperador convocó su Consejo en pleno para deliberar sobre el partido más conveniente que podría tomarse conmigo, y según supe más tarde, por confidencia de uno de mis amigos que por razón de su elevado destino podía estar bien enterado de los secretos de palacio, parece que los consejeros anduvieron bastante indecisos acerca del asunto en cuestión. Unos temían que el día menos pensado rompiese mis cadenas y me pusiese en libertad; otros creían que mi excesivo apetito dejaría el reino exhausto de víveres; quiénes convenían que lo mejor fuera matarme de hambre, otros proponían que se me diese muerte con flechas emponzoñadas; sin embargo, estas últimas proposiciones fueron prudentemente desechadas por mayoría de votos, por haberse indicado, muy a propósito por uno de los vocales del Consejo, que la descomposición de un cuerpo como el mío, podría llegar a inficionar la atmósfera de la ciudad y de todo el reino, ocasionando una peste general.

Durante la sesión, llegaron a la puerta de la sala donde aquélla se estaba celebrando, varios oficiales del ejército, y pidiendo dos de ellos la venia del rey para entrar, le dieron cuenta de mi noble proceder para con los seis criminales de quienes llevo hecha mención, lo cual produjo en el ánimo de Su Majestad un cambio de opinión tan favorable hacia mí, que inmediatamente se nombró una comisión imperial que recorriese todas las poblaciones situadas en el radio de cincuenta toesas de la corte, obligándolas a aprontar diariamente para mi consumo seis bueyes y cuarenta carneros, con la correspondiente cantidad de pan y vino, mediante pago de su importe por medio de vales reales que entregaría el monarca. Hay que advertir que el Tesoro de la nación pigmea no cuenta con otros ingresos que las rentas del patrimonio de la Corona, pues sólo en circunstancias muy extraordinarias se impone contribución a los súbditos, en cambio de venir obligados, en caso de guerra, a equiparse y mantenerse cada cual a sus propias expensas.

Para el servicio de mi persona se organizó una plantilla de

seiscientos criados, que fueron alojados en tiendas de campaña que se levantaron junto a la puerta, así como en las cercanías se dispusieron también cobertizos a propósito para las provisiones de comestibles. Se dispuso asimismo que trescientos sastres me confeccionasen un traje completo a la usanza del país, que seis literatos de los más sobresalientes del imperio cuidasen de enseñarme la lengua nacional, y, finalmente, que los caballos de las cuadras reales, los de la nobleza y los de las compañías de Guardias, se ejercitasen con frecuencia delante de mí para que se acostumbrasen al espectáculo de mi estatura, órdenes que fueron cumplidas al pie de la letra. En tres semanas adelanté notablemente en el conocimiento del idioma pigmeo, honrándome el rey en este espacio de tiempo con sus visitas, y llevando su amabilidad hasta el punto de contribuir con sus lecciones a completar mis estudios lingüísticos.

Las primeras palabras que aprendí fueron las más precisas para exponer humildemente al soberano, mis deseos de que me devolviesen la libertad, haciéndole todos los días la misma súplica hincado de rodillas. Su respuesta, según yo tenía previsto de antemano, fue que convenía que tuviese un poco más de paciencia, que él no podía determinar nada en este negocio sin asesorarse antes con sus consejeros, que en el caso de que algún día tuviese a bien acceder a mi solicitud, sería condición precisa que me obligase con juramento solemne a observar una paz inviolable con él y con sus súbditos, y que mientras esto no sucediese, podía estar seguro de que se me trataría con toda la benignidad compatible con mi estado. Finalmente, me aconsejó que procurase ganar su real aprecio y la estimación de su pueblo, con una buena resignación y con una conducta irreprensible.

Me preguntó también el monarca si tendría yo algún inconveniente en que él diese orden a dos funcionarios públicos para que me registrasen, a fin de averiguar si yo tenía escondidas algunas armas que pudiesen afectar a la seguridad de sus estados, pues, si yo llevaba armas proporcionadas a mi corpulencia, realmente constituirían un verdadero peligro para la nación.

A esta pregunta de Su Majestad contestele respetuosamente que me hallaba siempre dispuesto a acatar sus mandatos, y que en prueba de ello estaba dispuesto, desde luego, a despojarme de mi traje y a vaciar mis bolsillos en su presencia, si así lo deseaba, a lo cual no accedió el emperador, por cuanto a tenor de las leyes del país debían practicar las diligencias dos comisarios de policía con todas las formalidades legales. El rey añadió que comprendía que aquella inspección no podía practicarse sin mi consentimiento y ayuda, pero que tenía formado tan elevado concepto de mi hidalguía y de mi obediencia, que no vacilaba en dejar en mi poder a los dos oficiales; advirtiéndome que todos los objetos que se me ocupasen me serían religiosamente devueltos cuando yo abandonase el país, o si yo lo prefería, me serían expropiados pagándoseme en el acto y sin regatear el precio que yo fijase a cada cosa.

En efecto, cuando poco después llegaron los dos comisarios para dar principio al registro, yo mismo les introduje en las faltriqueras de mi gabán y luego en todas las demás, a excepción de un bolsillo interior oculto, que no me pareció conveniente dejarles examinar, por contener ciertos chismes de mi peculiar uso y que carecían de toda utilidad para las personas extrañas. Aquellos dos oficiales que venían ya provistos de plumas, tinta y pergamino, extendieron una minuciosa relación de todo cuanto fueron examinando, y cuando la hubieron concluido, rubricado y cerrado, me rogaron cortésmente que volviese a ponerles en el suelo para pasar a dar cuenta al emperador del desempeño de la comisión que les había confiado.

Dicho inventario, del que más adelante saqué copia y trasladé literalmente al inglés, estaba concebido en los siguientes términos:

«Primeramente: En la faltriquera derecha del gabán del *Hombre-montaña* (así traduzco yo las frases *Quimbus-flestrin*), después de un minucioso registro no hemos podido hallar más que un pedazo de tela bastante grande para alfombrar con él todo el salón del trono de Vuestra Majestad.

»En la izquierda hemos encontrado un gran cofre de plata con tapa del mismo metal, que los infrascritos no hemos podido levantar. En su virtud, hemos intimado al *Hombre-montaña* para que abriese la caja, y habiendo penetrado dentro uno de nosotros se ha quedado atollado hasta las rodillas en cierto polvo de olor picante, cuyas moléculas han salpicado nuestro rostro haciéndonos estornudar estrepitosamente.

»En la faltriquera derecha de su chupa encontramos un voluminoso paquete, del tamaño de tres hombres, formado de sustancias blancas y delgadas, cosidas unas con otras y atadas todas con un cable fuertísimo, en muchas de las cuales había trazadas unas grandes figuras negras que consideramos serían escrituras, con cada letra tamaña como la palma de nuestra mano.

»En la izquierda había una máquina grande, plana, armada de unos dientes gruesos y muy largos, a modo de la empalizada que circuye el parque reservado de Vuestra Majestad; en nuestro concepto, el *Hombre-montaña* acaso se sirva del instrumento que aquí se describe para peinarse el pelo, pero no hemos considerado conveniente apremiarle con preguntas acerca de este asunto, atendiendo a la dificultad que tiene para comprendernos.

»En la faltriquera grande del lado derecho de su *cubre-muslos* (doy esta significación a la palabra *ranfúlo* con la cual querían designar mis calzones), hemos observado una gran columna de hierro, hueca, casi del grueso de un hombre, fijada en una pieza de madera de mayor anchura. Encima y en uno de los lados del pilar había otras piezas de hierro en relieve, de formas singulares, que terminaban en un guijarro cortado en bisel: no hemos podido atinar en lo que sería este objeto.

»En la faltriquera colateral había otra máquina de igual clase.

»En un bolsillo muy pequeño del lado derecho del pantalón encontramos muchas piezas redondas y planas de metal, unas cobrizas y otras blancas, de diferentes dimensiones; algunas de las blancas, que a nuestro parecer son de plata, eran tan gruesas y macizas que aunando nuestras fuerzas apenas hemos podido moverlas.

»Quedaban para registrar dos faltriqueras que el *Hombre-montaña* llamaba *secretas*, y que consistían en dos cortaduras abiertas en lo alto de su cubremuslos, en cuyo interior era difícil penetrar por razón del vientre que las oprimía.

»Del exterior del secreto derecho colgaba una cadena muy grande de plata, a cuyo extremo interior estaba sujeta otra máquina sumamente maravillosa. Los infrasquitos le hemos requerido para que exhibiese todo lo que correspondía a dicha cadena, que ha resultado ser un enorme globo aplanado, cuya mitad inferior era de plata y la otra mitad de una sustancia transparente, bajo la cual estaban grabados en círculos ciertos geroglíficos extraños. No hemos podido llegar con la mano a esas figuras porque nos lo ha impedido la sustancia diáfana de que hemos hecho mérito, pero acercándonos a la máquina hemos oído un rumor continuo tan fuerte como el que producen nuestros molinos de agua. Según nuestro cálculo, el tal objeto debe ser algún animal desconocido o la divinidad que el *Hombre-montaña* adora, inclinándonos más a esta última conjetura por habernos él afirmado con toda seriedad (o al menos así lo hemos comprendido, dado lo mal que se expresa en nuestro idioma) que rara vez hace cosa alguna sin consultarle previamente, añadiéndonos que ese globo le señala además el tiempo en todos los momentos de la vida.

»Del secreto opuesto extrajo una red casi tan larga como el aparejo de un pescador, pero de mallas infinitamente más fuertes, que se abría y cerraba con unas anillas, y que contenía muchas piezas macizas de un metal amarillo, que si son de oro de ley, representan un valor inestimable.

»Después de haber examinado escrupulosamente y una por una todas las faltriqueras de los vestidos del *Hombre-montaña*, hemos reconocido también un cinto que daba vuelta a su cuerpo y parece estar formado de la piel de algún animal monstruoso, de cuyo lado izquierdo colgaba un sable del largo de seis hombres, y del lado derecho una bolsa o cartera con dos senos, en cada uno de los cuales cabrían holgadamente tres robustos vasallos de Vuestra Majestad.

»En uno de estos compartimentos había muchos globos o balas de un metal muy pesado, tan gordas como nuestra cabeza, y que exigían una gran fuerza de brazo para levantarlas. La otra división contenía simplemente unos granos negros muy pequeños, y tan ligeros que podían sostenerse sin gran fatiga cincuenta de ellos en la palma de la mano.

»Tal es lo que resulta del escarceo que los comisarios abajo firmados hemos hecho en la persona del *Hombre-montaña*, quien nos ha recibido con mucha deferencia y nos ha tratado con todos los miramientos debidos a comisionados de tan poderoso soberano.

»Y para que conste, lo suscribimos y sellamos el día cuatro de la Luna ochenta y nueve del próspero y glorioso reinado de Vuestra Majestad.

HESSEN FRELOCH   MARSI FRELOCH.»

Este inventario fue leído en presencia del emperador, que me pidió con mucha cortesía le hiciese entrega de todos los objetos descritos en sus capítulos.

Ante todo, me exigió le entregase mi espada en presencia de tres mil hombres de la Guardia real que el monarca, a prevención, había hecho apostar en torno mío a cierta distancia con orden de disparar contra mí a la primera señal, y cual aparato belicoso no había yo advertido de pronto a causa de tener fija la vista en la persona de Su Majestad. El rey me encargó que desenvainase el sable poco a poco, y aunque la hoja estaba algo roída por el agua del mar, era aún sobrado tersa para deslumbrar a las tropas, por lo cual recibí orden de envainarlo nuevamente y de arrojarlo sin golpe a seis palmos de distancia de donde alcanzaba mi cadena.

Luego me pidió el emperador aquellos pilares huecos de hierro, como así llamaban a mis pistolas de bolsillo; yo le presenté con el mayor respeto una de ellas, y habiéndome preguntado cuál era su uso, se lo expliqué de la mejor manera que pude, cargándola con pólvora sola y disparándola al aire. Sin embargo, de que advertí anticipadamente al rey y a los presentes que no se asustasen del efecto de la explosión, el estupor que siguió al disparo fue superior, si cabe, que el que hubo cuando desenvainé la espada, pues, la mayor parte de los concurrentes cayeron de espaldas como heridos del rayo, y hasta el mismo monarca que era de ánimo esforzado, tardó mucho rato en reponerse del susto. Yo le hice entrega de mis pistolas con iguales precauciones que mi sable, y, además, di al rey mi cartuchera con balas y pólvora, aconsejándole no arrimase esta última al fuego si no quería ver volar por los aires su palacio y su familia, cosa que acabó de dejarle aturdido.

Le entregué también mi reloj de bolsillo que estuvo examinando con suma atención, ordenando que dos de sus guardias, escogidos de entre los más robustos, lo llevasen en hombros atravesado de un palo, de la misma manera que los mozos de cuerda conducen en Inglaterra los barriles de cerveza. Lo que le tenía más absorto era el continuo son del mecanismo y el movimiento de las agujas, que podía seguir sin la menor molestia, pues aquellos pigmeos están dotados de una vista especial mucho más penetrante que la nuestra. El rey consultó a sus académicos más doctos acerca de aquellas particularidades, pero las opiniones anduvieron muy divididas, como siempre sucede, aunque no puedo dar cuenta exacta de los pormenores de la discusión, por no comprender aún perfectamente su idioma.

Sucesivamente fui entregando las monedas de plata y cobre, la bolsa con nueve doblones y otras piezas más pequeñas de oro, mi peine, mi tabaquera de plata, mi pañuelo y mi libro de memorias.

De todos los objetos que me encontraron encima únicamente secuestraron mi sable, mis pistolas y mi cartuchera, que fueron depositados en el arsenal de Su Majestad; los demás efectos los dejaron en mi alojamiento a mi disposición.

En el bolsillo interior oculto, que por lo tanto escapó a las pesquisas de los comisarios, pude conservar unos espejuelos de vista cansada que uso algunas veces, un anteojo y otras bagatelas, que sobre ser de poco interés para el soberano y sus súbditos, corrían peligro de perderse o estropearse si hubiesen quedado en sus manos.

CAPITULO III

El autor divierte al monarca y a la grandeza de una
manera muy original. — Descripción de los regocijos
públicos de la corte de la Pigmeonia. — El autor es
puesto en libertad condicionalmente.

Mi humildad y mi buen comportamiento me habían granjeado de tal manera el afecto del emperador, de la corte y del
ejército, que yo no dudaba que dentro de un período muy
próximo llegaría a conseguir la libertad, por la que tanto
suspiraba. Por otra parte, el pueblo se había familiarizado tanto
conmigo, que se había dado ya el caso de tenderme yo en el
suelo, echado de espaldas, para que un grupo de jóvenes pudiese
dar un baile sobre mi pecho, mientras otra porción de muchachos jugaban al escondite en mi cabellera, todo lo cual era
tanto más fácil de hacer cuanto que ya nos comprendíamos
perfectamente, gracias a los rápidos adelantos que yo había
realizado en el estudio de su idioma.

El monarca quiso un día obsequiarme con el espectáculo
de varios juegos, en los cuales sobresale aquel pueblo sobre los
demás, por su destreza y por su magnificencia. El que más
llamó mi atención fue una especie de danza ejecutada sobre
un hilo muy endeble de dos pies y medio de largo, acerca de
la cual voy a dar algunos detalles a mis lectores.

Practican este ejercicio los que aspiran a los primeros puestos oficiales o a los favores del monarca, a cuyo fin se ejercitan
desde su juventud en tan noble ocupación, vinculada exclusivamente en las familias más principales del reino. Cuando resulta vacante algún destino, bien por haber muerto el funcio-

nario que lo desempeñaba, bien por haber caído en desgracia (esto último es lo más frecuente), cinco o seis pretendientes solicitan del soberano que les permita divertirle a él y a su corte bailando en la cuerda tirante, lo cual se les otorga al momento, obteniendo el destino el que salta a mayor altura. Pero no por eso los electos, aunque sean ministros o altos magistrados, se libran de tener que volver a subir a la cuerda, siempre que a Su Majestad le place mandar que bailen en ella, con objeto de que promuevan la emulación de los demás y para hacer ver públicamente que su talento no ha decaído.

Flimnap, tesorero mayor del imperio, es tenido por el más aventajado y diestro en dar cierta cabriola, lo menos una pulgada más alta que cualquier otro de aquellos personajes, y yo le he visto repetidas veces ejecutar un salto muy peligroso (que nosotros llamamos el *salto mortal*), desde una tablita de madera, fijada sobre una cuerda que no era más gruesa que un bramante ordinario. A mi amigo Redressal, primer secretario, le considero, si la amistad no me ciega, como el que se acerca más en habilidad al tesorero; los restantes cortesanos tenían ya todos mucho menos empuje.

Semejantes recreos ocasionan muy a menudo accidentes funestos, de los cuales se toma razón en los archivos imperiales. Por mi parte puedo dar fe de haber visto salir estropeados a dos o tres pretendientes, pero las mayores desgracias ocurren cuando los ministros en ejercicio reciben la orden de mostrar de nuevo su destreza, pues haciendo todos ellos esfuerzos extraordinarios para distinguirse, se excenden en competencia con sus compañeros, exponiendo sus vidas en notable riesgo. Según me refirieron por muy cierto, el mismo Flimnap, el año antes de mi llegada, se habría desnucado irremisiblemente en una gran caída que dio, a no haber tenido la suerte de precipitarse de cabeza sobre uno de los almohadones del trono del emperador, que amortiguó considerablemente el golpe.

Se conoce también otra diversión que sólo se practica en presencia del emperador, la emperatriz y el primer ministro. El monarca tiende con separación encima de una mesa tres hebras de seda de seis pulgadas de largo; una carmesí, otra amarilla y otra blanca, para adjudicarlas como otras tantas recompensas a aquellas personas a quienes el emperador trata de distinguir de una manera especial. Se practica esta ceremonia en el salón del trono, viniendo obligados los candidatos a dar una prueba de habilidad, en un género tan extraordinario, que jamás he oído hablar de otra que se le parezca en ningún país del antiguo ni del nuevo mundo.

El emperador sostiene un palo en dirección paralela al suelo, y los presentes, adelantándose por su orden, saltan por encima o por debajo del bastón, según la mayor o menor altura a que éste se halla. El palo, unas veces el monarca lo tiene asido por sus dos extremos, otras lo tienen el rey y el ministro y otras lo tiene solamente el ministro. El saltarín que demuestra mayor agilidad, recibe como recompensa la hebra encarnada, al segundo saltarín se le adjudica la amarilla y el tercero es premiado con la blanca. Con esas cintas se arreglan los agraciados una especie de bandas, que ostentan en todos los actos públicos como una distinción honorífica.

Los caballos de los guardias de corps, de las reales caballerizas y de los particulares, continuaban haciendo diariamente evoluciones en mi presencia, habiendo llegado a perder casi del todo el miedo atroz que al principio les infundía mi figura. Algunas veces les hacían saltar por encima de mi mano colocada en el suelo, y el jefe del picadero de palacio se distinguió un día franqueando a caballo uno de mis pies calzado con bota, causando con semejante hazaña la admiración general.

Este ejercicio me movió una vez a inventar un pasatiempo que produjo gran efecto en la corte. Para ello pedí al emperador que mandase traer unos cuantos postes de dos pies de alto y del grueso de un bastón de paseo; el monarca accedió a ello inmediatamente, con su habitual galantería, y dando la orden a su ingeniero de montes, al día siguiente seis leñadores condujeron en otras tantas carretas de ocho caballos, las piezas de madera pedidas. Escogí ocho de entre ellas y clavándolas sólidamente en el suelo en un espacio de cuatro palmos y medio, extendí encima de ellas mi pañuelo tirante como el parche de un tambor, y lo rodeé todo de una barrera formada de otros cuatro palos colocados horizontalmente.

Preparadas así las cosas, el emperador, a instancia mía, mandó que doce de sus mejores jinetes se dispusiesen a maniobrar en aquel campo de evoluciones improvisado; entonces yo fui cogiéndoles uno a uno, jinete y caballo, y les coloqué suavemente sobre la plataforma, en cuya superficie ejecutaron con notable precisión un simulacro de combate o torneo. El rey quedó tan complacido del espectáculo, que mandó repetirlo diferentes veces, queriendo en la última que le subiese al palenque para dirigir personalmente las maniobras. Puso también el rey empeño en que la emperatriz me diese su consentimiento para sostenerla sentada en su silla de mano a la distancia de dos pies del palenque, accediendo por fin la primera, aunque a disgusto, a presenciar de esta suerte aquella especie de batalla en miniatura.

Felizmente, en todo el rato que duró la diversión, no hubo que lamentar ningún accidente grave: únicamente el caballo de un oficial, haciendo corvetas, abrió un agujero en el pañuelo, y se coló por él con su jinete. Al momento acudí a levantar a entrambos, y poniendo una mano encima del boquete bajé con la otra a los restantes caballeros para no exponerlos a tales percances; el caballo caído quedó con una pierna rota, pero el jinete escapó completamente ileso.

Mientras tenían lugar estas carreras de caballos, llegó un correo con la noticia de que en el sitio de la playa, donde me habían descubierto dos días antes, acababan de hallar un objeto de color negro, muy voluminoso, cuyos lados cogían igual extensión que la real cámara, y cuyo centro se levantaba en forma de pirámide truncada a la altura de dos hombres. Se creyó fundamente que el tal objeto era inanimado, y con este motivo muchos de aquellos curiosos, encaramándose sobre los hombros de sus compañeros, se subieron hasta la cúspide del cilindro central, y golpeando de firme con los pies pudieron convencerse de que el interior estaba hueco. Entonces, considerando que un objeto tan enorme no podía pertenecer a nadie más que al *Hombre-montaña*, habían venido corriendo a participar la nueva al emperador, por si le parecía conveniente dar orden de conducir la cosa en cuestión a la capital.

Al oír la relación del enviado comprendí al momento que se trataba de mi sombrero, que sin duda había sido arrojado a la costa por el oleaje con posterioridad a mi desembarco, por lo que me permití suplicar a Su Majestad que mandase me lo trajesen inmediatamente y con las mayores precauciones posibles. Así se efectuó, y al otro día llegó puntualmente el sombrero, no en el estado en que yo deseara, pero con muchas menos averías de las que eran de temer. Para traerlo, los pigmeos abrieron dos agujeros en el ala, por los que pasaron unas largas sogas sujetas a la silla de diez robustos caballos, que arrastraron al galope el sombrero en el trayecto de media milla por un terreno mullido y llano, siendo debido precisamente a esta última circunstancia el que mi pobre cubre-cabezas llegase entero al término del viaje.

La semana siguiente tuvo el emperador una ocurrencia de las más originales. Dio orden para que las tropas acantonadas en la capital y en las inmediaciones se dispusiesen para una revista, en cuyo acto yo debía representar un papel importante, permaneciendo de pie y en la postura del Coloso de Rodas, con las piernas abiertas cuanto me fuese posible. Debía mandar la línea un veterano general de mucha experiencia, que recibió el encargo de hacer desfilar las tropas por debajo de mi cuerpo, la infantería a ochenta hombres de frente y la caballería a dieciséis, todos a tambor batiente, armas al hombro y las banderas desplegadas. En total constituían una división de tres mil infantes y mil caballos, y si bien en la orden del día se había impuesto pena de la vida a los soldados que dejasen de observar la mayor circunspección y compostura para con mi persona, esto no fue óbice para que algunos oficiales jóvenes, al pasar por el arco que formaban mis piernas, levantasen la vista con disimulo y se echasen a reír al ver lo que el destrozo de mis calzones dejaba al descubierto.

En esto, eran tantos los memoriales que yo había presentado y remitido al emperador solicitando mi libertad, que Su Majestad pigmea, después de ocuparse de este asunto en su Consejo privado, lo envió al Consejo de Estado para que emitiese su parecer acerca del mismo. En el seno de este alto cuerpo consultivo no hubo otra contradicción que la del ministro Syresch Bolgolam que, sin poder yo atinar la causa, se declaró desde entonces mi enemigo, pero como todos los demás votos me fueron favorables, el monarca, de acuerdo con el dictamen, accedió por fin a que me pusiesen en libertad.

El tal Syresch Bolgolam, que era *galbet* o Gran almirante, se había granjeado la confianza de su señor por su habilidad en el desempeño de los negocios de su cargo, pero como tenía un natural envidioso y maligno, ya que no pudo conseguir hacerme permanecer en cautiverio, se dio bastante maña para que el monarca le encargase la redacción de los capítulos del Real decreto de liberación, los que me trajo a leer en persona, acompañado de dos subsecretarios y de otras personas distinguidas, exigiéndome que me obligase con juramento a observar las condiciones allí estipuladas. El juramento lo presté doble, puesto que primeramente juré con las solemnidades de costumbre en Inglaterra, y luego con el ceremonial que establecen las leyes de la Pigmeonia, que consiste en coger con la mano izquierda el dedo mayor del pie derecho y llevar la mano derecha a la cabeza, apoyando el dedo pulgar sobre el lóbulo de la oreja del mismo lado y el dedo medio encima de la coronilla.

Como supongo al lector impaciente por conocer el estilo oficial de aquel pueblo en el cual se extendieron los artículos del Decreto de libertad, me voy a permitir copiar aquí literalmente su contexto. Decía así:

«Golbasto, Momarén, Eulam, Gurdilo, Scheein, Mully, Uvi, Güé. Muy poderoso emperador de la Pigmeonia, delicia y terror del universo, cuyos estados se extienden cinco mil *blustrugs* (unas seis leguas de contorno) hacia los cuatro puntos cardinales del globo, rey de los reyes, el más alto de los hijos de los hombres, cuyas plantas constriñen la tierra contra su centro y cuya cabeza llega hasta el sol, que con su mirada hace temblar las rodillas de los potentados, amable como la primavera, placentero como el verano, abundante como el otoño, terrible como el invierno. A todos nuestros leales vasallos y feudatarios; salud.

»Su muy alta Majestad Imperial propone al *Hombre-montaña* los siguientes artículos, cuya observancia deberá ratificar con juramento:

»I. El *Hombre-montaña* no podrá salir de nuestros vastos dominios sin permiso nuestro por escrito, autorizado con el sello del imperio.

»II. No podrá entrar en nuestra capital sin una orden dictada a propósito, a fin de que tengamos tiempo de prevenir a los habitantes con dos horas de anticipación que se mantengan encerrados en sus casas.

»III. El indicado *Hombre-montaña* limitará sus paseos a nuestras carreteras reales, prohibiéndosele terminantemente andar por los caminos subalternos, y el pisar o acostarse en campos y prados.

»IV. Al pasear por los expresados caminos reales tendrá sumo cuidado de no aplastar con sus enormes pies a alguno de nuestros fieles súbditos, sus carros, o sus caballerías; y no será osado a tomar en sus manos a ninguno de dichos nuestros súbditos, sino mediante su expreso consentimiento.

»V. Si fuere urgente que algún correo de gabinete hiciere cualquier viaje extraordinario, el *Hombre-montaña* tendrá la obligación de llevar en su faltriquera al propio correo hasta seis jornadas, una vez en cada luna, y cumplida que sea la comisión, deberá devolverlo sano y salvo a nuestra imperial presencia.

»VI. El *Hombre-montaña* será nuestro aliado contra nuestros enemigos de la isla de Blefuscu, y pondrá cuanto esté de su parte para echar a pique la escuadra que actualmente están armando con el propósito de hacer un desembarco en nuestros estados.

»VII. El referido *Hombre-montaña*, además, en sus ratos de ocio, prestará el concurso de sus fuerzas a nuestros obreros, ayudándoles a levantar los grandes sillares que hay acopiados para terminar las paredes de nuestro Gran parque y de nuestros palacios imperiales.

»VIII. Luego que el *Hombre-montaña* haya jurado solemnemente observar los artículos que anteceden, percibirá diariamente una ración de carne y vino, equivalente a la que consumen mil ochocientos setenta y cuatro de nuestros vasallos, teniendo libre acceso cerca de nuestra Real persona, y recibiendo otras señaladas muestras de nuestra alta consideración.

»Dado en nuestro palacio de Belsaborac a los doce días de la noventa y una Luna de nuestro reinado.»

Como se comprende, me apresuré a prestar el juramento exigido y a suscribir de buena vountad el convenio, por más que, por efecto de la malicia del gran almirante Syresch Bolgolam, algunos de sus artículos no fuesen del todo honrosos para mí, y hecho esto me quitaron las prisiones y me pusieron en libertad en presencia del monarca, que quiso hacerme el honor de concurrir al acto. Una vez libre me postré a los pies de Su Majestad dándole humildes acciones de gracias por sus bondades, a cuyo acatamiento correspondió mandándome levantar y dirigiéndome las frases más lisonjeras.

Habrá podido observar el lector que en el último artículo del Real decreto de libertad, se disponía que se me proporcionase diariamente una cantidad de comestibles y bebida suficiente para alimentar a mil ochocientos setenta y cuatro pigmeos. Pues bien, transcurrido algún tiempo, tuve la curiosidad de preguntar a un amigo mío de la corte la razón de habérseme fijado precisamente una cantidad de víveres así determinada, a lo que me contestó el cortesano, que los matemáticos de palacio habían tomado a escondidas la altura de mi cuerpo por medio de un cuadrante y deducido mi anchura, hallando que sus cuerpos correspondían al mío en la proporción de uno a mil ochocientos setenta y cuatro, de cuyos cálculos habían sacado la consecuencia de que mi apetito debía ser mil ochocientas setenta y cuatro veces mayor que su apetito; todo lo cual da una elevada idea del admirable talento de aquel pueblo, y de la discreta y nunca bastante bien ponderada administración de su emperador.

CAPITULO IV

*Descripción de Mildendo, corte de la Pigmeonia y del
palacio del emperador. — Conversación del autor con
el secretario de Estado acerca de los negocios del imperio. — Partidos políticos y guerras civiles. — El
autor se ofrece al monarca en sus guerras.*

El primer memorial que presenté al monarca después de
haber obtenido mi libertad fue para pedirle el permiso de
visitar la capital de sus estados. El emperador accedió a ello
inmediatamente, mandando publicar un bando para prevenir
a los habitantes de mi visita, y recomendándome con gran interés que procurase no estropear a las personas ni causar daños
en los edificios.

La muralla que rodea la ciudad tiene una altura de dos
pies y medio, y once pulgadas de espesor, de suerte que los
carruajes pueden dar la vuelta por ella con todo desahogo,
y para mayor defensa, de diez en diez pies está flanqueada
por macizos torreones.

Yo penetré en la ciudad pasando el muro por encima de la
puerta del Norte, y seguí por una de las dos avenidas principales
andando siempre de lado, muy despacio y con los faldones del
gabán recogidos, para no destrozar con ellos los canalones y los
aleros de los tejados de las casas. Además, me veía obligado
a marchar con esta circunspección para no aplastar a algunas
personas que permanecían en las calles, a pesar de las órdenes
terminantes que se habían circulado para que todo el mundo
se recogiese a sus habitaciones y no saliese de ellas hasta que

yo me hubiese retirado. Los balcones y ventanas de los primeros, segundos, terceros y cuartos pisos, y las aberturas de los desvanes rebosaban de curiosos, y hasta las azoteas estaban atestadas de ellos, de donde inferí que la capital debía estar en extremo poblada, pudiendo contener muy bien dentro de su perímetro cerca de medio millón de almas.

Su figura es la de un cuadrado perfecto, teniendo cada uno de sus lados quinientos pies de longitud. Las dos calles más importantes, que cruzándose en ángulo recto la dividen en cuatro distritos, tienen cinco pies de ancho; las demás calles son de una latitud que varía entre doce y dieciocho pulgadas. Las casas tienen tres y cuatro altos, las tiendas y los mercados se hallan abundantemente surtidos, existiendo además varios edificios públicos, entre ellos un teatro, en el que en otro tiempo se daban funciones dramáticas y líricas de célebres autores, que subvencionaba espléndidamente el emperador, pero habiendo decaído poco a poco el talento de aquéllos y habiendo degenerado el gusto del público, acabose por suprimir tales espectáculos.

El palacio del emperador, que se halla en el centro de la ciudad donde convergen las dos calles mencionadas, está cercado de una pared de veintitrés pulgadas de alto, a la distancia de veinte pies del edificio, habiéndome permitido Su Majestad que echase una pierna por encima de dicha pared para que pudiese examinar a vista de pájaro su real morada. La plaza exterior forma un cuadro de cuarenta pies, y hay, además, otros dos patios en el interior del palacio, en el último de los cuales están las habitaciones de la real familia, que a pesar de mis deseos no me fue posible ver por entonces, por cuanto las mayores puertas no tenían más de dieciocho pulgadas de alto por siete de ancho. Por otra parte, los edificios que daban frente al patio exterior tenían lo menos cinco pies de altura, y por lo tanto me era imposible pasar por encima de ellos sin peligro de romper las pizarras que formaban su techumbre, ya que no las paredes, que eran de sólida construcción con sillares de cuatro pulgadas de grueso.

El emperador, por su parte, deseaba también que yo pudiese contemplar las magnificencias de su palacio, y gracias a mi ingenio pude darle y darme este placer al cabo de tres días, que empleé en cortar con mi navaja algunos árboles altos del parque imperial, distante de la ciudad cincuenta toesas, con cuya madera construí dos taburetes de tres pies de alto, de bastante solidez para resistir el apoyo de mi cuerpo. Se previno otra vez al pueblo que me dejase libre el paso, y yo cargado con mis banquillos, me encaminé de nuevo a palacio; arrimé uno de ellos a la pared exterior, me subí a él, y pasando el otro al lado opuesto, franqueé libremente el muro del primer patio, atrayendo hacia mí con un gancho el banquillo que había quedado fuera. Mediante este procedimiento penetré hasta el patio posterior, y tendiéndome en el suelo apliqué la vista a todas las ventanas del primer piso, que habían dejado abiertas de propósito, contemplando los salones más brillantes y suntuosos que se puede imaginar. Vi también a la emperatriz y a las infantas en sus respectivas habitaciones rodeadas de su servidumbre. La emperatriz me dispensó la honra de saludarme con una cariñosa sonrisa, y al despedirme me dio a besar su mano al través de la ventana.

No trato de hacer aquí la reseña de las curiosidades que encierra aquel palacio, pues lo reservo para otro libro de mayor importancia, próximo a darse a luz, que contiene el relato general del imperio de los pigmeos desde su primitivo origen, la cronología de sus emperadores durante una larga serie de siglos, noticias de las guerras, la política, la literatura, las leyes y la religión del país, la descripción de los animales y las plantas que en el mismo se crían, detalles de las costumbres y trajes de sus habitantes y otras minuciosidades no menos curiosas que útiles. Baste para mi objeto en la presente obra el trazar mi propia historia en los nueve meses y medio que permanecí en aquel delicioso país.

Quince días después de haber conseguido mi libertad, Redressal, secretario de Estado, se presentó inopinadamente en mi casa en compañía de uno de sus servidores más adictos, y habiendo mandado detener su coche a cierta distancia, entró a pedirme una conferencia privada de una hora, la que le concedí gustoso, ofreciéndole tenderme en el suelo para que pudiese colocarse al nivel de mi oído, a lo cual prefirió él que le sostuviese en la mano todo el rato que duró la conversación. Empezó Redressal dándome el parabién por mi soltura, diciéndome que, sin vanagloria por su parte, podía lisonjearse de haber contribuido eficazmente a ella, pero que más que todo había influido el empeño que el rey y su corte tenían en atraérseme para ciertos planes ulteriores que habían proyectado. Porque, añadió, «por más que nuestra nación parezca muy floreciente a los ojos de los extraños, no lo es tanto que no tengamos que combatir dos grandes plagas, a saber, en el interior la rebeldía tenaz de una facción política, y en el exterior la amenaza continua de un enemigo poderoso.

»Por lo que hace al primer peligro, conviene que sepáis que desde hace más de setenta lunas existen en el imperio dos partidos opuestos llamados *trameksan* y *slameksan*, palabras equivalentes a *talones altos* y *talones bajos* y alusivas a la mayor o menor altura de los zapatos, que es precisamente lo que distingue a los afiliados a uno y otro bando. Es cierto que los *alti-talones* constituyen el partido más conforme con nuestra antigua organización política, pero aunque así sea, Su Majestad ha resuelto servirse exclusivamente de los *baji-talones* para la administración del Estado, llamándoles a ejercer todos los cargos públicos de nombramiento real, y vos mismo podréis observar que los talones del calzado de Su Majestad son lo menos un *drurr* más bajos que los de cualquiera de sus cortesanos. (El *drurr* viene a ser, aproximadamente, la catorceava parte de una pulgada.)

»El rencor que se profesan los miembros de uno y otro partido es tal, que no comen ni beben juntos ni se hablan jamás. El nuestro está convencido de que los *alti-talones* nos sobrepujan en número, pero en cambio tiene sobre ellos la ventaja de que el gobierno se halla en nuestras manos. Pero ¡ay!, sospechamos fundadamente que Su Alteza imperial, el presunto heredero de la corona, va mostrando cierta inclinación hacia los *alti-talones*, lo cual fuera en su día una verdadera desgracia, o por lo menos nos lo da a entender así el hecho de llevar uno de sus talones más alto que el otro, lo cual le hace renquear un poco cuando anda.

»Para mayor desgracia, en medio de nuestras disensiones intestinas, nos vemos amenazados de una invasión por parte de los insulares de Blefuscu, que es el otro gran imperio del universo y casi tan dilatado y fuerte como el nuestro, porque hablándoos en confianza, a nuestros filósofos se les hace muy duro el creer que haya en el mundo esos otros estados que nos habéis descrito, habitados por hombres de vuestra talla, antes al contrario creen más bien que vos habéis caído de la luna o de alguna estrella, pues de otra suerte, sería seguro que un centenar de mortales como vos bastarían para consumir en pocos meses todos los granos y todo el ganado de una nación. Y les confirma más en esta creencia el que nuestros cronistas, desde seis mil lunas acá, no hacen mención de otras naciones que de los dos grandes imperios de Pigmeonia y de Blefuscu.

»Estas dos potencias, según os iba diciendo, están empeñadas desde hace treinta y seis lunas en una guerra terrible por un motivo sumamente trivial. Todo el mundo conviene en que la manera primitiva de romper los huevos pasados por agua era por su extremo más grueso, pero sucedió que el abuelo de Su Majestad reinante, cuando muchacho, queriendo un día cascar un huevo en aquella forma, es decir, por la coronilla, tuvo la desgracia de cortarse un dedo, por lo cual el emperador, su padre, expidió un decreto mandando que todos sus vasallos, bajo las penas más severas, rompiesen los huevos por su extremo más angosto, o sea, por la punta. El pueblo se irritó tanto al enterarse de esa ley arbitraria, que nuestros historiadores nos refieren que en el espacio de pocos años hubo hasta seis revoluciones, en las cuales un emperador perdió la vida y otro la corona.

»Aquellas desavenencias fueron siempre fomentadas secretamente por los reyes de Blefuscu, en cuyo imperio recibían asilo los sublevados, cada vez que se sofocaba un levantamiento, pudiendo calcularse en once mil el número de los ciudadanos que en distintas épocas han preferido sufrir la muerte antes que someterse a la ley inicua de romper los huevos por la punta. Centenares de tomos en folio se han escrito acerca del particular, pero los libros de los *casca-huevos a la antigua* han estado por mucho tiempo en entredicho, y todos los partidarios de aquel sistema han sido declarados por las leyes incapacitados para desempeñar los empleos públicos.

»Durante esta continuada serie de perturbaciones y trastornos, los emperadores de Blefuscu se han permitido hacernos frecuentes insinuaciones por medio de sus embajadores, acusándonos del delito de violación de un precepto fundamental de nuestro gran profeta Lustrogg, que se lee en el capítulo cincuenta y cuatro del *Blundecral* (que es el Alcorán de aquellos pueblos). No obstante, en realidad no se trata de otra cosa sino de interpretar con exactitud este versículo: —*Que todos los fieles rompan los huevos por el extremo más cómodo*, con lo cual queda dicho que el resolver acerca de cuál es el extremo más cómodo, debe dejarse al buen criterio o a la conciencia de cada cual, y en último caso debe someterse a la decisión de la autoridad del soberano.

»Pero sea como fuere, ello es que los casca-huevos a la antigua usanza, desterrados de nuestro imperio, han hallado tan buena acogida en la corte del emperador de Blefuscu y tan gran apoyo y recursos en nuestro propio país, que sin otro objeto se ha sostenido durante treinta y seis lunas una lucha sangrienta entre las dos naciones, con diversas alternativas por una y otra parte. En esta guerra hemos tenido que lamentar la pérdida de cuarenta de nuestros mejores navíos de línea y de gran número de embarcaciones menores, más la muerte de treinta mil marinos y soldados, pudiendo calcularse que no habrán sido de menos monta las bajas de nuestros contrarios, pero de todas maneras los blefuscuitas al presente están armando una formidable escuadra y aprestándose para hacer un desembarco en nuestras costas, y Su Majestad imperial, contando con vuestro valor y teniendo una elevada idea de vuestras fuerzas, me ha encargado comunicaros estos pormenores de nuestros negocios de gobierno, para saber a qué atenernos respecto de vuestras intenciones.»

Por toda contestación, rogué al secretario que se sirviese ofrecer mis humildes respetos al emperador, dándole la seguridad más solemne de que en toda ocasión me hallaría dispuesto a sacrificar hasta la última gota de mi sangre en defensa de su sagrada persona y de su imperio, contra todas las empresas e invasiones de sus enemigos. El ministro, luego que obtuvo esta respuesta tan favorable, me dio en nombre de su rey y en el suyo, las gracias más afectuosas, y se despidió muy satisfecho.

CAPITULO V

*El autor, por medio de una ingeniosa estratagema,
impide el desembarco de los enemigos. — El emperador
le nombra grande de primera clase. — Llega una
embajada de Blefuscu para solicitar la paz. — Prén-
dese fuego a las habitaciones de la emperatriz y el
autor contribuye eficazmente a apagar el incendio.*

El imperio de Blefuscu lo forma una gran isla situada al
nordeste de la Pigmeonia, de la que sólo le separa un canal
de cuatrocientas toesas de ancho. Yo, que hasta entonces
sólo había tenido ocasión de aproximarme a la frontera y
no había visto el canal, cuando estuve advertido del proyectado desembarco evité aún más el dirigirme hacia aquel
lado, por temor de que desde algunos de sus buques me descubriese el enemigo, que no tenía la menor noticia de mi
persona, ¡tan estrechamente se observaba de algún tiempo
a aquella parte la prohibición absoluta de comunicarse ambos
pueblos!

Ante todo, me encaminé al palacio del emperador a darle
cuenta del plan que había concebido para hacerme dueño
de toda la escuadra blefuscuita, que según relación de nuestras
avanzadas, se había reunido en su puerto dispuesta a hacerse
a la vela al primer viento favorable. Habiendo consultado a
los marinos de más experiencia para que me informasen de la
profundidad media del canal, manifestaron que éste, en la hora
de la marea alta, tenía en su centro un fondo de setenta *glumgluffs* (que vendrán a ser unos seis pies, medida de Europa),

y en sus orillas como unos cincuenta *glumgluffs*. En su vista me dirigí con precaución hacia el Nordeste, es decir, hacia la costa de frente a Blefuscu, y ocultándome detrás de una colina pude descubrir la armada enemiga compuesta de cincuenta buques de guerra y de un número mucho mayor de buques de transporte.

Adquiridas estas noticias, me retiré al punto y pasé a dar orden de fabricar gran cantidad de fuertes cables de alambre de hierro, del grueso de una aguja de hacer calceta, los cuales retorcí de tres en tres para que tuviesen mayor resistencia, doblando luego uno de sus extremos en forma de gancho. Volví a la costa, me despojé de mis ropas y penetré resueltamente en el canal; avanzando primero sin perder pie, y nadando después entre dos aguas hasta la distancia de quince toesas que me separaba de la orilla opuesta, pude llegar a la flota en menos de media hora. Las tripulaciones de los buques quedaron tan sorprendidas con mi inesperada aparición, que saltaron de sus buques como un enjambre de ranas en número de treinta mil hombres y huyeron a todo correr tierra adentro. Despejado el campo, saqué sosegadamente mis cuerdas, y prendiendo los corchetes al ojo de la proa de cada buque los até todos sólidamente por el extremo opuesto.

Pero mientras verificaba esta maniobra, los enemigos, algo repuestos de su terror, mi hicieron una descarga de muchos millares de flechas, parte de las cuales me dieron en el rostro y manos, causándome un escozor insoportable y estorbándome en mi trabajo. Mi mayor cuidado era salvar la vista, que indudablemente habría perdido si no se me hubiese ocurrido sacar de mi bolsillo secreto el par de espejuelos que por fortuna había conservado, y que me calé a toda prisa asegurándolos fuertemente en la nariz, con cuyo resguardo pude proseguir imperturbablemente mi tarea, a despecho de la granizada de flechas que sin intermisión seguía cayendo sobre mí. Cuando tuve amarrados todos los cables traté de arrastrar tras mí los buques, pero se presentó la nueva dificultad de hallarse todos anclados, por lo que me vi en la precisión de picar con mi cuchillo las amarras que los retenían, y hecho esto me llevé a la sirga con la mayor facilidad los cincuenta navíos de guerra de más porte.

Los de Blefuscu, que no podían adivinar lo que me proponía hacer con su escuadra, quedaron tan sorprendidos como amedrentados de mi acción. Al principio, cuando me vieron cortar las cadenas de las anclas, creyeron que mi objeto era dejar sus buques abandonados al viento y a las olas para que, chocando unos contra otros, se estrellasen y fuesen a pique, pero cuando vieron que les arrebataba de golpe toda su armada prorrumpieron en formidables alaridos de rabia y de desesperación. Por mi parte, seguí arrastrando tan soberbia presa hasta ponerme fuera del alcance de los tiros del enemigo; entonces me detuve un poco para arrancar las saetas que acribillaban mi rostro y manos, y luego seguí mi camino en demanda del puerto imperial de la Pigmeonia.

El emperador y sus cortesanos se habían venido a la orilla del canal, en la espectativa del resultado de mi atrevida expedición, aumentando de punto su ansiedad cuando vieron adelantarse hacia su reino una flota marchando formada en semicírculo, sin advertir que era yo quien la conducía, a causa de hallarme casi sumergido en el agua. Esa apariencia engañosa hizo creer al monarca que yo realmente había muerto, y que la armada enemiga venía a efectuar su desembarco, pero pronto se disiparon sus alarmas, pues, habiendo por fin tomado tierra, aparecí con toda mi elevada estatura a la cabeza de aquel promontorio de naves, que puse en manos de Su Majestad, dando con entusiasta voz un viva al *Muy poderoso emperador de los pigmeos.*

Tan satisfecho quedó éste de mis hazañas, que aparte de las frases laudatorias que me prodigó en aquel mismo sitio, me nombró también en el acto *nardac*, que es uno de los títulos nobiliarios más apreciados en el país.

Además, este primer triunfo, obra exclusivamente mía, envalentonó hasta tal punto al monarca pigmeo, que me encargó que inmediatamente tomase las medidas oportunas para apresar y conducir a sus puertos las demás embarcaciones del enemigo, pues las pretensiones ambiciosas de aquel príncipe tendían nada menos que a hacerse dueño de todo el territorio de Blefuscu, reducirlo a provincia de su imperio, gobernada por un virrey hechura suya, castigar de muerte a todos los infelices expatriados casca-huevos a la antigua, y llegar de esta suerte y paso a paso a la monarquía universal. No obstante, yo tuve buen cuidado de disuadirle de tales propósitos, exponiendo a su consideración razones políticas y jurídicas de gran peso en contra de los mismos, y protestando con tesón que yo no estaría nunca dispuesto a servirle de instrumento para oprimir arbitrariamente a un pueblo noble y esforzado, cabiéndome la satisfacción de que, cuando más adelante se promovió el mismo tema en Consejo de ministros, la parte más sensata de los consejeros del rey estuvo del todo conforme con mi parecer.

Sin embargo, esa oposición mía manifestada así explícitamente, era tan opuesta a los planes políticos de Su Majestad, que yo no podía hacerme la ilusión de que me la perdonase en su vida. Y en efecto, el rey habló de ella en el Consejo con tono tan displicente y en una forma tan mortificante para mí, que algunos de los consejeros que me odiaban en secreto, tomaron de ello pie para hacerme en adelante una guerra a la descubierta. Desde aquel instante se constituyó una especie de liga entre Su Majestad y una parte de sus ministros, que estalló contra mí dos meses después, y que fue la causa de mi pérdida, ¡tan cierto es que los más relevantes servicios prestados a los soberanos se oscurecen cuando no les acompaña una ciega obediencia a sus perversas pasiones!

Cerca de tres semanas después de mi brillante expedición, llegó a la capital una solemne embajada de Blefuscu trayendo proposiciones de paz, cuyo tratado se firmó a los pocos días con condiciones altamente favorables para la nación pigmea. La embajada se componía de seis dignatarios de primera categoría, con un cortejo de quinientas personas, y su entrada en la ciudad se verificó con el boato y pompa correspondiente a la grandeza de Su Majestad blefuscuita y a la importancia de la misión que traían sus enviados.

Después de la conclusión del tratado de paz, al que no fue extraña mi opinión, y habiendo llegado a oídos de los plenipotenciarios los servicios que yo había prestado a su país, al oponerme a las pretensiones injustas de mi soberano, me hicieron una visita de ceremonia en la que empezaron por dirigirme multitud de cumplidos por mi valor y mi grandeza de alma, y acabaron por pedirme les hiciese ver prácticamente algunos rasgos de aquella prodigiosa fuerza de la que les habían contado tantas maravillas. Para complacerles ejecuté algunos alardes que les dejaron absortos, con lo cual se despidieron, rogándoles yo que al volver de nuevo a su patria me dispensasen el honor de ponerme a los pies de Su Majestad blefuscuita, cuyas esclarecidas virtudes eran públicas en todo el orbe y a quien, mediante su beneplácito, me permitiría presentar mis humildes homenajes antes de regresar a mi país.

A los pocos días solicité, en efecto, del emperador el permiso para visitar la corte del rey de Blefuscu, a cuya demanda me contestó con la mayor indiferencia, que le parecía bien, pero según me dijo luego en reserva uno de mis amigos, el monarca había considerado este paso mío y mis relaciones con los embajadores blefuscuitas como otros tantos actos de deslealtad altamente censurables. Al juzgar de esta suerte de mis intenciones, el emperador cometía evidentemente conmigo una injusticia, pero, no obstante, pronto comprendí que semejantes juicios temerarios nada tienen de particular entre los cortesanos, y por lo tanto deben admitirse como moneda corriente en todas las cortes del universo.

Se me había olvidado advertir que la conversación con los embajadores había tenido lugar por medio de intérprete, pues los idiomas de los dos imperios son completamente distintos, poniendo empeño cada nación en ponderar la antigüedad, la galanura y el vigor de su lengua respectiva, menospreciando la de la otra; y hasta esta vez el emperador, ensoberbecido de la victoria que había conseguido sobre los blefuscuitas con la presa de su flota, se aprovechó de esta circunstancia para obligar a los embajadores a presentar sus credenciales y a pronunciar su arenga en el idioma de la Pigmeonia. Pero la verdad es que, con motivo del tráfico mercantil que se hace entre los dos imperios, del asilo que en cada uno de ellos se concede a los desterrados del otro y de la costumbre que ha adoptado la nobleza pigmea de enviar a su juventud dorada a Blefuscu, para que adquiera allí los modales finos y delicados del gran mundo, se hace muy raro que las personas de distinción y aun los comerciantes y marinos de los puertos no posean y hablen correctamente ambos idiomas. Y esto, después de todo, no dejó de ser una ventaja para mí, pues de otro modo me hubiera sido casi imposible salir de las dificultades que me suscitaron hábilmente mis enemigos durante mi permanencia en Blefuscu.

El lector podrá recordar ciertos artículos del tratado que precedió a mi libertad, y que a pesar de ser altamente humillantes para mi persona, no obstante me vi obligado por necesidad a suscribir. Del cumplimiento de esos servicios quedé, naturalmente, dispensado desde que me fue concedido el título de *nardac* de que he hecho mención, y ni aún me habló de ellos el emperador; sin embargo, un fatal accidente me proporcionó la ocasión de poder prestar al monarca un favor muy señalado.

Una noche, a eso de las dos, y cuando aún tenía cogido el primer sueño, me despertó súbitamente la destemplada gritería de una numerosa muchedumbre arremolinada a la puerta de mi albergue, que daba repetidas voces de *burgum, burgum*. Al pronto, no pude comprender de qué se trataba, hasta que algunos oficiales de la corte, rompiendo violentamente por entre el gentío, pudieron llegar a mí, rogándome que acudiese sin demora a palacio donde ardían las habitaciones de la emperatriz por el descuido de una de sus camaristas, que se había quedado dormida en un sillón, mientras leía a la luz de una vela un romance blefuscuita. Ante tamaña desgracia, me levanté inmediatamente y corrí hacia el palacio, no sin perder algún tiempo por el temor de aplastar a los pigmeos que se atravesaban en mi camino. Ya habían arrimado escaleras de mano al lugar del incendio, y hecho gran acopio de cubos del tamaño de un dedal de coser, que con gran diligencia iban trayendo los pobres vecinos, pero como, para mayor fatalidad, el agua se hallaba algo distante, a pesar de tales precauciones las llamas iban tomando cada vez más incremento.

Yo hubiera indudablemente podido sofocar el fuego cubriendo el edificio con mi holgado levitón, pero casualmente me lo había dejado en casa con la precipitación con que había salido, y de ahí que a falta de mejores recursos, y para evitar que un palacio tan magnífico quedase reducido a cenizas, hube de acudir a otro expediente que de pronto se me ocurrió. Conviene saber que la tarde anterior había bebido gran cantidad de un vino blanco llamado *glimiglimi* que se produce en una comarca de Blefuscu y que es excesivamente diurético; y con tal motivo, desaguando en abundancia y dirigiendo convenientemente el chorro a los focos del incendio, pude extinguirlo por completo en menos de tres minutos, salvando por este arbitrio aquel soberbio palacio cuya construcción había costado inmensas sumas.

Como empezaba ya a apuntar el día, me apresuré a escabullirme de aquel lugar sin atender apenas a las expresiones de gracias que me daba desde su aposento el emperador. En verdad, yo abrigaba algunos recelos acerca de la manera cómo el soberano tomaría el empleo de aquel recurso abominable a que había acudido al prestarle mi servicio, pues la acción de verter aguas dentro del recinto del palacio imperial, es castigada por las leyes del país con la pena de muerte sea cual fuere la calidad del culpable. Pronto, empero, salí de cuidado acerca de este particular, pues Su Majestad se apresuró a mandarme un mensaje haciéndome saber que en atención al buen intento que me había impulsado a obrar, había dado la orden para que fuese extendida a mi favor una real carta de indulto. Sin embargo, el enviado no me ocultó que la emperatriz, horrorizada ante el desacato que yo acababa de cometer, había ido a refugiarse en el ala opuesta del palacio, resuelta a no volver a poner los pies en el departamento mancillado con un proceder tan innoble y grosero, del que, en presencia de sus más íntimos confidentes, juró tomar venganza.

CAPITULO VI

Costumbres de los habitantes de la Pigmeonia. — Literatura, legislación y manera de educar los hijos. — Método de vida del autor. — Tiene sus disgustos domésticos.

Por más que, como llevo dicho, me haya propuesto hacer la descripción de este imperio en un tratado particular, no obstante considero un deber mío el dar en el presente capítulo una idea general del mismo a mis lectores.

La talla ordinaria de los habitantes de la Pigmeonia excede algo de seis pulgadas, y todos los demás seres del reino animal guardan con las personas humanas la correspondiente proporción. Así es que, por ejemplo, los caballos y los bueyes de mayor altura miden de cuatro a cinco pulgadas, los carneros pulgada y media poco más o menos, los patos tienen las dimensiones de un gorrión, y por el mismo tenor los demás animales, hasta llegar a los insectos, completamente invisibles para mí. La naturaleza, empero, ha sabido ajustar la vista de los pigmeos a la medida exigua de los objetos que se presentan ante sus ojos, de manera que los distinguen perfectamente, si bien dentro de un círculo sumamente limitado. Para que se comprenda hasta qué punto su penetrante vista está en relación con todo lo que les rodea, puedo citar el caso de un cocinero a quien vi desplumar con la mayor destreza una alondra del tamaño de una mosca común, y el otro de una doncella de labor que estaba enhebrando una aguja tan invisible como la seda que pasaba por ella.

Poco hay que decir de las ciencias, que aquel pueblo cultiva desde tiempo inmemorial en todas sus ramas, pero sí debo ocuparme como cosa particularísima de su escritura, que no corre de izquierda a derecha como la de los europeos, ni de derecha a izquierda como entre los árabes, ni de arriba abajo como en el imperio chino; sino que está trazada oblicuamente de un ángulo del papel al opuesto, a la manera que escriben sus cartas las ladys inglesas que quieren singularizarse.

En la Pigmeonia entierran a los muertos cabeza abajo, porque, según imaginan, dentro del plazo de once mil lunas todos los hombres han de revivir, volviéndose entonces la tierra, que ellos creen plana, del lado opuesto, con lo cual en el instante de la resurrección, todos los difuntos se encontrarán derechos sobre sus pies. Las personas instruidas no dejan de reconocer que semejante opinión es altamente absurda, pero a pesar de ello la costumbre subsiste, por razón de ser tan antigua y de hallarse apoyada en la tradición popular.

La legislación de los pigmeos ofrece algunas leyes de carácter especial, que yo trataría de justificar si no fuesen diametralmente opuestas a las de mi querida patria. De entre ellas, la que más llamó mi atención fue la que se refiere a los delatores. El crimen de lesa majestad se castiga en aquel país con extremo rigor, pero si el acusado puede hacer patente su inculpabilidad, se condena al acusador a una muerte cruel e ignominiosa y su hacienda es confiscada en provecho del inocente. Y si los bienes de aquél son escasos y éste ha sufrido alguna prisión o mal trato, el Tesoro público suple la diferencia y el emperador añade, además, alguna muestra de su favor a la indemnización pecuniaria y manda publicar por todo el país la inocencia del hombre a quien se calumnió tan villanamente.

El fraude es mirado como un delito mucho más grave que el robo, y de ahí el que se castigue siempre con la pena capital, considerando que con precaución y vigilancia una persona de mediano talento puede asegurar sus bienes contra las asechanzas de los malhechores, pero que la honradez no tiene en los actos de la vida humana medio alguno de defensa contra la falacia y la mala fe. Recuerdo que una vez me atreví a pedir a Su Majestad gracia para un dependiente que se había apropiado una cantidad de dinero, cuyo cobro le había encargado su principal, alegando en favor del reo que aquel hecho no pasaba de los límites de un simple abuso de confianza; no obstante, el monarca se negó a conceder el indulto, fundado en que le parecía monstruoso que yo presentase como atenuación del delito precisamente lo que era una circunstancia de las más agravantes. Por desgracia, en el fondo de mi alma hube de confesar que el emperador tenía razón, y por lo tanto no pude contestarle más que con la vulgaridad de que cada país tiene su manera especial de apreciar las cosas.

Aunque es cierto que nosotros consideramos el derecho de premiar y castigar como la piedra fundamental del gobierno de un estado, sin embargo, hay que reconocer que el principio de las penas y de las recompensas no se practica en Europa con la sabiduría y prudencia con que se observa en la Pigmeonia. Entre los pigmeos, el ciudadano que puede acreditar con una prueba plena, que por espacio de setenta y tres lunas ha guardado fielmente las leyes de su país, tiene desde aquel momento opción a ciertos privilegios arreglados a su condición y estado, cuyos gastos se sufragan de una caja establecida a este objeto, y hasta puede llegar a ganar el título de *snill-pall* (o *leal*) y continuarlo en su apellido, pero sin pasar a sus descendientes.

Aquel pueblo reprueba como un gran defecto político el que nuestras leyes sean en su totalidad represivas, y que a su infracción siga inmediatamente el castigo sin que a su observancia le siga el menor premio. Esta es la razón por lo que entre ellos se representa la Justicia por una matrona con seis ojos, dos delante, dos detrás y dos a los lados (para significar la circunspección), llevando un talego de oro en la mano derecha y una espada envainada en la izquierda, como demostrando que se halla más dispuesta a recompensar que a castigar.

En el nombramiento de los empleados públicos, se atiende

más a la probidad que al talento de los elegidos. Como el gobierno es necesario a la humanidad, se considera que la Providencia no puede tener jamás el designio de hacer de la administración de los negocios públicos una ciencia difícil y misteriosa, que solamente pudiesen poseerla un contado número de almas levantadas y sublimes, de aquellas que apenas nacen dos o tres en cada siglo, antes por el contrario, se cree que la verdad, la justicia, la templanza y las demás virtudes que deben formar las dotes de los gobernantes están al alcance de todo el mundo, y que la práctica de ellas, acompañada de alguna experiencia y de una recta intención, puede hacer a todo ciudadano idóneo, apto para la administración de su país. Allí están convencidos de que la falta de virtudes morales no puede ser reemplazada ni suplida por el talento superior del espíritu, y que los hombres que lo poseyesen pero careciesen de moralidad y buena fe, serían más peligrosos para el ejercicio de los cargos públicos que aquellos ministros ignorantes y de pocas luces, pero íntegros y pundonorosos. En fin, creen los pigmeos que los errores de un hombre honrado nunca pueden producir consecuencias tan fatales para el bien público como los procedimientos tenebrosos de otro funcionario de inclinaciones perversas, que encontraría en su misma astucia sobrados recursos para ejecutar el mal impunemente.

En la Pigmeonia, los ateos son declarados inhábiles para desempeñar los puestos del Estado, pues, como los reyes se titulan de derecho divino y se consideran delegados por Dios para regir su imperio, los pigmeos tendrían por la cosa más anómala y por la mayor de las inconsecuencias, el que un soberano diese empleos en el gobierno a personas sin creencias ni religión, que negasen aquella Autoridad suprema de la que forzosamente ha de emanar la suya propia.

No obstante lo dicho, debo hacer constar que al referir esas leyes hablo únicamente de las originales y primitivas, y no de las instituciones modernas que se han desarrollado a la sombra de la corrupción en que paulatinamente van cayendo las naciones, tales como la vergonzosa manera de aspirar a los principales empleos bailando sobre la cuerda tirante y a los distintivos honoríficos saltando por encima de un palo. Todas esas costumbres ruines eran antiguamente desconocidas, no habiéndose establecido hasta los últimos tiempos del reinado del padre del actual emperador.

La ingratitud es allí un delito merecedor de una pena enorme, de la misma manera que en la historia se lee era considerada en otros tiempos entre algunas naciones felices y virtuosas. En opinión de los pigmeos, un hombre capaz de pagar con mala correspondencia a su propio bienhechor, es necesariamente un enemigo del género humano y por consiguiente se hace indigno de vivir entre los demás hombres.

Las ideas de aquel pueblo relativas a los deberes de los padres para con sus hijos son completamente distintas de las nuestras. Entre ellos se reputa el matrimonio, o sea, la unión del varón con la hembra, como derivado exclusivamente de la ley natural, que exige la propagación de las especies así en el hombre como en los demás animales, y, por lo tanto, sientan la teoría de que los padres no están obligados a procurar a sus hijos mayores cuidados que aquellos que los irracionales prestan a su prole. De aquí que no reconozcan en los hijos aquellos deberes especiales de gratitud hacia sus progenitores por haberles dado el ser, pues dicen que aun cuando los hubiesen procreado conscientemente, en último resultado no les han traído con ello más que pesares. Y como por este motivo consideran a los padres como las personas menos a propósito para educar a su descendencia, han establecido en todas las poblaciones escuelas públicas, a las que los padres y madres (a excepción de los de la clase labradora), vienen obligados a enviar a sus hijos de uno y otro sexo para que se desarrollen y eduquen hasta la edad de veinte lunas, en que ya los suponen dóciles y capaces para tomar carrera.

Hay escuelas de diferente clase según la posición social y el sexo de los alumnos, y en todas ellas entendidos profesores forman a sus discípulos para el estado o profesión correspondiente a su rango, su talento especial o sus particulares inclinaciones.

Las academias para los hijos de familias ilustres tienen un claustro compuesto de profesores doctos y venerables que les inspiran en los principios del honor, de la justicia, del valor, de la modestia, de la piedad, de la religión y del amor patrio. El vestido de los niños que concurren a estas escuelas es sumamente sencillo y la alimentación muy sobria y frugal. Hasta los cuatro años tienen criados varones que les visten, pero después de esta edad les obligan a vestirse ellos mismos, sea cual fuere su jerarquía, no permitiéndoseles jamás entrar en conversación con los sirvientes. Los alumnos están siempre ocupados, salvo las cortas horas que destinan a la comida, al descanso y al recreo. En sus ratos de solaz les está prohibido toda clase de juego fuera de la vista de sus maestros, al objeto de evitar esas funestas impresiones de la locura y del vicio que desde temprana edad pervierten la inocencia de nuestra juventud.

Los padres de los muchachos están autorizados para visitar a sus hijos dos veces al año, pero sin prolongar su visita más allá de una hora, pudiendo besarles y abrazarles al entrar y al despedirse, en presencia de uno de los maestros que asiste al locutorio y no permite que les hablen en secreto, les adulen, ni les regalen juguetes o golosinas. La mensualidad fijada para la educación y manutención de los colegiales la pagan sus padres, y los preceptores oficiales responden de los ingresos.

Los colegios para los hijos de familias acomodadas y de menestrales están montados también bajo el mismo pie, con las variantes correspondientes a la profesión a que debe dedicarse cada cual; así, por ejemplo, los jóvenes que están destinados al ejercicio de las artes mecánicas, concluyen sus estudios a los once años, mientras que los jóvenes de la clase media los continúan hasta los quince, que equivale a nuestra mayor edad, dejándoles empero en los tres últimos años mayor libertad que entre nosotros.

En los colegios de niñas, las muchachas de calidad reciben casi la misma educación que los niños. Visten a las pensionistas hasta la edad de cinco años las criadas de la casa, pero siempre delante del aya; después vienen obligadas a vestirse ellas mismas. Si alguna vez se sorprende a un aya o camarera entreteniendo a las alumnas con cuentos insulsos u horripilantes (como es muy frecuente en Inglaterra), se condena a la culpable a ser azotada por las calles, después sufre un año de arresto, y al salir de la prisión se la destierra al punto más apartado del imperio por el resto de sus días. Es por este motivo que las señoritas pigmeas se avergüenzan tanto como los hombres de aparecer medrosas o necias, y que posponen el lujo exterior del traje al aseo y decencia del mismo.

Sus estudios son menos complicados que los de los varones, pero difundidos bajo el mismo tenor, y completados con algunas nociones de economía doméstica, pues es una máxima entre los pigmeos que una esposa, por lo mismo que ha de ser para su marido una compañera grata y razonable, debe cultivar cuanto sea posible su espíritu que jamás envejece. Cuando las niñas llegan a la edad núbil, que en ese país es a los doce años, los padres o tutores las sacan del colegio después de haber demostrado su agradecimiento a las institutrices, y raras veces se realiza esta separación sin que la joven señorita y sus maestras y condiscípulas derramen abundantes lágrimas.

En las escuelas de niñas de la clase artesana se las enseña a hacer toda clase de trabajos y labores, saliendo del establecimiento a la edad de siete años las alumnas que han de empezar algún aprendizaje, y permaneciendo en él hasta los once años las demás.

Las familias de humilde posición que tienen sus hijos, tanto varones como hembras, en esas escuelas, deben aprontar cada mes, además de la pensión reducida que se les exige, una pequeña cantidad deducida de sus beneficios o salarios y destinada a formar un capital para sus hijos de ambos sexos. La ley, considerando que no sería justo que esos matrimonios, después de haber echado al mundo una multitud de criaturas dejasen su porvenir a cargo de la nación, ha limitado de aquella suerte los gastos de los padres, obligándoles a asegurar formalmente dicho porvenir de sus hijos, formándoles un peculio propio mediante ese ahorro, que es administrado con toda rectitud por los directores de los colegios.

A los colonos y labradores se les tolera que retengan a sus hijos en sus alquerías, porque estando destinados éstos a labrar la tierra, le importa poco al Estado que participen de los beneficios de la instrucción, y que su inteligencia sea más o menos despejada, pero en cambio a su vejez tienen derecho a ingresar en los hospicios de caridad, para evitar el triste espectáculo, desconocido en la Pigmeonia, de las turbas de pordioseros que andarían vagando por calles y plazas mendigando su sustento.

Y aquí creo ya llegada la ocasión de dar cuenta al amable lector de mi modo de vivir en ese país, durante los nueve meses y trece días que permanecí en él.

Al tomar posesión de mi casa, lo primero que hice fue construirme una mesa y una silla con la madera de los árboles más altos y fuertes del parque imperial. Luego doscientas costureras se encargaron de la confección de mi ropa blanca, procurándose el lienzo más recio que se pudo encontrar (que tiene un ancho de tres pulgadas), y aun así hubieron de ponerle varios dobleces debidamente cosidos unos con otros para que formasen una tela más resistente. Para tomar la medida de mis camisas, sostuve yo a la oficiala mayor en la palma de la mano a la altura de mi cuello, desde donde dejó caer una cuerda hasta mi pantorrilla, cuya distancia midió otra oficiala con una regla de una pulgada de largo; después de esto tomaron con toda escrupulosidad la circunferencia de uno de mis pulgares y aquí se acabó la operación, porque aquellos artistas tienen estudiado por medio de un cálculo matemático que dos veces la circunferencia del pulgar constituye la de la muñeca, que doblando la circunferencia de la muñeca se saca la del cuello, y que duplicando esta última se obtiene el grueso de la cintura.

A continuación, trescientos sastres se ocuparon en cortar mis vestidos, siguiendo un procedimiento algo distinto para tomarme la medida. Yo me hinqué de rodillas, y arrimando ellos contra mi hombro una escalera de mano, el maestro sastre se subió por ella hasta mi cogote, determinando por medio de una plomada que dejó correr hasta el suelo el largo de mis vestidos, y luego yo mismo tomé y les di la medida del cuerpo y la del brazo. Como ninguno de los departamentos de sus talleres podía contener piezas de las dimensiones de mis vestidos, costureras y sastres hubieron de trabajar en mi habitación hasta dejar confeccionado mi traje, que en definitiva resultó semejante a aquellos disfraces de arlequín que se llevan por carnestolendas, compuestos de retazos de varios colores, con la diferencia que el mío era todo de un solo color.

Trescientos cocineros preparaban diariamente mi comida en unas barracas levantadas alrededor de mi vivienda con habitación para ellos y sus familias, teniendo el encargo expreso de suministrarme dos platos fuertes en cada comida. Al llegar la hora de comer cogía yo una veintena de lacayos y los colocaba encima de la mesa, mientras un centenar de pinches de cocina quedaban al pie trayendo a cuestas los manjares y el vino que los de la mesa subían por medio de unas garruchas y colocaban delante de mí a medida que yo los iba pidiendo. El carnero de allá no es tan delicado como el nuestro, pero su vaca es excelente. Cada plato representaba un bocado, y cada barril de vino un sorbo; los patos y las gallinas me los comía de una sola dentellada, y podía engullir de golpe una treintena de sus pajarillos. Una vez, sin embargo, me sirvieron como una gran rareza un ave tan descomunal que hube de emplear tres bocados para despacharla, en medio de la admiración que causaba a los criados el verme triturar la carne y los huesos como si fuesen hechos de masa de alfeñique.

Su Majestad quiso un día hacerme honor presidiendo mi comida en compañía de la reina y de las infantas. A este efecto vinieron a mi casa con su cortejo, tomaron asiento en unos sillones que a prevención traían los criados de palacio, y yo, cogiéndoles uno a uno, fui colocándoles en la mesa frente a mí con sus guardias alrededor. Flimnap, el tesorero mayor, también estaba con ellos, y aunque observé que miraba con cierta prevención a mi humilde persona, hice cuanto pude para disimular y comí mucho más que de costumbre, para hacer resaltar el vigor de mis conciudadanos y completar la admiración de esos extranjeros. Desgraciadamente, Flimnap, que había sido siempre mi enemigo secreto, tomó ocasión de esta comida para desacreditarme cerca del emperador, recordándole que la manutención de mi persona había ya costado en aquella fecha al Tesoro más de un millón y medio de ducados, que los bonos se cotizaban con un nueve por ciento de baja en su valor nominal, que la penuria de la Hacienda le obligaba a contratar empréstito sobre empréstito a un interés ruinoso, concluyendo por indicar al monarca que era ya llegada la hora de buscar un pretexto para despedirme con toda la urbanidad posible.

Y a este propósito creo cumplir un deber de conciencia abonando en este lugar a una respetable dama de la corte, que hubo de sufrir mucho a causa de las viles acusaciones de que fue objeto. Al Tesorero se le ocurrió nada menos que ponerse celoso de su consorte instigado por algunos murmuradores cortesanos que pretendían que aquella señora mostraba una inclinación vehemente hacia mi persona, llegando las hablillas de la corte hasta el extremo de hacer circular la noticia de que ella había venido varias veces clandestinamente a mi casa.

No niego yo que esa dama, dándome inequívocas muestras de su bondad y de confianza venía a mi habitación con alguna frecuencia, pero no es menos cierto que siempre lo hacía públicamente y en compañía de su hermana, de su hija o de alguna amiga, como así mismo lo hacían otras señoras de alto copete, pudiendo atestiguar mis criados que jamás han visto una calesa detenida frente a mi casa sin que les constase punto por punto las personas que conducía. Cuando un lacayo me anunciaba una visita, yo me adelantaba hasta la puerta, ofrecía mis respetos al visitante, y tomando con cuidado el carruaje y los caballos (si el tronco era de cuatro el cochero desenganchaba dos), los colocaba encima de mi mesa que tenía en su alrededor un reborde para prevenir una caída. Hubo ocasión en que he tenido seis trenes sobre la mesa, y mientras yo, sentado en mi butaca, conversaba con las damas de uno de los carruajes, los otros cocheros hacían desfilar los suyos alrededor de la explanada. De esta suerte he pasado muy agradables veladas, y reto a Flimnap y a sus espías Clustril y Drunlo (que se defenderán si pueden), a que prueben que nadie haya venido de incógnito a mi casa, a excepción del secretario Redressal que fue enviado por el emperador para explorar mi opinión acerca de la guerra blefuscuita, según antes hice mención.

Confieso que no hubiera entrado en todos estos pormenores si no estuviese interesada de por medio la honra de una gran señora, que de rechazo me afectaba a mí, que ya tenía entonces el título de *nardac*, superior al del ministro de Hacienda que no era sino *glumglum*, por más que me aventajase en jerarquía por razón de su cargo. Aquellos falsos informes agriaron al envidioso Flimnap contra su esposa, y más aún contra mí, y si bien con respecto a la primera acabó por fin de reconocer su error y reconciliarse con ella, por lo que a mí se refiere no pudo jamás decidirse a perdonarme, haciéndome perder rápidamente las simpatías que yo había tenido la suerte de merecer del emperador, gracias al poderoso ascendiente que sobre él ejercía.

CAPITULO VII

El autor es avisado en secreto por un amigo de que se trataba de procesarle por delito de alta traición. — Toma el partido de refugiarse en territorio de Blefuscu. — Su llegada a dicho reino.

Antes de ocuparme de mi salida del imperio de la Pigmeonia, me parece a propósito enterar al lector de la intriga palaciega que se formó contra mí, y que me obligó a tomar aquella resolución extrema.

Estaba yo tan poco enterado de los manejos de la corte, a causa de mi poca experiencia, que me ponía fuera de los principios cortesanos, que ni remotamente habría sospechado jamás la desgracia que dentro de poco me iba a suceder. Es verdad que yo había leído y oído hablar algo del proceder voluble y arbitrario de los reyes y de sus ministros, pero con todo me hallaba muy lejos de pensar que tan pronto tocaría sus terribles efectos en un país tan apartado del mío, y gobernado, al menos en apariencia, por un sistema político muy distinto del vigente en Europa.

Sea como fuere, estaba yo preparándome tranquilamente para hacer al rey de Blefuscu la visita de cortesía que había ofrecido a sus embajadores, cuando a deshora vino a verme en secreto uno de los personajes principales de la corte, a quien yo había prestado importantes servicios, que penetró hasta mi cuarto en una silla de manos, sin hacerse anunciar previamente. Despedidos los conductores, yo escondí a Su Excelencia dentro de su silla en la faltriquera del gabán, para que pasase desapercibido de mis criados, y dando a éstos orden de cerrar la puerta, le coloqué sobre la mesa y me senté a su inmediación. Desde luego, observé que el aspecto de aquel señor era triste y apesadumbrado, y habiéndole hecho preguntas sobre la causa de su inquietud, me contestó suplicándome le escuchase con atención acerca de un asunto que interesaba sobremanera a mi honor y a mi vida.

«Sabed, me dijo, que de algún tiempo a esta parte, se ha reunido muchas veces el Real Consejo en sesión secreta para tratar de vuestra conducta, y que hace dos días Su Majestad tiene tomada, respecto a vuestra persona, una tremenda resolución.

»Como os consta perfectamente, el *galbet* Syresh Bolgolam, ha sido vuestro capital enemigo casi desde que pusisteis el pie en este país. Yo ignoro el origen de ese rencor, pero sé que su animosidad contra vos ha crecido de un modo extraordinario después de la famosa empresa que llevasteis a cabo contra Blefuscu, pues como gran Almirante está naturalmente celoso de vuestra hazaña. Con tal motivo, Syresh Bolgolam se ha puesto de acuerdo con Flimnap, tesorero del reino, el general Limtoc; Lalcón, ministro de la Casa real y Balmuff, gran Canciller, y todos juntos han formulado una denuncia acusándoos del crimen de alta traición y de otros graves delitos contra el estado.»

Tan irritado me puse con este exordio, que instintivamente iba a interrumpir a mi huésped, pero él, haciéndome señal de que me callase y siguiese escuchándole, continuó en estos términos:

«En reconocimiento de los servicios que me habéis prestado, y exponiendo mi cabeza para salvaros del peligro, he procurado enterarme de todo el proceso y hasta me he proporcionado una copia del acta de acusación que es del tenor siguiente:

»*Capítulos de la acusación formulada contra Quimbus Flestrín (el* HOMBRE-MONTAÑA*).*

CAPÍTULO I.   Considerando, que en virtud de una ley promulgada bajo el reinado de Su Majestad Cabín, Deffar Plune, está mandado que cualquier persona que vertiese aguas mayores o menores dentro del recinto del palacio imperial, sea castigado como reo del crimen de lesa majestad, y que no obstante de este precepto, el nombrado Quimbus Flestrín, violándolo por completo, y bajo el pretexto de apagar el fuego que había prendido en las habitaciones de la cara y augusta consorte de Su Majestad reinante, ejecutó aquel acto prohibido maliciosa, traidora y diabólicamente hasta extinguir el incendio de dicho departamento.

Cap. II.   Considerando, que el citado Quimbus Flestrín, después que hubo conducido la escuadra real de Blefuscu a nuestro puerto imperial, se le mandó por Su Majestad que apresase asimismo todas las demás embarcaciones del referido reino de Blefuscu, para reducirlo a la condición de provincia gobernada por un virrey de nuestro país, y mandar al patíbulo, no solamente a los pigmeos casca-huevos a la antigua usanza, sino también a los blefuscuitas que se negasen a abjurar de semejante herejía; y cuyo mandato el propio Quimbus Flestrín se negó a ejecutar procediendo como un traidor rebelde a Su Muy Feliz Majestad imperial, exponiendo en un memorial sus deseos de que se le dispensase de prestar aquel servicio, alegando el frívolo pretexto de que le repugnaba oprimir las conciencias y destruir las libertades de un pueblo inocente.

Cap. III.   Considerando, que poco después de aquel suceso, habiendo llegado una embajada de la corte de Blefuscu para solicitar la paz de Su Majestad, el dicho Quimbus Flestrín, obrando asimismo como un desleal súbdito, apoyó, agasajó y visitó a los embajadores, con pleno conocimiento de que eran enviados de un príncipe que recientemente había sido enemigo declarado de nuestro soberano, y había estado con él en guerra abierta.

Cap. IV. Considerando, que el repetido Quimbus Flestrín, faltando a los deberes de un fiel vasallo, se está preparando actualmente para pasar al reino de Blefuscu, sin más licencia que una autorización verbal de Su Majestad imperial, proponiéndose temeraria y pérfidamente, con la capa de tal permiso, llevar a cabo el viaje a la corte del rey de Blefuscu para ayudarle, socorrerle y auxiliarle.

Etc., etc...

»Siguen aquí los demás extremos de la acusación, añadió el amigo, pero los más interesantes para vos son los que constan en los capítulos que os acabo de leer.

»No puedo menos de manifestaros, en honor de la verdad, continuó, que en las diferentes sesiones que se han tenido para tratar de esta causa, el emperador ha demostrado su moderación, su dulzura y su justicia, haciendo patentes, por un lado, los servicios que le habíais prestado, y rebajando, por otro lado, la importancia de vuestros delitos, mientras que por el contrario sus consejeros se han mostrado implacables contra vos.

»El almirante Bolgolam ha propuesto que se os diese una muerte cruel, poniendo fuego durante la noche a vuestro alojamiento; el general opinaba por sorprenderos con veinte mil hombres armados de flechas emponzoñadas, que a una señal dada, debían asestar a las partes vulnerables de vuestro cuerpo; y otros han indicado, finalmente, que lo mejor era que se comunicasen bajo secreto a alguno de vuestros criados las oportunas órdenes para que os empapasen las camisas con un zumo venenoso que os hiciese caer a pedazos vuestras propias carnes para que murieseis entre los más horrorosos tormentos. El general Limtoc ha dado inmediatamente su voto en favor de este medio que ha sido aceptado asimismo por todos los restantes consejeros, de suerte que hubierais tenido indudablemente en contra vuestra la pluralidad de los votos de la asamblea, si Su Majestad, que al parecer está decidido a salvaros la vida, no hubiese conseguido ganar en favor vuestro el voto del ministro de su casa imperial.

»Además, el emperador ha ordenado al primer secretario de Estado en el departamento de negocios secretos, vuestro amigo Redressal, que expusiese su opinión particular acerca del asunto, como efectivamente lo ha hecho, de conformidad en un todo con el parecer de Su Majestad, y correspondiendo de la manera más noble que darse pueda al afecto que le profesáis. Aun reconociéndoos culpable de enormes crímenes, ha dicho que, sin embargo, consideraba que erais merecedor de alguna indulgencia, añadiendo que, siendo harto pública la amistad que le unía con vos, era muy posible que los que le oían le creyesen apasionado en vuestro favor, pero que con todo, ante el respetable mandato de Su Majestad, no vacilaba en exponer clara y francamente su opinión en este negocio.

»Que si Su Majestad, en consideración a los servicios que le teníais prestados, y con su acostumbrada clemencia, quería perdonaros la vida, contentándose con hacer que os vaciasen los ojos, le parecía que con este proceder podía a la vez satisfacerse a la justicia y dar motivo para que se aplaudiese la magnanimidad del monarca, así como la generosa rectitud de los que tenían la honra de ser sus consejeros. Que la pérdida de vuestros ojos no os impediría conservar vuestras fuerzas corporales para utilizarlas en el servicio de Su Majestad. Que la ceguera contribuiría a aumentar vuestro valor, puesto que os ocultaría los peligros, como, por ejemplo, en la expedición a Blefuscu, en que el cuidado que debisteis poner en defender vuestros ojos fue indudablemente el mayor obstáculo con que tropezasteis para apresar la armada enemiga. Y, por último, que podríais muy bien conformaros con ver por los ojos de los demás, ya que los reyes más poderosos no suelen ver por otro conducto.

»Esta proposición inesperada fue recibida con sumo desagrado por todo el Consejo. Syresh Bolgolam, levantándose, transportado de furor, tomó la palabra para decir que le admiraba sobremanera que un secretario de la Corona se atreviese a opinar en pro de la conservación de la vida de un traidor; que los servicios que se os atribuían eran crímenes enormes, según las máximas más puras de gobierno; que vos, que en un instante apagasteis un formidable incendio regando con vuestros inmundos orines la regia morada (hecho que no podía recordar sin estremecerse), en otro momento podríais a vuestro placer inundar el palacio y la capital, ya que siempre tendríais a mano el mismo medio de acción, y que con igual esfuerzo al que arrastrasteis a nuestras costas la flota enemiga, podríais sacarla del puerto al menor motivo de descontento que tuvieseis contra nosotros, y volverla otra vez al puerto de Blefuscu; que tenía razones muy poderosas para creer que en el fondo de vuestra alma erais partidario de romper los huevos por la coronilla, y como la deslealtad empieza a echar raíces en el corazón antes de mostrarse al exterior, como a cascahuevos a la antigua que sois, os declaraba una y mil veces rebelde e insistía en que se os condenase a muerte sin nuevas dilaciones.

»El Tesorero fue del propio dictamen, y pidiendo la palabra, hizo presente la extremada penuria a que se hallaba reducido el Erario público a causa de los gastos de vuestra manutención, cuya carga, dentro de poco, se haría insoportable; que el medio propuesto por el secretario de arrancaros los ojos, lejos de ser un remedio contra aquel mal, por el contrario, según todas las probabilidades, no haría más que empeorarlo, como lo evidencia la costumbre de cegar ciertas aves que luego comen en mayor cantidad y se ceban con más rapidez; y que estando Su Sacra Majestad y el Consejo, que tenía la misión de juzgaros, interiormente convencidos y ciertos de vuestro delito, esta convicción por sí sola era motivo más que suficiente para condenaros al suplicio sin necesidad de acudir a otras formalidades, ni de buscar pruebas escritas.

»Sin embargo, Su Majestad imperial, que estaba absolutamente decidido a no firmar contra vos una sentencia de muerte, dijo con cierta benignidad que, puesto que la asamblea consideraba la pérdida de vuestros ojos como un castigo sobrado leve, no veía por su parte inconveniente en que a esta pena se agregase alguna otra. Entonces, vuestro amigo, el secretario, pidiendo atentamente permiso para contestar al reparo que había expuesto el ministro Flimnap acerca de los excesivos desembolsos que ocasionaba vuestra manutención, dijo que nadie mejor que Su Señoría, que tenía a su cargo exclusivo la administración de los recursos del Estado, podía poner remedio a semejante mal, haciendo que paulatinamente se os disminuyese la ración diaria de víveres, por cuyo medio, falto vos del alimento necesario, os iríais enflaqueciendo y extenuando poco a poco, a lo cual se seguiría la pérdida del apetito y de la vida. Entonces, cinco o seis mil súbditos de Su Majestad podrían separar las carnes de vuestro cadáver de los huesos, enterrando aquéllas en pequeñas porciones y en diferentes parajes, para evitar una epidemia, y dejar el esqueleto mondo como un monumento digno de ser conservado en un museo arqueológico construido a este objeto.

»Y, he aquí cómo, gracias al interés que el secretario Redressal ha demostrado hacia vos, vuestro negocio ha quedado resuelto satisfactoriamente habiéndose circulado las órdenes más rigurosas para que se mantenga reservado el acuerdo de haceros morir lentamente de hambre. Del decreto para vaciaros los ojos se ha tomado ya razón en el registro de la Cancillería, después de haberse aprobado en el Consejo, sin otra contradicción que el voto del almirante Bolgolam. Dentro de tres días, un escribano pasará a vuestra habitación para leeros el acta de acusación formulada contra vos, comunicándoos la gran templanza de Su Majestad y de sus consejeros al condenaros únicamente a la pérdida de la vista, y la seguridad que abriga el emperador de que os someteréis humilde y resignado a una pena tan leve. Inmediatamente, veinte cirujanos de la Real Cámara os harán tender en el suelo y practicarán la operación, atravesándoos diestramente las pupilas con unos dardos muy agudos, consintiendo, empero, que por vuestra parte adoptéis las precauciones que consideréis más a propósito para sufrir en aquel momento lo menos posible.

»Y ahora que estáis ya enterado de todo lo que ocurre, podréis tomar la determinación que os dicte vuestro buen criterio, mientras yo, con vuestro permiso, me retiro tan sigilosamente como he venido, para evitar que me descubran o sospechen acaso de mí si falto por mucho tiempo de casa.»

Su Excelencia se marchó, dejándome, como puede comprenderse, hundido en un mar de confusiones. Existe en el reino de la Pigmeonia una extraña costumbre, introducida por el actual monarca y sus ministros (muy contraria por cierto a las que parece regían en otros tiempos), y que consiste en que, cuando el Consejo ha decretado una ejecución capital, para satisfacer algún resentimiento del soberano o la aversión de algún favorito, el emperador pronuncia un largo discurso en el cual hace resaltar su moderación y su benignidad como cualidades universalmente reconocidas. La arenga del monarca acerca de mi proceso no tardó en publicarse por todo el imperio, quedando horrorizado el pueblo con los grandes elogios que en ella se hacían de la clemencia de Su Majestad, por ser cosa harto sabida que cuanto más era ponderada aquélla, tanto mayor solía ser el suplicio al que servía de preliminar.

Por lo que a mí hace, entendía tan poco de esas intrigas políticas que de momento no acerté a comprender si la sentencia dictada contra mí podía considerarse suave o rigurosa, ni si era justa o injusta, así es que ni siquiera malgasté el tiempo pidiendo se me permitiese usar del derecho de defensa, prefiriendo casi ser condenado a ser oído, toda vez que habiendo estado presente en diferentes ocasiones a procesos de esta índole, siempre había visto fallarlos según las instrucciones dadas a los jueces, y conforme a los deseos de los acusadores influyentes y poderosos.

Es verdad que en el primer momento tuve el propósito de resistirme, ya que, al fin y al cabo, hallándome en libertad todas las fuerzas del imperio no serían capaces de hacerme frente, pudiendo yo, por el contrario, destruir y arrasar la capital a pedradas y a puntapiés, pero pasado el primer impulso rechacé esas ideas tan belicosas, recordando el juramento que en otra ocasión había prestado a Su Majestad y las mercedes que de ella tenía recibidas, en especial la dignidad de *nardac* con que había tenido a bien honrarme, pues en mi candidez de alma aún no había llegado a persuadirme de que la crueldad que conmigo usaba el soberano me desligaba de todos los vínculos que con él hubiese contraído.

Por fin, preferí tomar una resolución que no dejará de ser justamente censurada por algunos, pues me veo obligado a confesar que fue una gran temeridad en mí y un feo proceder por mi parte el proponerme conservar mis ojos, mi libertad y mi vida contra los expresos mandatos de la corte. Si yo en aquella ocasión hubiese conocido mejor el carácter de los reyes y de los ministros, como he tenido lugar de observarlo después, y la manera como tratan a muchos acusados menos criminales que yo, indudablemente me habría sometido a una pena tan dulce; pero arrebatado por el ardor de la juventud y poseyendo de antemano la licencia del emperador para poder presentar mis respetos a Su Majestad blefuscuita, antes que cumpliesen los tres días, me apresuré a enviar una comunicación a mi amigo el secretario, dándole parte de la resolución que había tomado de partir aquel mismo día para Blefuscu, en virtud del indicado pase; y sin esperar su respuesta eché inmediatamente a andar hacia la costa de la isla donde se hallaba fondeada la escuadra. Llegado allí, desatraqué uno de los mayores bajeles, le até un cable a la proa, me desnudé, metí en el barco mis vestidos y un cobertor de que me había provisto, y empujándolo unas veces a nado y otras a vado avancé hasta el puerto de Blefuscu, donde hacía muchos días se hallaba reunido el pueblo a la espectativa de mi arribo.

Para conducirme a la capital que lleva el mismo nombre que el reino, me destinó la multitud dos guías que sostuve en mis manos hasta acercarnos a cien toesas de la puerta de la ciudad, donde los solté para que en mi nombre fuesen a dar aviso a algunos de los oficiales de palacio de que quedaba en aquel sitio, esperando las gratas órdenes de Su Majestad. Al cabo de una hora volvieron con la respuesta de que el rey, con todo el personal de la corte, salía a recibirme, en vista de lo cual, me adelanté otras cincuenta toesas más para ir a encontrar al monarca y a su comitiva, que se apearon de sus caballos y carrozas y se vinieron a mí sin manifestar el menor recelo.

Al llegar a su presencia, me arrojé al suelo para besar las manos del rey y de la reina diciéndoles, que cumpliendo la promesa que les tenía hecha, y con permiso del emperador, mi amo, había venido a visitar a tan poderoso príncipe y a ofrecerle todos los servicios que estuviese en mi mano prestarle y no fuesen incompatibles con los deberes que me ligaban con mi soberano, ocultándole, sin embargo, la desgracia en que había caído con él.

Y aquí concluyo el capítulo para no molestar al lector con el relato de las solemnidades de mi presentación en la corte, que fue digna de la esplendidez de tan gran monarca, y con los pormenores del mal rato que pasé, por lo pronto, falto de casa y lecho, viéndome precisado a acostarme en el duro suelo sin otro abrigo que el cobertor que por fortuna me había proporcionado.

CAPITULO VIII

El autor, por una feliz casualidad, halla el medio de abandonar a Blefuscu. — Vencidos algunos contratiempos, regresa a su patria. — Su llegada. — Se dispone para un nuevo viaje.

Tres días después de mi arribo a Blefuscu, paseándome al acaso por la costa de la isla que mira al Nordeste, distinguí en el mar, a la distancia de media legua, un bulto que me pareció un navío tumbado. Inmediatamente me despojé de mis medias y zapatos, y entrando en el agua pude observar que el objeto se acercaba empujado por la fuerza de la marea, hasta el extremo de que al llegar a la distancia de ciento cincuenta toesas pude distinguir claramente una chalupa separada, al parecer, de algún buque que había corrido borrasca; por cuyo motivo retrocedí corriendo a la capital y pedí a Su Majestad me hiciese merced de poner a mi disposición veinte de los mayores bajeles que le quedaban después de la pérdida de su flota, tripulados por tres mil marineros a las órdenes de un vicealmirante.

Esta escuadra salió a la vela dando la vuelta, mientras que yo marchaba por el camino más corto al sitio donde había observado la primera vez la chalupa, la cual, mecida por el oleaje, se había acercado más a la orilla. Cuando me hubieron alcanzado los buques me desnudé del todo, y penetrando resueltamente en el mar, avancé hasta cincuenta toesas de la lancha, donde perdiendo pie hube de nadar hasta alcanzarla. Los marineros me arrojaron un cable, cuyo extremo aseguré en la proa del bote y el opuesto a la popa de uno de los buques de guerra. Conseguido esto, empecé a nadar con un brazo detrás de la lancha, empujándola hacia delante con la otra mano, de manera que con ayuda de la marea regresé a la playa, pudiendo, poco a poco, sacar fuera el pecho y luego tomar tierra.

Allí descansé dos o tres minutos, y continuando mi trabajo atraje la canoa hasta donde el agua no me llegaba más que al sobaco, quedando de esta suerte vencida la mayor dificultad. Tomé entonces otros cables traídos a prevención en uno de los buques, y afirmándolos primero en la lancha y luego a nueve de los barcos, con ayuda del viento y de las tripulaciones maniobré de tal suerte que la acercamos a veinte toesas de la orilla, de donde al retirarse la marea pude arrastrarla, y con garruchas y cabrestantes servidos por dos mil hombres ponerla en seco, habiendo observado con satisfacción que apenas se hallaba estropeada.

Después de diez días de trabajo constante conseguí hacer entrar la chalupa en el puerto real de Blefuscu, donde acudió gran concurrencia que no cesaba de admirar las dimensiones colosales de un buque tan prodigioso.

Por mi parte, me apresuré a hacer presente al rey que, ya que mi fortuna me había deparado aquella embarcación para trasladarme a algún punto desde el cual pudiese regresar a mi patria, rogaba humildemente a Su Majestad me concediese autorización para ponerla en estado de hacer la travesía, y salir de sus estados; a cual petición tuvo a bien acceder después de algunas objeciones hechas por pura fórmula.

En esto, extrañaba yo sobremanera que el emperador de la Pigmeonia, sabiendo mi ausencia, no hubiese dado ningún paso para apoderarse de mi persona, pero, según me informaron luego, Su Majestad imperial, ignorando que yo hubiese tenido confidencialmente noticia de sus propósitos, creyó de buena fe que mi viaje a Blefuscu no había tenido otro objeto que cumplir la palabra dada a Su Majestad blefuscuita, y sin ulteriores miras, esperando verme regresar de un momento a otro; pero observando que mi ausencia se prolongaba, empezó a alarmarse, y tras un largo consejo con el Tesorero y sus camaradas, resolvió despachar a Blefuscu un correo de gabinete con un testimonio de los capítulos de la denuncia dirigida contra mí.

El enviado, que era un personaje de primera categoría, llevaba las instrucciones necesarias para representar al soberano de Blefuscu, que su rey había sido sobrado magnánimo conmigo, toda vez que me había condenado únicamente a la tenue pena de perder los ojos, que yo me había evadido de la acción de la justicia, y que si no volvía inmediatamente a su imperio, sería degradado de mi título de *nardac* y declarado reo de alta traición. El mensajero debía añadir, que para conservar la paz y la amistad entre los dos imperios, su dueño esperaba del rey de Blefuscu que tomaría las disposiciones necesarias para que en caso de desobediencia se me mandase conducir a la Pigmeonia atado de pies y manos para que fuese castigado por mi alevosía.

El rey de Blefuscu, habiéndose tomado tres días para deliberar acerca de este negocio, dio al fin una contestación tan cortés como prudente, manifestando, que en cuanto a llevarme atado, el emperador sabía bien que esto era imposible hacerlo sin mi consentimiento, que por más que yo le hubiese apresado su escuadra, no obstante me había quedado muy agradecido por mis buenos oficios cuando se celebró el tratado de paz, y, por último, que tanto el uno como el otro, quedarían pronto libres de mi presencia por cuanto yo había tenido la suerte de hallar en la playa un navío de magnitud extraordinaria, capaz para transportar mi persona, el cual se estaba reparando con mi ayuda, y siguiendo mis instrucciones, de manera que esperaba que dentro de pocas semanas los dos imperios se verían libres de una carga tan insoportable.

El mensajero se retiró a su país con esta respuesta, y el rey de Blefuscu me refirió luego todo cuanto había ocurrido, ofreciéndome en confianza y con toda reserva su gracioso valimiento si quería continuar a su servicio. Aunque yo en aquel instante hube de creer sinceras sus proposiciones, no obstante, como yo de antemano tenía tomado el partido de no entregarme jamás a ningún príncipe ni a ningún ministro, en tanto que pudiese prescindir de ellos, me apresuré a hacer presente a Su Majestad mi justa gratitud por sus buenas intenciones, y le rogué con toda cortesía me diese licencia para despedirme, puesto que, ya que la fortuna me había proporcionado aquel buque, estaba resuelto a abandonarme en él a la merced del Océano, antes que dar lugar a un nuevo rompimiento entre dos soberanos tan poderosos. El rey no pareció ofenderse de semejante discurso y hasta, según llegué yo a sospechar, interiormente se hallaba satisfecho de mi resolución, así como la mayor parte de sus ministros.

Estas consideraciones me obligaron a acelerar mi viaje, y la corte, que deseaba con afán mi pronta partida, contribuyó eficazmente a despacharme. Quinientos operarios fueron puestos a mi disposición para hacer dos velas para mi chalupa, del lienzo más fuerte que pudieron encontrar, doblado trece veces y acolchado, mientras yo, entre tanto, cuidé de preparar la jarcia y cordaje para la embarcación, reuniendo en un solo haz veinte o treinta de los cables más gruesos que se fabricaban en Blefuscu. Una enorme roca, que después de muchas pesquisas tuve la suerte de hallar al pie de la playa, me sirvió de ancla, y acopiando el sebo de trescientos bueyes pude calafatear las junturas del bote y surtirme de este artículo para otros usos. Por fin, hube de pasar los mayores apuros para cortar los árboles más altos, al objeto de convertirlos en mástiles y remos, bien que me ayudaron en esta faena los carpinteros de ribera del arsenal de Su Majestad, que me prestaron el concurso de sus brazos y de su destreza.

Al cabo de un mes en que todo estuvo a punto, pasé a recibir las órdenes del monarca y a darle el último adiós. El rey, acompañado de la familia real y los magnates, salió del palacio dándome a besar con amabilidad suma la mano, lo mismo que la reina y los infantes, para lo cual hube de tenderme en el suelo como otras veces, y al partir me hizo un regalo de cincuenta bolsas de doscientos *spruggs* (moneda del país) cada una, con su retrato de cuerpo entero, todo lo cual metí en uno de mis guantes para que no se me perdiese.

En la chalupa embarqué cien bueyes, trescientos carneros, pan y vino a proporción, y una cantidad regular de carne asada que habían guisado cuatrocientos cocineros. Además, llevé conmigo dos toros y seis vacas y otros tantos moruecos y ovejas, con la idea de aclimatarlos en mi país para propagar la especie, con la correspondiente cantidad de cebada y forraje para alimentarlos durante el camino. También me había propuesto llevarme seis jóvenes parejas de gentes del país, pero el rey me lo prohibió terminantemente, y para evitarlo, no solamente ordenó un registro escrupuloso de mis bolsillos, sino que, además, me exigió mi palabra de honor de que no arrebataría a ninguno de sus súbditos, a no ser que el interesado prestase su espontáneo consentimiento.

Dispuestas así mis cosas, me hice a la vela el día 24 de septiembre de 1701, a las diez de la mañana, y cuando ya tenía recorridas cuatro leguas hacia el Norte con viento al Sudeste, a eso de las seis de la tarde descubrí una islilla al Nordeste, como de media legua de latitud, y al parecer inhabitada. Me dirigí a ella, y dejando caer el ancla renové mi provisión de agua y me eché a descansar, durmiendo más de ocho horas, pues al despertar empezaba ya a romper el alba. Me desayuné y proseguí mi viaje con viento favorable, que me empujó por el mismo rumbo que el día anterior, guiándome yo por mi brújula de bolsillo para llegar a alguna de las islas que, según mis cálculos más o menos exactos, debían estar situadas el Nordeste de la tierra de Van-Diemen. En todo aquel día nada descubrí, pero al siguiente, a las tres de la tarde y cuando había ya recorrido más de veinte leguas, avisté a lo lejos un buque que llevaba la proa al Sudeste. Al instante largué todas las velas y a la media hora el capitán, que me había apercibido, mandó enarbolar el pabellón inglés y disparar un cañonazo de aviso.

No es fácil expresar la alegría que experimenté al hallar el medio de volver a ver a mi querida patria y las prendas queridas que en ella había dejado. El buque moderó su andar para que yo pudiese alcanzarle, y, por fin, de cinco a seis de la tarde de aquel día 26 de septiembre, en medio de los mayores transportes de júbilo, pasé a su bordo con mis faltriqueras repletas de mi cargamento de diminutas vacas y carneros.

El buque que me había recogido era una corbeta mercante que regresaba del Japón por el Mar de las Indias, mandada por el capitán Juan Biddel de Deptford, bellísima persona y excelente marino, entre cuya tripulación encontré a uno de mis antiguos camaradas, llamado Pedro Willians, que dio muy buenos informes de mí al capitán. Este bizarro jefe me hizo una entusiasta acogida, pidiéndome le dijese de dónde venía y a dónde iba en tan frágil barquichuelo. Yo satisfice en pocas palabras su curiosidad, mas le pareció tan extraña mi relación, que llegó a creer que la fatiga y los peligros en que yo me había visto me tendrían trastornada la cabeza, subiendo de punto su sorpresa y admiración cuando saqué de mis faltriqueras mis animalillos, para convencerle de que realmente era cierto cuanto acababa de referirle. Le enseñé también las monedas de oro que me había dado el rey de Blefuscu, así como el retrato de Su Majestad con muchísimos otros objetos raros de aquel país, y le regalé dos bolsas conteniendo cuatrocientos *spruggs*, prometiéndole, además, hacerle presente de una vaca y una oveja preñadas a nuestro arribo a Inglaterra.

Omitiré los pormenores de mi viaje de regreso; bastándome decir que tras una travesía feliz, llegamos a las Dunas el 13 de diciembre de 1702, sin otra novedad que la de haberse comido los ratones de a bordo uno de mis carneros. El resto del ganado se desembarcó en buena salud, y lo echamos al pasto en el jardín del juego de trucos de Greenwich.

Durante mi estancia en Inglaterra hice un buen negocio exponiendo esos animalitos en algunos salones y tertulias de familias de calidad y hasta en los sitios públicos, vendiéndolos, por fin, poco después, en seiscientas libras esterlinas, al tratar de emprender otro viaje. A mi vuelta de esta segunda expedición he hecho inútiles pesquisas para encontrar la nueva raza de ganado pigmeo, que yo calculaba se habría multiplicado extraordinariamente, sobre todo el lanar, que creía destinado a proporcionar una gran ventaja a la industria lanera, dada la suavidad y finura de su vellón.

Permanecí poco más de dos meses con mi esposa y familia, pues la pasión insaciable de ver países extraños no me permitió continuar por más tiempo aquella vida sedentaria. Al partir dejé quinientas libras esterlinas a mi mujer, instalándola en una buena casa de Redriff, y llevé conmigo el resto de mi fortuna, parte en efectivo y parte en mercaderías, con el objeto de aumentarla con el producto de las ventas que realizase, y como mi tío Juan me había dejado sus tierras próximas a Epping, que rendían treinta libras esterlinas al año, y además había yo arrendado por otro tanto mi hacienda del *Toro negro* de Felter-Lane, pude partir con la seguridad de que dejaba a mi familia bien acomodada y sin peligro de que se viese en la indigencia. Mi hijo Juan, que llevaba el nombre de su tío, estudiaba latín en el colegio, y mi hija Isabel, al presente casada y madre de algunos hijos, se aplicaba a las labores de aguja. Di, pues, el adiós a mi consorte y a mis hijos, y bañado por las lágrimas que todos abundantemente derramaban, me embarqué animosamente en *La Aventura*, buque de trescientas toneladas a las órdenes del capitán Juan Nicolás, de Liverpool.

La descripción de este viaje formará la segunda parte de la presente obra.

FIN DE LA PRIMERA PARTE

SEGUNDA PARTE

VIAJE AL PAIS DE LOS GIGANTES

CAPITULO PRIMERO

El autor, después de haber sorteado una terrible tempestad, desembarca en un país desconocido. — Es hecho prisionero. — De qué manera le tratan. — Descripción del país y de sus habitantes.

Viniendo predestinado por mi propio natural y por mi fortuna a llevar una vida errante, dos meses después de mi regreso de la Pigmeonia abandoné otra vez mi patria, según llevo ya dicho, y el 20 de junio de 1702, tomé pasaje en el buque llamado *La Aventura* que se hacía a la vela para Surate. Al principio del viaje logramos un tiempo feliz hasta la altura del cabo de Buena Esperanza, pero hallándose el capitán atacado de unas calenturas intermitentes, no pudimos seguir nuestra ruta y hubimos de permanecer allí mientras duró su indisposición.

Cuando estuvo restablecido, emprendimos de nuevo la marcha, teniendo una próspera travesía hasta el estrecho de Madagascar; al llegar al Norte de esta isla, el viento, que desde mayo a diciembre sopla constantemente entre el Norte y el Oeste, saltó con violencia de este último lado por espacio de veinte días continuos, desviándonos algo hacia el Este de las islas Molucas y empujándonos hasta tres grados al Norte de la línea equinoccial, según las observaciones que pudimos hacer a bordo el día 2 de mayo en que cedió un poco el mal tiempo. Pero el capitán, que era un buen marino y muy práctico en la navegación de aquellos mares, dio orden de prepararnos para aguantar al día siguiente una terrible tempestad, que desgraciadamente no faltó, pues, poco a poco empezaron a levantarse algunas rachas del viento que llamamos *monzón*, declarándose francamente la borrasca.

Cargamos los foques, y sucesivamente recogimos la mesana y amarramos las piezas, pues la tempestad iba cada vez en aumento, dejando el buque al pairo, y considerando el capitán que el mejor partido que podíamos tomar era dejarnos llevar viento en popa, remachamos la mesana, guarnecimos las escotas y poniendo recto el timón, el buque se pudo gobernar bien. Tratamos entonces de largar la mayor, pero la desgarró el temporal, por lo que nos vimos obligados a abatir la verga mayor para desarmar la vela, cortando toda la jarcia y pasadores que la sostenían.

El mar estaba muy recio rompiéndose las olas con violencia, de manera que se hizo necesario sacar los brazos al timón, dando ayuda al timonel que no podía maniobrar por sí solo. No nos resolvimos a bajar el mástil de gavia mayor, porque el buque marchaba perfectamente dejándose llevar por las olas, y estábamos persuadidos de que seguiría mejor su camino con la arboladura en pie. Viendo luego que marchábamos bien a lo largo corriendo la tempestad, izamos el foque y la mesana y nos inclinamos algo, volviendo a colocar los masteleros de la gran gavia y de la menor, y como nuestro rumbo era al Este-Nordeste y el viento soplaba de Suroeste, echamos la caña a estribor y tomamos de lado, armamos las bolinas y pusimos el navío en la dirección conveniente, trabajando todo el velamen.

Durante esta tempestad, a la que siguió un viento huracanado Oeste-Sudeste, derivamos, según mis cálculos, más de quinientas leguas hacia el Oriente, de tal suerte, que uno de nuestros marineros, viejo y de mucha experiencia, no supo atinar ni decirnos el sitio donde nos hallábamos. Felizmente, ni escaseaban los víveres, ni hacía agua nuestro buque, ni se

había alterado la salud de los tripulantes; únicamente sen
tíamos una gran necesidad de agua dulce, que nos hizo tomar
la determinación de seguir adelante por la misma ruta, en
lugar de dirigirnos al Norte, que quizá nos hubiera impelido
hacia el lado Noroeste de la Gran Tartaria o hacia el Mar
Glacial.

Estábamos a 16 de junio de 1703, cuando el vigía descubrió tierra desde lo alto de la cofa. El 17 vimos ya distintamente una gran isla o tierra firme (pues por de pronto no
pudimos declarar si era la una o la otra), en cuya costa
del Este había una estrecha lengua de tierra que se adelantaba en el mar, y una ensenada de fondo suficiente para an-
clar en ella buques de menos de cien toneladas. Por esta razón
echamos el ancla a dos millas de esa pequeña bahía, y
por orden del capitán se embarcaron en la chalupa doce
hombres bien armados, llevando consigo gran número de
odres para renovar nuestra provisión de agua, y con su permiso tomé también asiento en la lancha para ver el país
y hacer algunos descubrimientos científicos. Al tomar tierra
no vimos río ni manantial alguno, ni hallamos rastro de habitantes, lo que nos obligó a continuar por la costa en busca de
agua fresca en alguna parte de la orilla del mar. Siguiendo
mi costumbre de pasear solo, llegué a internarme como un
cuarto de hora, y no divisando otra cosa más que un país
estéril y cuajado de peñascos, incapaz de satisfacer mi curiosidad, regresaba tranquilamente al sitio donde habíamos dejado
el bote, cuando vi que nuestros hombres se habían vuelto a
embarcar sin mí, y trataban a fuerza de remos de salvar su
vida de las garras de un hombre agigantado, que al parecer
les perseguía. El hombrón se había metido en el mar, que no le
llegaba más que hasta las rodillas, y gracias a su inconmensurable
estatura daba unas zancadas enormes, pero como los marineros le llevaban media hora de ventaja y la playa en aquel sitio
estaba cubierta de escollos, no pudo darles alcance a pesar de
sus esfuerzos. Por mi parte, mi primer cuidado fue echar a
correr tan aprisa como pude, trepando a lo alto de una loma

muy escarpada, desde donde pude descubrir el interior del país, que se hallaba esmeradamente cultivado, si bien desde luego me sorprendió la grandeza de la hierba que se lavantaba a la altura de veinte pies.

Descendí por la ladera opuesta y tomé por un camino que me pareció una carretera real, aunque para los habitantes del país no era más que un pequeño sendero que atravesaba un campo de cebada, y lo seguí durante algún tiempo, pero a ciegas, pues la época de la recolección estaba próxima y las mieses tenían más de cuarenta pies de alto. Al cabo de una hora de andar, llegué al otro extremo del campo, que estaba cerrado por una valla de ciento veinte pies de elevación, junto a la cual había plantados algunos árboles de dimensiones tales, que me fue imposible calcularlas con la vista. Separaba este predio de las propiedades vecinas un mojón formado por una gran piedra, al pie del cual había cuatro escalones, cada uno de seis pies de alto, teniendo la piedra que los coronaba, más de veinte pies.

Estaba ocupándome en buscar un paso a través de la cerca, cuando descubrí en el campo inmediato un hombre de la misma talla que el que había ya visto anteriormente persiguiendo a nuestra canoa y que vendría a tener la altura de un campanario regular, avanzando a cada paso más de cinco toesas. A su vista me asaltó un miedo tan grande, que corrí a ocultarme entre la mies, desde donde pude observar cómo se paraba al pie de una abertura del seto y llamaba con una voz retumbante como si saliese de una bocina, y cuyo sonido, por ser tan fuerte, y por venir de tan alto, me produjo el efecto del estampido de un trueno. Inmediatamente siete hombres de su estatura, y que por su traje más basto debían ser sus criados, se llegaron a él, llevando sendas hoces seis veces mayores que nuestras guadañas, con las cuales, siguiendo las órdenes que les dio su amo, empezaron a segar la cebada del campo donde yo me había escondido.

Ante la inminencia del peligro que me amenazaba, hice cuanto pude para alejarme de allí, aunque moviéndome con extrema dificultad, porque los tallos en algunos parajes no distaban entre sí más de un pie, y yo debía escurrirme penosamente por aquella especie de floresta; avancé, no obstante, hasta un sitio del campo donde el viento y la lluvia habían encamado el trigo, con lo cual se me cerró el paso, puesto que las cañas estaban entrelazadas de tal manera que no había medio de romper a través de las mismas, y las barbas de las espigas derribadas eran tan duras y puntiagudas que atravesaban mis vestidos y penetraban en mis carnes. En esto oí la voz de los segadores que se aproximaban, y no viendo ya salvación posible para mí, extenuado por la fatiga y la desesperación, me dejé caer entre dos surcos, aguardando allí el término de mis días y representándome a mi viuda desconsolada y a mis hijos huérfanos de padre, llorando todos mi locura de haber emprendido este segundo viaje contra el parecer de mis amigos y de mi parentela.

En medio de esta terrible agitación de espíritu yo no podía apartar de mi memoria el País de los Pigmeos, cuyos habitantes me habían mirado como uno de los mayores prodigios que hubiesen existido en el mundo, y en donde yo solo había sido capaz de arrastrar una escuadra entera con una mano y de realizar otras maravillosas hazañas, cuyo recuerdo quedará eternamente guardado en las crónicas de aquel imperio, y que serán apenas creídas por las generaciones futuras, a pesar de haberse realizado a la faz de todo el país. La reflexión de parecer a los ojos de esas gentes un ente tan ruin, como lo es un pigmeo entre nosotros, era lo que más me mortificaba, y con mayor motivo, cuanto que, al fin y al cabo, constituía la mayor de mis desdichas, porque es un hecho harto sabido que las criaturas humanas son comúnmente salvajes y crueles en la proporción de su talla, lo que equivale a decir que en aquel momento no podía yo esperar otra cosa que ser pronto un bocado en las fauces del primero de aquellos hombres gigantescos que me descubriese.

Mientras sobrecogido de horror, me estaba haciendo estas consideraciones, uno de los segadores, acercándose a cincuenta toesas del surco donde me había agazapado, me hizo temer que si daba otro paso más, me destripase con su pie o me dividiese el cuerpo con su hoz, por lo cual, viéndole dispuesto a avanzar, prorrumpí en destempladas voces con todo el brío que me permitió mi estado de abatimiento. Al oírlas, se detuvo el gigante, y mirando con gran atención arriba y a su alrededor, llegó, por fin, a apercibirme. Quedose algún tiempo observándome, con la circunspección del hombre que trata de coger un bicho peligroso, sin riesgo de recibir un arañazo o un mordisco, como lo he hecho yo mismo muchas veces en Inglaterra con los ratones, hasta que se determinó a agarrarme por la cintura entre su pulgar e índice y levantarme a la altura de una toesa y media de sus ojos, para poder observar mejor mi figura y aspecto. Adivinando su intención, tomé el partido de no moverme en tanto que me sostenía en el aire a más de sesenta pies del suelo, sin embargo de que me estrujaba cruelmente los costados por temor de que me escurriese de entre sus dedos. Todo lo más que me atreví a hacer, fue levantar los ojos, juntar las manos en ademán de súplica y pronunciar algunas palabras con acento humilde, según correspondía a la situación en que me hallaba, temiendo a cada instante que el labriego tuviese la ocurrencia de aplastarme como nosotros acostumbramos hacerlo con los insectos que nos repugnan, pero afortunadamente para mí, impresionado el gañán por mi voz y por mi gesto, empezó a examinarme con curiosidad y muy admirado de oírme hablar, por más que no comprendiese el sentido de mis palabras. Con todo, yo no pude reprimir mis lamentos y lágrimas, y volviendo sin cesar la cabeza, procuraba hacerle entender, en cuanto me era dable, lo que sufría con sus apretones; al fin, creo que se hizo cargo del dolor que me aquejaba, porque levantando la falda de su vestido me colocó dentro con gran suavidad, y corrió hacia donde estaba su amo, que era un labrador muy rico, el mismo que yo había visto poco antes dando órdenes.

El labrador tomó una brizna de paja del grueso de un bastón de paseo, poco más o menos, y con ella me levantó los faldones del gabán, que supuso equivocadamente eran una cubierta con que me había adornado la naturaleza, sopló mis cabellos para apartarlos y poder distinguir mejor mi semblante, y, por último, llamó a sus criados para preguntarles (por lo que pude conjeturar) si habían visto alguna vez en los campos un animalejo de aquella especie. Luego, con gran cuidado, me colocó de cuatro pies en el suelo, pero yo me enderecé al instante y anduve con gran seriedad de acá y de acullá, yendo y viniendo, para que viese que no trataba de escaparme.

Entonces, todos se sentaron en el suelo formando círculo para observarme mejor, y yo me quité el sombrero e hice una cortesía muy sumisa al labrador, arrojándome a sus plantas, diciéndole algunas palabras en alta voz, y sacando luego de mi faltriquera un bolsillo lleno de oro, se lo ofrecí respetuosamente. Púsoselo el hombre en la palma de la mano y lo levantó a la altura de sus ojos para distinguir lo que era, lo cual no pudo conseguir a pesar de haberle dado varias vueltas con un alfiler que se sacó de la manga de la chaqueta, en vista de lo cual, yo le hice seña de que bajase la mano para vaciar en ella el contenido de la bolsa, que eran seis doblones de a ocho, españoles, y otras veinte o treinta piezas de oro más pequeñas. Con gran sorpresa mía, el labriego se mojó en la lengua la punta del dedo índice y levantó como si fuera una oblea una de las monedas mayores, y luego otra, pero como ni aun así acertó a comprender lo que eran, me indicó que las volviese a la bolsa y las guardase, cual así hube de hacerlo en definitiva, después de haberle ofrecido de nuevo y repetidas veces el dinero.

El labrador, en presencia de lo que estaba viendo, no pudo menos de discurrir que yo, necesariamente, debía ser una criatura racional, y a este efecto me hizo diferentes preguntas, pero el eco de su voz me aturdía los oídos como el estruendo de un salto de agua, a pesar de que las palabras eran distintas, por lo que hube de contestarle como pude y, sacando fuerzas de flaqueza, en varios idiomas que tampoco pudo entender por más que aplicase con toda atención su oído a una toesa de mí. Viendo que toda explicación era inútil, envió otra vez sus gentes al trabajo y doblando cuidadosamente el pañuelo por medio lo extendió sobre su mano derecha que bajó hasta el suelo, y me mandó me colocase encima, lo que hube de hacer de un salto, pues aquella manaza enorme no tenía menos de un pie de grueso.

Me acosté a lo largo del pañuelo para no caerme, y el labrador me envolvió bien en sus pliegues y me llevó en esta forma a su casa. Allí, lo primero que hizo fue enseñarme a su mujer, que al verme dio unos chillidos descompasados y se echó atrás, como lo hacen las inglesas a la vista de un escuerzo o de una araña; pero cuando al poco tiempo observó mis ademanes reposados y que contestaba a las indicaciones que me hacía su marido, se acostumbró pronto a mi aspecto y empezó a quererme con mucha ternura.

En esto eran ya las doce del día y un criado puso la mesa y nos llamó para comer. La comida, conforme a la vida frugal de un simple labrador, se componía de un potaje de carne y legumbres servido en una fuente de cerca de veinticuatro pies de diámetro, en torno de la cual se acomodaron el amo de la casa, su esposa, sus tres hijos mayores y una anciana abuela que vivía con la familia. Cuando todos estuvieron colocados, el colono me puso junto a él encima de la mesa, que tenía treinta pies de alto, y de cuyo borde tuve buen cuidado de apartarme por miedo de caerme, mientras la mujer colocaba delante de mí un pedacito de carne y un trozo de pan desmigajado en un plato de madera. Recibí mi ración haciendo una atenta reverencia a la señora, y sacando mi cuchillo y mi tenedor, me puse a comer en medio del asombro de los circunstantes.

El ama de la casa mandó después a la sirvienta que trajese una copita que servía para beber licores, y que podía contener no obstante, cerca de doce azumbres de líquido, y la llenó de vino. Yo levanté el vaso con alguna dificultad y lo empiné con todo respeto, bebiendo a la salud de la señora, según expuse en un brindis que me permití improvisar en inglés y pronuncié en alta voz, lo cual hizo prorrumpir en tales carcajadas a los presentes, que estuve a punto de volverme sordo. Aquel brebaje tenía un sabor parecido al de la cidra recién fabricada y bastante agradable al paladar.

Obedeciendo a una señal del jefe de la familia me acerqué a su plato, pero al apresurarme para demostrarle mi buen deseo, tropecé con una corteza de pan y caí de bruces contra la mesa, pero sin lesionarme de gravedad, antes bien, me incorporé al instante, y observando que aquellas honradas gentes estaban muy afectadas con mi caída, me quité el sombrero y di tres fuertes hurras para que viesen que no había recibido daño. Sin embargo, al tiempo de llegar a mi amo (que este es el nombre que pienso dar en lo sucesivo a mi patrón), su hijo pequeño, muchacho de unos seis años, que se hallaba próximo a él y que era excesivamente maligno y travieso, me cogió por las piernas, y sosteniéndome mucho rato en el aire llegó a conmoverme todo el cuerpo, pero el padre me arrancó de sus manos, y en castigo de su desmán le pegó un bofetón tan fuerte en la mejilla izquierda que hubiera bastado para derribar a un escuadrón de caballería europea, y le mandó que se quitase de la mesa. Yo, recelando que el chico me guardase algún rencor, y acordándome de que los niños ingleses se gozan en maltratar a los pájaros, conejos, gatos y perros, me puse de rodillas delante del amo y, mostrándole con el dedo a su hijo, le di a entender como pude mi empeño de que le perdonase; el padre consintió en ello, el muchacho volvió a ocupar su silla y yo, inclinándome hacia él, le besé la mano.

Hacia la mitad de la comida, el gato favorito de la señora saltó a su falda. Yo, de repente, oí detrás de mí un ruido continuo parecido al que producirían dos docenas de telares de hacer calceta trabajando a la par, y volviendo asustado la cabeza comprendí que era aquel gato que estaba *haciendo el torno*, como vulgarmente se dice; dicho gato debía ser mayor que un buey, dadas las dimensiones de su cabeza y de una de sus patas, que asomaba por entre los brazos de su ama, mientras ésta le daba de comer y le hacía mil caricias. En el primer momento, me impuso el aspecto feroz de aquel animalazo, a pesar de que se hallaba en el otro lado de la mesa, a la distancia de cincuenta pies, y de que el ama le tenía asido por temor de que se me abalanzase. El gato no reparó siquiera en mí, en vista de lo cual, el labrador me colocó delante de él a pocos pasos, y como yo sabía que cuando se huye de un animal fiero, o se manifiesta temor a su presencia, suele más pronto echarse encima, determiné aparentar serenidad de ánimo y que no le temía, así es que fui avanzando atrevidamente y acercándome en tanto que el gato acabó por retroceder.

Los perros no me causaron tanta aprensión cuando penetraron de golpe dos o tres de ellos en el aposento, entre ellos un mastín que abultaba tanto como cuatro elefantes, y un lebrel algo más alto que el mastín, aunque no tan grueso.

Al concluir la comida, entró la nodriza llevando en brazos una criatura como de un año de edad, que apenas me hubo visto prorrumpió en unos chillidos tan agudos que se habrían podido oír desde el puente de Londres hasta Chelsea, pues, creyéndome un muñeco, quería que me pusiesen en sus manos para que le sirviese de juego. Su madre, por una deplorable debilidad, me colocó al alcance del nene, que al momento me agarró con ambas manos y no tardó más en meter mi cabeza en su boca, como es natural en su edad; pero al escuchar los clamores que yo daba, me soltó de pronto, y de manera que a no haberse apresurado su madre a recibirme en su delantal, me hubiera roto la cabeza sin remedio. La nodriza, para sosegar al niño, se valió de un juguete formado por un pilar hueco, relleno de piedras enormes que pendía de la faja del chiquillo por un fuerte cable, y como ni aun por esas se callaba, hubo de acudir al último arbitrio, que fue darle de mamar.

Confieso, francamente, que jamás en la vida he visto objeto más repugnante que el que se ofreció a mis ojos al descubrirse el ama el pecho, y que a duras penas puedo describir. Tenía seis pies de relieve y más de dieciséis de circunferencia, el pezón era de grande como la mitad de mi cabeza, y su color y el de sus contornos era tan jaspeado y tenía tantos botones que daba asco de ver, máxime cuando me veía forzado a mirarlo de frente, por haberse sentado la nodriza delante de mí. Esto me hizo recordar que el delicado cutis de nuestras damas parece tal porque ellas tienen las mismas proporciones que nosotros, pero que si lo examinásemos con el microscopio, descubriríamos en sus rasgos más finos ciertas deformidades que no alcanzamos con nuestra simple vista, y que las afean extraordinariamente.

Por iguales razones, cuando yo me hallaba en la Pigmeonia, la tez de ese pueblo en miniatura me parecía admirable, tanto que un día se lo dije así a un sabio pigmeo amigo mío, el cual me contestó con toda franqueza que por su parte encontraba mi cara mucho más bonita vista de lejos que de cerca, habiendo quedado horrorizado de mi fealdad un día que le tomé en mi mano. Según me indicó, en mi cutis veía unos hoyos profundos, los pelos de mi barba los encontraba diez veces más recios que las cerdas de un jabalí, y mi cara, matizada de varios colores, le ofrecía un aspecto desagradable, siendo así que yo soy rubio y tengo, si no miente la fama, una piel finísima. Otro día, ocupándonos con el mismo sujeto de las damas de la corte, me explicaba él, que ésta tenía manchas de viruela, aquélla la nariz muy larga, la otra la boca muy grande, etc., etc., todo lo cual había también escapado a mi vista.

He creído cumplir con un deber de conciencia al entrar en estas explicaciones, a fin de que no se crea que los habitantes del país donde actualmente me hallo son deformes o contrahechos, pues, por el contrario, constituyen en general una raza esbelta, y mi mismo amo, mirado desde una altura de sesenta pies, me parecía muy bien formado.

Al levantarse la mesa, mi amo fue a dirigir otra vez a sus jornaleros, dejando encargado a su mujer, según pude apreciar por sus gestos, que tuviese gran cuidado de mi persona. Yo, en efecto, lo necesitaba, pues, después de tantas impresiones, me hallaba rendido de fatiga, y mi ama, que así lo comprendió, me condujo a su propio lecho y me abrigó con un pañuelo blanco que se asemejaba a la vela mayor de un navío de línea, saliendo luego para sus quehaceres domésticos, cerrando la puerta con llave.

Yo dormí durante dos horas y soñé que me encontraba en mi casa y en compañía de mi esposa y de mis hijos, pero esta ilusión se desvaneció por completo cuando al despertar me vi enteramente solo en una habitación de dos a trescientos pies de ancho por doscientos de alto y acostado en una cama de cien toesas de largo. De la cama al suelo había al menos cuatro toesas, y por lo tanto me era difícil bajar de ella para satisfacer una apremiante necesidad corporal, ni me atrevía tampoco a llamar, bien que esto hubiera resultado inútil con una vocecita como la mía y hallándome tan apartado de la cocina, donde regularmente se reunían todos los de la casa.

En esto, dos ratas enormes treparon por las cortinas y echaron a correr por la cama, llegando una de ellas hasta tocar mi rostro, de modo que tuve necesidad de ponerme en guardia y rechazar, espada en mano, a aquellos animales que tuvieron la osadía de acometerme rabiosamente. De un sablazo despachurré a una de las ratas, y luego ahuyenté a la otra, con todo y ser de las dimensiones de un carnero, pero infinitamente más ágiles y feroces, hasta el punto de que si por casualidad me hubiese desprendido del sable al acostarme, me habrían infaliblemente hecho trizas. El rabo de la rata muerta medía cerca de cuatro pies, y como observé que aún daba señales de vida, la rematé tirándole un tajo a la garganta, pero quedé tan amedrentado de aquella lucha, que no tuve bastante valor para arrastrar su cadáver fuera del lecho.

Al poco rato entró mi ama en el cuarto, y viéndome todo cubierto de sangre, corrió a tomarme en sus brazos para prestarme auxilio, pero yo le enseñé con orgullo la rata muerta sonriéndome y haciendo otros ademanes de que no estaba herido. Después, le indiqué por gestos, que deseaba me bajase de la cama, como así lo hizo, pero mi recato no me permitió ser más explícito de palabra, y hube de indicarle con el dedo la puerta, inclinándome repetidas veces. La pobre mujer comprendió al fin de qué se trataba, y tomándome otra vez en brazos, me llevó al jardín, donde me colocó en el suelo, y alejándome yo unas cien toesas me introduje entre dos hojas de lechuga, y despaché el negocio que podrá adivinar el lector,

Y al dar fin aquí a los preliminares de mi estancia en el País de los Gigantes, espero se me perdonará si me detengo en estos y otros parecidos pormenores, que aunque parecerán triviales y hasta ridículos a las almas vulgares, no obstante, al ser estudiados por los filósofos, harán nacer sin duda en su imaginación ciertas ideas de aplicación al bien público y particular, único objeto de la publicación de esta obra, en la cual me he concretado pura y simplemente a la exposición verídica de los hechos ocurridos, sin hacer alarde de conocimientos científicos ni adornarla con floreos de lenguaje.

CAPITULO II

*Retrato de la hija del labrador — El autor es condu-
cido a una villa donde se celebra mercado, y luego a la
capital — Relación de su viaje*

Mi ama tenía una niña de nueve años, de un talento superior a su edad y muy entendida en las labores de aguja, que con
permiso de su madre se apresuró a arreglar, antes que llegase
la noche, la cama de su muñeca para que pudiese descansar yo
cómodamente. El lecho se hallaba puesto en un pequeño
cajón que sacaron de un pupitre, y lo colgaron de una viga
sostenido por unos cordeles para evitar un nuevo ataque de
ratones, y de esta manera dormí durante los días que permanecí entre aquellas buenas gentes

La joven era tan ingeniosa, que después de haberme visto
vestir y desnudar dos o tres veces, lo aprendió sin dificultad,
y lo hacía cuando era necesario, a pesar de mi resistencia a que
me prestase semejante servicio. Ella misma me confeccionó
media docena de camisas y otras prendas de ropa interior
del lienzo más fino que pudo encontrar (y que, la verdad sea
dicha, era tan grueso como la lona de las velas de nuestros
buques), y cuidaba de lavarlas con sus propias manos. La muchacha era también mi maestra de escuela, puesto que cuando
yo le señalaba algún objeto con el dedo, al instante me decía
su nombre, de suerte que al poco tiempo me hallé con aptitud
de pedir en el idioma del país todo lo que me hacía falta.

Estábamos los dos siempre juntos, y ella, en vista de mi pequeñez, me puso el apodo de *Grildrig*, palabra que significa

lo que los latinos llaman *homunculus*, los italianos *uomicciuolo*, y los ingleses *mannikin*, es decir, *un escrúpulo de hombre*, mientras que yo la llamaba *Glumdalchitch* o *la niñera*. En una palabra, mi aya era una excelente joven, a cuyos solícitos cuidados debo la conservación de mi existencia, y sería yo culpable de la más negra de las ingratitudes, si jamás en la vida llegase a olvidar sus desvelos y su afecto hacia mí, esperando hallarme algún día en estado de correspoderle, ya que por desgracia, haya sido yo, quizá, como tendré lugar de referir, la inocente causa de su desgracia.

Muy pronto se esparció por todo el territorio la noticia de que mi amo había encontrado en el campo un animalejo de las dimensiones de un *splack-nock* (insecto de aquella región que mide unos seis pies de largo), pero que tenía la misma figura de un ser racional, imitaba al hombre en todas sus acciones y parecía hablar un lenguaje que le era propio, que había aprendido ya muchas frases del idioma del país, que andaba derecho sobre sus pies, que era amable en el trato, que acudía donde le llamaban y ejecutaba todo cuanto se le mandaba hacer, y que tenía unos miembros muy delicados y la tez más blanca y más fina que una niña acabada de nacer.

Para asegurarse de la verdad de estos rumores que corrían de boca en boca, un labrador vecino, íntimo amigo de mi amo, vino expresamente a hacerle una visita. La familia, deseando satisfacer su curiosidad, me trajeron al momento y me colocaron encima de una mesa, donde yo, siguiendo las instrucciones de mi maestrita, di la vuelta alrededor, desenvainé y volví a envainar el sable, hice una solemne cortesía al vecino, le pregunté por su salud en su propio idioma, y en la misma lengua le di la bienvenida. Ese amigo, que a causa de su avanzada edad tenía la vista muy débil, se puso las gafas para mirarme mejor, y como los cristales de los anteojos se me representaron como dos lunas llenas, no pude contener la risa echándose a reír también los demás de la casa cuando comprendieron el motivo, dejando corrido al viejo chocho. El tal sujeto tenía toda la facha de un avaro, y así lo demostró al dar a mi patrón el detestable consejo de que en un día de mercado me expusiese al público en la vecina villa, que sólo distaba veintidós millas escasas, haciendo pagar a los visitantes un tanto por asiento. Yo, aunque no comprendía apenas su idioma, malicié que se tramaba algún plan entre bastidores, al observar que mi amo y su vecino cuchichearon reservadamente por espacio de un buen rato, mirándome a hurtadillas y señalándome de vez en cuando con el dedo.

Al día siguiente, Glumdalchitch confirmó mis sospechas refiriéndome todo el negocio, de que se había enterado por su madre. La pobrecilla me estrechaba contra su seno y derramaba abundantes lágrimas por los riesgos que me podían sobrevenir, y en su imaginación ya me veía estrujado y aplastado por aquellos campesinos brutales e incultos que irían a contemplarme como un portento inconcebible. Como ella había observado que yo era de un natural modesto y muy pundonoroso en cuestiones de dignidad, se lamentaba amargamente de verme expuesto al ludibrio de la hez del populacho, diciendo con voz entrecortada por las lágrimas, que su padre y su madre le habían prometido que Grildrig sería todo de ella, pero que ahora veía que habían querido engañarla, como lo habían hecho el año anterior que le regalaron un corderillo que luego, cuando estuvo cebado, vendieron al carnicero.

En cuanto a mí, puedo decir con franqueza que no tuve la misma pesadumbre que mi aya, pues había conservado la esperanza, que no me abandonó jamás, de que algún día recobraría mi libertad; así es que, aun hallándome en vísperas de pasar por la ignominia de ser traído y llevado de acá para allá como un fenómeno, pensé que semejante desgracia jamás podría echárseme en cara ni herir mi susceptibilidad cuando estuviese de regreso a Inglaterra, porque hasta el mismo rey de la Gran Bretaña hubiera tenido que sufrir igual suerte·que yo si se hubiese hallado en idénticas circunstancias.

Mi amo aceptó el parecer de su amigo, y acomodándome dentro de un cajón, el próximo día de mercado me llevó al pueblo inmediato, acompañado de su hija. El cajón estaba cerrado por todos lados y con agujeros en ciertos sitios para dejar paso al aire exterior, pero por más que la joven hubiese tenido la buena idea de colocar en su fondo el colchón de la cama de su muñeca, no obstante, llegué completamente estropeado de las sacudidas y traqueteo sufridos en el viaje, que no duró más allá de media hora. El caballo adelantaba a cada salto más de cuarenta pies, y trotaba con tal violencia que me sentía agitado y sacudido en mi escondrijo, como si me hallase encerrado en el camarote de un buque en medio de una furiosa tempestad.

Al final del camino, mi amo se apeó a la puerta de un mesón donde acostumbraba hospedarse, y después de haber conferenciado con el dueño y dictado las disposiciones necesarias, llamó al *glustrud*, o pregonero, para que anunciase por toda la población que en la *Posada del Aguila Verde* se enseñaría un animal exótico, algo más pequeño que un *splack-nock*, y que por su conformación exterior parecía una criatura humana, que pronunciaba diferentes palabras y procedía en todos sus actos con mucha destreza.

Al comenzar el espectáculo, me pusieron encima de una plataforma en la sala más capaz del parador, que vendría a tener unos trescientos pies en cuadro. Mi pequeña directora permanecía de pie en un taburete arrimado a la mesa, para instruirme de lo que debía hacer y para evitar cualquier lance desagradable, y, a mayor abundamiento, mi amo prohibió que entrasen a verme cada vez más de treinta personas, precaviendo así los tumultos o desórdenes que acaso hubieran podido ocurrir. Yo, siguiendo los mandatos de mi aya, me paseé arriba y abajo de la mesa, contesté lo mejor que pude y a grandes voces a varias preguntas que ella sabía que estaban a mi alcance, según lo que yo comprendía del idioma del país, terminando por volverme repetidas veces de cara a la concurrencia haciendo mil cortesías. En la segunda parte de la función, llené de vino un dedal de Glumdalchitch, que ésta me había entregado para que me sirviese de cubilete y bebí a la salud de los espectadores, tiré mi sable e hice el molinete como los maestros de esgrima de Inglaterra y finalmente, tomando de manos del aya una brizna de paja, practiqué con ella el ejercicio de lanza que había aprendido en mi juventud. Este día fui exhibido doce veces consecutivas, viéndome obligado a repetir siempre lo mismo, hasta que caí medio muerto de disgusto, de extenuación y de melancolía.

Las personas que me iban viendo se desparramaban por la población, haciendo una descripción tan extraordinaria de la exigüidad de mi talla y relatando con tal entusiasmo mis ejercicios progidiosos, que el pueblo entero se precipitó hacia la hostería, y quiso romper las puertas para penetrar en la sala, pero mi amo, mirando a sus intereses, no consintió que nadie me tocase a excepción de la joven, y aún para ponerme más a cubierto de cualquier desmán, había mandado colocar unos bancos alrededor de la mesa, a la conveniente distancia para que ninguno de los espectadores pudiese llegar con su brazo hasta mí. Sin embargo, un diablillo de estudiante se atrevió a arrojarme a la cabeza una avellana, gorda como un melón, y que fue despedida con tanta fuerza, que de no crrar el golpe el bribón que la tiró, de seguro me hubiera saltado los sesos. Mi pobre Glumdalchitch quedó tan sobrecogida de espanto que no tuvo valor para resguardarme, pero su padre, que se enteró de la vil acción del estudiante, la emprendió contra él y le arrojó a puntapiés de la sala.

Mi amo mandó fijar carteles en las esquinas de las calles de la población, manifestando que volvería a mostrarme en público en el mercado más próximo, y, entretanto, encargó la construcción de un mueble más cómodo para llavarme; pues, de resultas de aquel viaje y de la repetición del espectáculo, durante ocho horas continuas, apenas podía sostenerme en pie y había perdido casi por completo la voz.

Para colmo de mis desdichas, cuando estuvimos de vuelta, todos los hidalgos de la vecindad, que habían oído hablar de mi persona y de mis hazañas, acudieron en masa para verme. Hubo día en que se reunieron más de treinta al mismo tiempo, con sus mujeres y sus niños, pues este país está poblado casi tanto como Inglaterra de ociosos y holgazanes, y como mi amo siempre que me enseñaba en su casa cobraba el precio de la entrada completo, aunque sólo estuviese presente una sola familia, acontecía que en lugar de descansar de mis ejercicios de la feria, debía seguir trabajando sin darme punto de reposo, a excepción de los miércoles que no se daba función por ser sus días de fiesta.

Considerando mi amo el provecho que yo podría reportarle, determinó exponerme al público en las ciudades más importantes del reino, y a este objeto, después de haberse provisto de todo lo necesario para un largo viaje y de haber puesto en orden los negocios de la granja, se despidió de su familia y de sus parientes el día 17 de agosto de 1703, es decir, cerca de dos meses después de mi arribo a aquel país, y partimos para la capital que está situada en el centro del imperio, a unas mil quinientas leguas del lugar de nuestra residencia.

Mi patrón iba a caballo, llevando en las ancas a su hija que a su vez me conducía a mí en una especie de banasta atada a su cintura y acolchada con el paño más fino que pudo procurarse. El viaje lo hacíamos a cortas jornadas, que no pasaban de ochenta a cien leguas, porque Glumdalchitch, atendiendo a mi comodidad, se quejaba adrede de que la molestaba el trote de la cabalgadura, y de cuando en cuando, me sacaba de mi encierro para que me diese el aire y pudiese contemplar el paisaje, pero teniéndome siempre sujeto por los faldones, por temor de que me escurriese y me viniese al suelo. Durante el viaje vadeamos cinco o seis ríos más anchos y profundos que el Nilo y el Ganges, siendo los más pequeños arroyos, mayores que el Támesis en el puente de Londres.

El propósito de mi amo era exhibirme en todas las ciudades, villas y aldeas de alguna importancia que hallase en el camino, deteniéndose, además, en las mansiones señoriales que no estuviesen muy separadas de nuestra ruta. Así lo hicimos, y en las tres semanas que duró el viaje fui enseñado en dieciocho grandes ciudades y en un número considerable de lugares y castillos, hasta que, por fin, llegamos a la capital, llamada en su idioma *Lorbruldrud* u *Orgullo del Universo*.

Mi amo alquiló una habitación en una de las calles más céntricas de la ciudad, próxima al real palacio, y repartió, según costumbre, multitud de anuncios que contenían una descripción maravillosa de mi persona y de mis talentos. Allí, en una sala de tres a cuatrocientos pies de largo, dispuso una mesa de sesenta pies de diámetro, rodeada de una barandilla, en cuyo sitio hube de desempeñar yo mi papel por espacio de muchos días, a razón de diez funciones diarias, con gran satisfacción y gusto del público.

Entonces, ya conocía regularmente su idioma y comprendía casi todo lo que me hablaban las gentes del país, había aprendido su alfabeto, y aunque con alguna dificultad, podía leer en sus libros y explicar su texto, gracias a que Glumdalchitch me había dado algunas lecciones en casa de su padre y durante las horas de descanso en nuestro viaje, sirviéndose de un librito que llevaba en su bolsillo, de tamaño algo mayor que nuestros atlas geográficos, y que venía a ser un compendio de los principales dogmas de su religión y de las mejores máximas para la educación moral de la juventud.

CAPITULO III

El autor es invitado a pasar a la corte. — Le compra
la reina y le presenta al rey. — Entra en discusión
con los filósofos de la real cámara. — Se le prepara
habitación en palacio. — Se convierte en el favorito
de la reina. — Defiende el honor de su país. — Tiene
cuestiones con el enano de la reina.

Las penas y trabajos que me veía obligado a sufrir todos
los días acabaron por afectar considerablemente mi salud,
pues, cuanto más ganaba mi amo conmigo, tanta mayor era
su sed de dinero; así es que, poco a poco, fui perdiendo el
apetito y convirtiéndome en un verdadero esqueleto. Mi amo
no dejó de advertir el cambio, y comprendiendo que mi muerte
estaba próxima, trató de aprovechar el tiempo sacando el
mejor partido de mis habilidades, y así lo hubiera hecho si un
slardral, o caballerizo del rey, no hubiese venido a desbaratar
sus cálculos, trayéndole la orden de llevarme a palacio para
divertir a la reina y a las damas de la corte, algunas de las
cuales, que ya me habían visto, contaban maravillas de mi
gallarda presencia y de mi excelente porte.

Su Majestad y sus camaristas celebraron mucho mis gracias y se mostraron tan amables conmigo, que no pude menos
de hincarme de rodillas pidiendo a la reina me concediese el
honor de besar su real pie, pero aquella afable princesa tuvo
a bien alargarme su dedo meñique, que yo abracé con mis dos
manos aplicando respetuosamente los labios a su extremo.
También me hizo algunas preguntas tocantes a mi país y a

117

mis viajes, a las cuales procuré contestar discreta y lacónicamente, y, por fin, quiso saber si estaría contento de vivir en la corte. Yo repliqué a Su Majestad haciendo una reverencia hasta tocar el suelo de la mesa a donde me habían subido, y diciéndola que aunque yo era el esclavo de mi amo, sin embargo, a depender mis actos de mi exclusiva voluntad, cifraría mi mayor gloria en consagrar mi vida a su servicio.

La reina, en vista de mi contestación, propuso al colono si quería venderme, y éste, que no deseaba otra cosa, por cuanto no me daba más allá de un mes de vida, aceptó inmediatamente la proposición y señaló el precio de mi persona en mil piezas de oro, que al instante le fueron entregadas. Yo supliqué entonces a la reina que, ya que había alcanzado la inefable dicha de ser su humilde siervo, me concediese, asimismo, la gracia de que Glumdalchitch, que hasta aquel momento había tenido conmigo tanta abnegación, cuidado y esmero, fuese admitida igualmente en el número de sus servidores, continuando siendo mi aya. Su Majestad accedió a mi petición mediante el consentimiento del labrador, que quedó tan ufano de haber colocado aventajadamente a su hija en palacio, como ésta, por su parte, lo estaba de seguir a mi lado. Mi amo se retiró entonces, haciéndome notar a la despedida que podía darme por contento de lo bien colocado que me dejaba, a lo cual contesté, solamente, con una ligera cortesía.

La reina, que no dejó de observar la frialdad con que yo había recibido el cumplimiento y la despedida del labrador, me preguntó el motivo de aquella indiferencia. Yo me permití contestar a Su Majestad que en mi concepto, mi amo no me era acreedor de otro reconocimiento que de no haberme aplastado con el pie como un animalillo inocente, que por casualidad había hallado en sus tierras; que semejante favor había sido harto bien pagado con los beneficios fabulosos que yo le había producido enseñándome en público a tanto la entrada, y con el precio que acababa de embolsarse vendiéndome; que mi salud se hallaba muy quebrantada por tanta esclavitud y por la tarea continua de entretener y divertir al pueblo a todas horas, y que si mi amo no hubiese creído que iba a morirme, de seguro Su Majestad no me habría comprado tan barato. Pero que como yo tenía razones para esperar que desde entonces sería muy venturoso bajo la protección de una princesa, tan grande y tan benigna, primor de la naturaleza, asombro del mundo, delicia de sus vasallos y fénix de la creación, confiaba que los recelos que había podido tener mi antiguo amo saldrían vanos, habiéndome ya, desde luego, reanimado el sólo aspecto de su augusta presencia. Tal fue el resumen de mi discurso, que pronuncié con bastante dificultad y entremezclando muchos barbarismos.

La reina, que excusó bondadosamente los defectos de lenguaje de mi arenga, quedó sorprendida de hallar un fondo tal de buen sentido en un animal tan pequeño; así es que me tomó en sus manos y me presentó inmediatamente al rey, que se hallaba encerrado en su gabinete de estudio.

Su Majestad, príncipe muy sesudo y de severo rostro, no parando por de pronto la atención en mi figura, preguntó secamente a la reina desde cuándo les había cogido tanta afición a los *splack-nocks* (pues me había tomado por un insecto de esta especie), pero la reina, que tenía gran agudeza, me puso bonitamente de pie sobre la mesa de escribir del rey, y me mandó que yo mismo le declarase quién era. Así lo hice en pocas palabras. Glumdalchitch, que se había quedado en la puerta del cuarto, no pudiendo pasarse un momento sin mí, entró de pronto y explicó a Su Majestad de qué manera su padre me había hallado en un campo.

El rey, que era un sabio de primer orden, especialmente en las matemáticas y en las ciencias naturales, cuando vio de cerca mi semblante y mi estatura, antes de que yo hubiese empezado a hablar creyó, por un instante, que pudiese ser una máquina artificial ejecutada por un artista sobresaliente, tanto más, cuanto que la mecánica había llegado a una gran perfección en el país, pero luego que hubo escuchado mi voz, y observado que había razonamiento en los sonidos tenues que yo emitía, no pudo ocultar su pasmo y su admiración.

El monarca, sin embargo, quedó muy poco complacido de la relación que le acababa de hacer de mi llegada a su reino, pues creía que esto fuese un cuento inventado por el padre de Glumdalchitch, y que entre los dos me hubiesen hecho aprender de memoria. Con esta idea me dirigió varias preguntas a las cuales contesté con el mayor aplomo, si bien con un dejillo extranjero y mezclando en la conversación algunas frases rústicas que había aprendido en casa del colono, y que no sonaban bien en los oídos cortesanos.

Para salir de dudas, el rey adoptó el recurso de mandar llamar a tres sabios que a la sazón se hallaban de cuartel en la corte y que aquella semana estaban de servicio, los cuales, después de haberme hecho sufrir un escrupuloso examen, emitieron diferentes pareceres acerca de mi persona. Esos señores convenían, desde luego, en que yo no podía haber sido creado siguiendo las leyes ordinarias de la naturaleza, puesto que me hallaba privado de la facultad natural de conservar la vida, por la agilidad de miembros para trepar a un árbol o por la fuerza de mis uñas para ocultarme debajo de tierra, abriendo en ella galerías o agujeros: únicamente, después de haber examinado con atención mi dentadura, concluyeron por deducir que yo era un animal carnívoro.

Uno de los filósofos se aventuró hasta a decir que no debía considerárseme más que como un feto o simple aborto, pero esta opinión particular fue combatida en el acto por los otros, que hicieron observar que mis miembros eran completos y bien formados en su especie, y que yo debía haber vivido ya muchos años, según lo evidenciaba mi barba, cuyos pelos eran visibles al microscopio. También fue rechazada la idea de que yo fuese un enano de su raza, pues mi pequeñez, respecto a ellos, estaba fuera de toda comparación, ya que el juglar de la reina, que era la persona más diminuta de que se tenía noticia, alcanzaba cerca de treinta pies de altura. Por último, tras un largo debate, se resolvió por unanimidad que yo no era otra cosa más que un *relplum scalcath*, que quiere significar literalmente *un capricho de la naturaleza*, decisión muy conforme con la moderna filosofía de Europa, cuyos maestros, desechando el antiguo subterfugio de las causas ocultas, a favor del cual los sectarios de Aristóteles trataban de paliar su ignorancia, han inventado esta solución maravillosa de todas las dificultades, con gran ventaja del humano saber.

Sentada aquella conclusión decisiva, me tomé la libertad de decir algunas palabras, y a este efecto, dirigiéndome al rey, protesté seriamente a Su Majestad que venía de un país donde mi especie se hallaba representada por muchos millones de individuos de ambos sexos, en el que los árboles, los animales y las casas correspondían a mi estatura, y en donde, por consiguiente, tenía yo la facultad de defenderme y de procurarme alimento y comodidades, tal como cada uno de los súbditos de Su Majestad podía hacerlo en sus estados.

Esta respuesta hizo sonreír desdeñosamente a los filósofos, que replicaron que ya no podía caber la menor duda de que yo sabía de memoria la lección que me había enseñado el labrador, pero el rey, que tenía más penetración que todos los sabios juntos, les despidió y mandó buscar al labriego, que por fortuna no había salido aún de la corte. Habiéndole interrogado primero a solas, y habiéndole careado después conmigo y con la joven, Su Majestad comenzó a creer que todo lo que yo le había referido podía ser muy bien verdad, así es que encargó a la reina que diese orden que se tuviese conmigo cuidados especiales, bajo la dirección de Glumdalchitch, que me demostraba tan entrañable afecto. A mi aya se le preparó una habitación lujosa en palacio, poniendo a su servicio un ama de llaves, una doncella y dos criados, pero con prohibición absoluta de que nadie más que ella pudiese tocarme ni atenderme.

La reina encargó a su ebanista que labrase para mi dormitorio una caja arreglada al modelo que le diésemos Glumdalchitch y yo, y aquel artífice, que era de los más inteligentes, terminó en poco más de tres semanas una habitación de madera de dieciséis pies cuadrados y doce pies de alto, compuesta de dos gabinetes con sus correspondientes puertas y ventanas. La plancha que formaba el techo era de quita y pon, para que

Glumdalchitch pudiese meter y sacar por la abertura mi cama de dormir, que había arreglado con toda esplendidez el tapicero de palacio. Mi pequeña ama la arreglaba todos los días con sus delicadas manos, y al llegar la noche la introducía en el cuarto y cerraba la cubierta sobre mí. La habitación tenía acolchadas todas sus paredes, para prevenir los accidentes que pudiesen ocurrir, bien por la torpeza de los conductores, bien por las sacudidas de los carruajes en los baches de los caminos.

Otro artesano, que se había hecho célebre por su habilidad en el ramo de juguetería fina, recibió el encargo de hacerme dos butacas, de una materia parecida al marfil, y dos mesas y un guardarropa de madera; y un cerrajero, que a instancia mía debía labrar una cerradura para que yo pudiese ponerme a cubierto de ratas y ratones, construyó una al parecer, diminuta, pero mayor que las que se ponen en Inglaterra en las puertas de las verjas que cierran algunas calles. Tras esto, la reina dispuso que con los géneros más finos que se hallasen en los bazares, me hiciesen dos vestidos, uno para casa y otro para visitas, a cuya hechura tardé bastante en acostumbrarme, pues tenía parte de chinesco y parte de persa, lo cual no impedía que fuesen graves, cómodos y decentes.

Aquella amable princesa gustaba tanto de mi conversación, que no podía comer sin que yo me hallase presente en la real mesa, sobre la cual colocaban otra mesita con su correspondiente silla, frente a la cabecera donde se sentaba Su Majestad, y allí yo despachaba mi comida bajo la vigilancia de Glumdalchitch que se colocaba detrás en un taburete. Yo tenía para mi uso una vajilla completa, que después de haber servido cada vez, se colocaba en una caja de juguetes de niño, que mi aya guardaba en su faltriquera.

La reina, que comía únicamente con las princesas, sus hijas, la una de dieciséis años y la otra de trece, en cada servicio pasaba una ración de una de las fuentes de la mesa a mi plato, y yo lo partía con mi cuchillo y lo llevaba a la boca con mi tenedor, en medio de la algazara estrepitosa de las infantitas. A mí me causaba un involuntario asco los enormes bocados que engullía Su Majestad (y eso que tenía el estómago muy delicado), uno de los cuales habría bastado para hartar una docena de destripaterrones ingleses. La reina trituraba con sus dientes la carne y los huesos del ala de una chocha, a pesar de que era nueve veces mayor que un alón de pavo, y el pedazo de pan con que lo acompañaba, era del tamaño de nuestros panes de a cuatro libras. Las cucharas, tenedores y demás instrumentos, guardaban la misma proporción, y una vez que mi pequeña aya me hizo asomar al comedor de la servidumbre, quedé helado de espanto al ver moverse constantemente en el aire diez o doce de aquellos colosales cuchillos y tenedores.

Los miércoles de cada semana, día de descanso en aquel país, el rey, la reina y la familia real comían juntos en los departamentos de Su Majestad, quien, habiéndome tomado también mucha afición, hacía que en semejantes días colocasen mi mesita y mi butaca a la izquierda de su persona, y delante de un salero.

Este príncipe, que tenía un gran placer en conversar conmigo, quiso una vez informarse de las costumbres, la religión, las leyes, el gobierno y la literatura de los estados de Europa, haciéndome, acerca del particular, varias preguntas que contesté lo mejor que supe, siendo su talento tan penetrante y su juicio tan sólido, que hizo comentarios notabilísimos a cuanto yo le iba diciendo.

Sin embargo, debo confesar que, habiendo llegado a hablar algo extensamente de mi querida patria, de la importancia de nuestro comercio marítimo, de nuestras sectas religiosas, de nuestros partidos de gobierno, el rey, bajo la influencia de su educación política, me cogió una mano, y sacudiéndome con la otra en la espalda, me preguntó con mucha sorna si yo era un *tohig* o un *tory*, y volviéndose después a su primer ministro, que permanecía en pie detrás de él empuñando un bastón de las dimensiones del palo mayor del navío *Real Soberano*, exclamó: «¡cuán poca cosa es la grandeza humana cuando pueden aspirar a ella insectos tan ruines como este, teniendo, casi me atreveré a decir, en su nación, categorías con qué distinguirse, condecoraciones con qué adornarse, ratoneras y cajones que llaman alcázares, coches, libreas, títulos, cargos públicos y pasiones como nosotros, engañándose, odiándose y haciéndose traición como aquí!»

De esta suerte filosofaba aquel monarca acerca de lo que le había referido de Inglaterra, mientras yo me salía de tino al escuchar cómo se hablaba con tal menosprecio de mi patria, la reina de las artes, la soberana de los mares, el azote de Francia, la árbrito de Europa, la gloria del universo entero. Pero mi situación no me permitía darme por ofendido ante aquellas injurias, y hasta reflexionándolo mejor, comprendí que ni aun había mediado agravio, pues recordé que después de contar ya algunos meses de permanencia en el país, me había acostumbrado tanto a las proporciones gigantescas de los objetos, que su tamaño ya no me causaba apenas asombro, y hasta estoy por decir, que si en aquel momento se me hubiese aparecido de pronto un cortejo de damas y señores ingleses con sus espléndidos trenes, desempeñando concienzudamente su papel de estirados cortesanos, saludando, coqueteando y pavoneándose, me habrían venido ganas de burlarme de su raquítico aspecto, del mismo modo que el rey de los Gigantes y su corte acababan de hacer burla de mí. Y esto es tan cierto, que yo mismo no podía menos de sonreírme en algunas ocasiones en que la reina, tomándome en su mano, se colocaba delante del espejo; nuestras figuras formaban en el cristal un contraste tan marcado y tan excesivamente ridículo, que realmente yo llegaba a creer que había disminuido en estatura.

Lo que me daba más pesadumbre en palacio eran las tretas del bufón de la reina, que siendo de la estatura más pequeña que allí se hubiese visto jamás, se creció de una manera extraordinaria a la vista de un hombre mucho más diminuto que él. Así es que me miraba con aire soberbio y desdeñoso, y no cesaba de hacer befa continuamente de mi figurita, cuando pasaba cerca de mí en la mesa, no dejando nunca de soltarme alguna pulla acerca de mi pequeñez. Yo me vengaba de sus insolencias llamándole *hermano*, retándole a batirse conmigo, y dirigiéndole algunas de esas chanzonetas que acostumbran a cruzarse entre sí los pajes de las casas reales.

Un día, durante la comida, aquel ruin personaje se picó tanto de una cuchufleta que yo le había dirigido, que se encaramó por el respaldo del sillón de la reina, y cogiéndome descuidado, me levantó en alto y me dejó caer en una fuente de leche. Yo quedé sumergido hasta las orejas, y a no ser un excelente nadador, de seguro me hubiera ahogado, con mayor motivo cuanto que Glumdalchitch se hallaba entonces en el extremo opuesto de la mesa. Su Majestad la reina quedó tan consternada de aquel acontecimiento, que le faltó la presencia de ánimo necesaria para darme auxilio, pero mi directora acudió prestamente y me sacó con destreza del apuro, no sin que hubiese tragado ya algunos azumbres del líquido. De resultas de esta aventura, me vi obligado a hacer algunos días de cama, aunque pronto me vi restablecido, no resultándome otro daño que el deterioro del vestido, que quedó inservible. En cambio, el enano fue azotado públicamente y condenado a beber el contenido del plato donde me había zambullido, perdiendo, además, el favor de la reina que lo regaló a una de sus damas, con gran satisfacción mía que, de esta suerte, pude librarme de la venganza que aquel villano hubiese podido tomarse.

La travesura que acabo de contar no fue la única que el juglar se permitió, pues, diariamente, usaba alguna conmigo, entre otras, la que voy a referir. Una vez, durante la comida, Su Majestad la reina, después de haber chupado la médula de un hueso lo había vuelto a colocar en el borde del plato, y el enano, aprovechándose de la ocasión, me cogió por las piernas y me introdujo en el hueso, no dejando asomar más que mi cabeza. Así permanecí por espacio de algunos minutos, sin atreverme a dar voces para no llamar la atención hacia mi persona, colocada en tan humillante posición, hasta que al juglar le pareció bien sacarme de mi encierro, sin contratiempo grave, gracias a la costumbre seguida entre aquellos príncipes de no comer las viandas calientes, lo que evitó que saliese con las piernas abrasadas.

La reina me reconvenía muy a menudo por mi cobardía ante los importunos ataques de las moscas, que no me dejaban un instante tranquilo. Aquellos repugnantes insectos (de las dimensiones de nuestras golondrinas), me aturdían con su susurro, se precipitaban con ferocidad sobre mi plato y soltaban sin ceremonia sobre mi cuerpo sus huevos y sus excrementos, que eran perceptibles a la vista. Otras veces se posaban con todo descaro en mi nariz, motificándome vivamente con su trompa, y apestándome con el hedor insoportable que despedía esa materia viscosa que recubre sus patas, y que según el parecer de los naturalistas, proporciona a aquellos bichos la propiedad de andar patas arriba por los techos. Yo temblaba involuntariamente cada vez que se me acercaba alguna de aquellas moscas; y más aún cuando al juglar se le ocurría darme una desazón cogiendo una multitud de ellas en su mano y soltarlas todas juntas en mi cara; contra esta picardía del bufón, no me quedaba otro remedio que desenvainar el sable y tirar tajos a mis enemigos alados, siendo admirable la destreza que yo había adquirido en esa caza de nuevo género.

Para concluir la reseña de esta parte de mis aventuras, otro día, por la mañana, en que Glumdalchitch había colocado mi cajón en el alféizar de una ventana de palacio para que yo respirase un aire más puro (pues yo no consentí jamás que colgasen mi habitación en la pared de la fachada a modo de jaula), acababa de ponerme a la mesa para desayunarme y comenzaba a partir una torta de azúcar, cuando entraron de golpe en la habitación algunas abejas, dando tales zumbidos, que parecía estar escuchando una docena de clarinetes. Unas se precipitaron sobre el dulce y me lo arrebataron en un abrir y cerrar de ojos, y otras daban vueltas alrededor de mi cabeza, hasta que, arremetiendo yo a cuchilladas, despaché cuatro o cinco, huyendo las demás.

Aquellas abejas eran grandes como perdices, y habiendo

arrancado el aguijón de una de ellas que medía una pulgada en su base, lo guardé cuidadosamente con otras curiosidades que enseñé al público a mi vuelta a Europa, y regalé más tarde al director del colegio de Gresham para que lo colocase en su museo.

CAPITULO IV

*Descripción del País de los Gigantes. — El autor
señala una rectificación que debe hacerse en los mapa-
mundis europeos. — Palacio del rey en la capital. —
Manera de viajar del autor. — Edificios principales.*

En el presente capítulo voy a hacer al lector una ligera
descripción del país en que actualmente resido por mi mala
fortuna, en tanto que he podido conocerlo, por lo que del mismo
llevo recorrido, que se extiende a lo más a siete leguas alrededor de la capital, pues la reina, de cuyo séquito yo formaba
parte, se detenía comúnmente a esa distancia cuando acompañaba al rey en sus viajes, continuando Su Majestad solo la
excursión hasta las fronteras.

La extensión total del reino es de unas tres mil leguas de
longitud y de dos mil a dos mil quinientas leguas de latitud,
de lo que infiero que los geógrafos europeos yerran lastimosa-
mente cuando creen que no hay otra cosa más que mar entre
el Japón y la California. Por mi parte, he imaginado siempre
que debía existir por aquel lado una considerable extensión de
tierra firme destinada a contrapesar el continente de la Gran
Tartaria, y en este sentido, pues, se deben corregir los atlas
geográficos, es decir, uniendo aquella vasta comarca a la costa
Noroeste de la América Septentrional, para lo cual, pongo yo
desde luego, a disposición de los geógrafos, mis escasas luces
en este particular.

La nación de los Gigantes forma una gran península baña-
da en sus tres lados por el mar, y limitada por la parte del

Norte por una cadena de montañas de más de treinta millas de altura, según cálculos aproximados, pues impiden conocerla con exactitud los volcanes que abundan en sus cimas. Las personas más sabias del país ignoran qué raza de mortales habita más allá de aquella cordillera, pues jamás se han tomado la molestia de averiguar si el resto de la tierra está o no habitado. No se encuentra un solo puerto en toda la costa del reino, y los puntos de ella, donde los ríos vierten sus aguas en el mar, están formados por rocas tan escarpadas y el oleaje es allí tan violento, que no hay marino que se atreva a abordar a esos sitios, de manera que aquel pueblo está privado por completo de toda comunicación con lo restante del mundo.

En los grandes ríos se coge excelente pesca, evitando así a los naturales el tener que echar sus redes en el Océano, cuyos peces, siendo de las dimensiones ordinarias de los demás del globo, no aprovecharían para la manutención de aquellas gentes; esta circunstancia explica cómo la naturaleza ha producido exclusivamente para aquella comarca plantas y animales enormes, dando lugar a una anomalía cuyo estudio dejo a la consideración de los filósofos. No obstante, de vez en cuando, se pescan en la costa algunas ballenas, y yo he visto en cierta ocasión una de gran tamaño, que apenas podía conducir a cuestas un hombre del país, pero únicamente se alimenta de ellas el pueblo bajo, llevándose sólo de vez en cuando algunos ballenatos a Lorbruldrud, acondicionados en canastas a propósito, habiendo visto una sola vez por excepción servir uno de los más pequeños en la mesa del rey.

El país está muy poblado, pues contiene cincuenta y una ciudades, cerca de cien villas e innumerables caseríos y aldeas. Para satisfacer la curiosidad del lector, supongo bastará hacer la descripción de la capital. Esta ciudad, que se halla situada junto a un río que la atraviesa y la divide en dos partes casi iguales, comprende más de ochenta mil edificios particulares, habitados, aproximadamente, por setecientos mil vecinos. Tiene de largo tres *glomgung* (que equivalen a dieciocho leguas) y tres y medio de ancho, según he tenido lugar de observar en un plano de cien pies de longitud levantado por orden del rey, que extendieron expresamente en el suelo, y por encima del cual anduve descalzo para tomar aquellas medidas.

El palacio del rey de los Gigantes es de arquitectura bastante regular, mejor dicho, es una reunión de edificios que cubren una extensión de siete millas, cuyos salones principales miden doscientos cuarenta pies de alto y anchos a proporción.

El monarca había puesto a disposición de Glumdalchitch una calesa, para que pudiese pasear cómodamente conmigo y enseñarme las calles, las plazas y los edificios de la ciudad; regularmente, el aya me tenía en su falda metido en mi cajón, pero a instancias mías me sacaba de vez en cuando, y colocándome en su mano me hacía ver mejor los palacios y tiendas más notables. La carretela, según mis cálculos y salvo error, podría tener la superficie cuadrada de la sala de Westminster o poco menos, pero no era tan elevada.

Un día que paramos delante de varias tiendas, aprovechando la ocasión, se precipitó a las portezuelas una porción de mendigos, que ofrecían el golpe de vista más horroroso que haya presenciado jamás un europeo. Una mujer tenía un cáncer monstruoso con diferentes boquetes, algunos de ellos tan profundos que yo habría cabido dentro de cualquiera de ellos; a otro desgraciado le había salido un lobanillo del volumen de cinco balas de algodón, y un tercero andaba sobre dos piernas de palo de veinte pies de alto. Pero el espectáculo más repugnante para mí era el de los piojos que se paseaban por los andrajos de aquellos infelices, y que yo podía examinar a la simple vista en sus menores detalles, mejor que lo hubiera hecho en Europa con el microscopio, descubriendo perfectamente todos sus miembros, y en particular, su hocico parecido al de un cerdo. Yo hubiera, de buena gana, disecado alguno de aquellos bichos, pero por un lado me faltaban los instrumentos necesarios, que habían quedado a bordo, y por otra parte, el aspecto de los insectos era tan repulsivo, que acaso la empresa hubiera sido superior a mis fuerzas.

Aparte de la caja grande en la que me trasladaban de un

sitio a otro, la reina encargó para mí un segundo cajón, que no tenía más que doce pies en cuadro por diez pies de alto, a fin de que mi ama pudiese sostenerlo encima de las rodillas cuando hacíamos un viaje largo en caballo o carruaje. El hábil operario, que bajo nuestra dirección lo construyó, había abierto en tres de las caras laterales otras tantas ventanas, que luego se cerraron con rejas para evitar percances, y en la cuarta cara había fijado unos pasadores muy recios de cuero. Si convenía andar a caballo, introducían un cinturón por estos pasadores, y un criado se lo ceñía colocando la caja delante de él; este medio de viajar era el más cómodo para mí, porque me permitía ver mejor el paisaje.

En el cajón mencionado acompañaba a menudo al rey y a la familia real, o me sacaban a tomar el fresco en los jardines del palacio, o me llevaban a devolver las visitas alguna vez que mi pequeña aya se hallaba indispuesta, pues yo había adquirido muy buenas relaciones en la corte, merced sin duda al favor con que me honraba el soberano. La tarea de transportarme de un sitio a otro del palacio, se encargaba a un paje de confianza, que llevaba la caja encima de un almohadón.

En este gabinete que ahora describo, tenía yo un catre de campaña o hamaca, que colgaba del techo, y dos butacas atornilladas en el suelo, y la costumbre de navegar hacía que los movimientos del caballo o del carruaje no me causasen la incomodidad que me hubieran ocasionado en otras circunstancias, sin embargo de que algunas veces eran muy violentos.

Siempre que salía con Glumdalchitch a recorrer la ciudad, tenía yo un gusto especial en ir metido en este cajón. El aya subía a una silla de manos abierta que conducían dos lacayos vestidos con la librea de la Real casa, seguida de otros dos de respeto; y sentándome en su falda, el pueblo, que oía hablar continuamente de mí, se agolpaba alrededor de la silla de manos para contemplarme, y la joven, que era sobrado complaciente, mandaba, a veces, a los conductores que hiciesen alto y me levantaba en sus manos con objeto de que todo el mundo pudiese mirarme cómodamente.

Yo tenía grandes deseos de ver la catedral y especialmente la torre que está adosada a sus paredes, que se reputa como la más alta del reino. Mi aya me condujo un día a la plaza donde aquélla está situada, y debo confesar que me quedé absorto ante la construcción que se ofreció a mis ojos, pues la torre no tiene menos de tres mil pies desde el suelo hasta la flecha de su veleta, lo cual, por otra parte, no ofrece nada de extraordinario, atendida la desproporción que existe entre todo lo de aquel pueblo y lo de los demás países, siendo relativamente más elevado el campanario de Salisbury, si no estoy equivocado acerca de la altura de éste.

Sin embargo, no queriendo rebajar con mis críticas la importancia de una nación, a la cual, a pesar de mi desgracia, debo una deuda de eterno reconocimiento, haré observar que lo que falta a la torre en elevación lo compensa de sobras su esbelta robustez. Las paredes tienen cerca de cien pies de espesor, estando construidas de piedras sillares de cuarenta pies cúbicos, y adornadas de soberbias estatuas de mármol que representan divinidades y emperadores célebres, colocados en sus respectivos nichos. Yo tuve la curiosidad de medir el dedo meñique que se había desprendido de la mano de una de las estatuas, y hallé que tenía cuatro pies y una pulgada de largo. Este dedo lo recogió Glumdalchitch y lo llevó a casa para guardarlo con sus juguetes, cosa por otra parte muy natural a su edad.

La cocina del palacio real la constituye un soberbio edificio abovedado de cerca de seiscientos pies de alto. El horno mayor tiene diez pasos menos de circuito que la cúpula de la iglesia de San Pablo, de Londres, según he podido apreciar al medir dicha cúpula a mi regreso a Inglaterra. No describiré las parrillas colosales y los monstruosos pucheros y cacerolas, ni las enormes piezas de carne que daban vueltas en los asadores, pues, apenas se me creería o cuando menos podría tachárseme de exagerado. Y, sin embargo, es lo cierto que para evitar tales censuras, quizá me he inclinado hacia el extremo opuesto; de manera que si esta obra se tradujese algún día al idioma de la *Gigantea* (que es el nombre que he dado a aquel país), y se pusiese allí en circulación, estoy persuadido de que el monarca y el pueblo tendrían motivos para lamentarse del daño que yo les causara, empequeñeciéndolos por puro capricho.

El rey posee constantemente en sus caballerizas más de seiscientos caballos de tiro y silla, que tienen de alzada de cincuenta y cuatro a sesenta pies. En las grandes solemnidades lleva una escolta de quinientos jinetes, que al principio me habían parecido la flor y nata de los guardias de corps, pero cuando más adelante vi una división completa del ejército, formada en orden de parada, este espectáculo me pareció todavía más majestuoso e imponente.

CAPITULO V

Se refieren algunas aventuras del autor. — Ejecución
de un criminal. — El autor da una prueba de sus
conocimientos en la navegación.

Yo hubiera pasado una vida sumamente tranquila en
aquel país, si mi relativa pequeñcz no mc hubiese expuesto
a mil contratiempos, algunos de los cuales me permitiré referir.

Un día en que, según costumbre, mi aya me llevó a los
jardines de palacio, y me dejó en el suelo para que pudiese
pasear libremente a mis anchas, nos siguió hasta allí el bufón
de la reina (antes de ser despedido) de modo que en el momento
en que me sacaron del cajón, el enano y yo nos encontramos
frente a frente junto a un pequeño manzano. Yo traté de pro-
barle mi agudeza, haciendo una comparación bastante insulsa
entre su estatura y la del arbolillo, a la cual se prestaban las
frases sinónimas de ambos objetos, pero el enano, resentido de la
broma, sacudió, sin ser visto, una rama muy cargada de fruto,
haciendo caer sobre mí una docena de manzanas mayores
que toneles de Bristol, una de las cuales me derribó de cara
contra el suelo. Esta vez no me atreví a quejarme de las consecuencias de la travesura del juglar, pues, realmente, yo las
había provocado con mi impertinencia.

Otro día, mi aya me dejó sentado en una pradera cubierta
de un césped sumamente fino, mientras conversaba a alguna
distancia con su nodriza, que había venido a pasar una tempo-
rada en la corte. De repente, estalló una violenta tempestad de
piedra, que me lapidó todo el cuerpo, debiendo la salvación

de mi vida a la suerte de poder arrastrarme hasta un vallado próximo que cobijó mi persona, pero aun así, quedé tan molido de pies a cabeza, que estuve indispuesto más de ocho días, lo cual no es de extrañar, en atención a que teniendo las cosas de ese país la misma proporción gigantesca que los habitantes respecto a nosotros, las piedras del granizo eran dieciocho veces mayores que las nuestras, según pude comprobarlo al pesar y medir algunas de ellas.

Un accidente más grave aún me sucedió en los mismos jardines, otra vez que mi aya, creyéndome en completa seguridad, me había dejado libre como se lo pedía a menudo, para entregarme a solas a mis pensamientos, y se había alejado con unas damas con quienes había trabado relaciones. Durante su ausencia, un lebrel del jardinero vino casualmente a huronear en el sitio donde yo me hallaba, y guiado por su finísimo olfato me descubrió, me llevó a su amo y me depositó a sus pies meneando la cola en espera de una caricia. Felizmente, el can me había cogido con tanta destreza que no me estropeó en lo más mínimo, lo cual no impidió que el jardinero recibiese mortal susto al verme en aquel estado, y más cuando al recogerme y preguntarme qué tal me encontraba, no pude contestarle palabra de pronto, tanto las pasadas angustias y la velocidad con que el perro me había llevado, habían extinguido mi voz. El jardinero volvió a conducirme delicadamente al sitio de donde me había arrebatado el animal, hallando allí a Glumdalchitch desesperada de no verme en ninguna parte y llamándome con todas sus fuerzas; y allí acordamos entre los tres tener oculta esta aventura, que no me pareció a propósito sino para hacer recaer el ridículo sobre mi persona.

Este suceso decidió a mi aya a no perderme de vista en lo sucesivo, y como desde mucho tiempo venía yo temiendo que adoptaría esa resolución que me privaba de mi libertad, le había ocultado adrede muchos pequeños incidentes desagradables que me habían ocurrido.

Una vez, un abejorro me embistió furiosamente, y gracias a haber conservado yo mi presencia de espíritu, pude ampararme detrás de una enredadera y rechazar su ataque a cuchilladas.

Otro día, me metí hasta el cuello en una topera, y en otra ocasión, mientras me hallaba ensimismado pensando en mi querida Inglaterra, estuve a punto de romperme el espinazo en un tropezón que inadvertidamente di en un pedazo de concha de caracol.

Me es imposible explicar el efecto que producía en mi ánimo el observar durante mis solitarios paseos que los pájaros no demostraban temor alguno en mi presencia. Una griva tuvo atrevimiento para arrebatarme un pedazo de galleta que tenía en la mano, y siempre que trataba de apoderarme de alguno de aquellos volátiles, me hacía frente a picotazos y se volvía con la mayor frescura a buscar insectos o granos. Un día, sin embargo, logré arrojar mi garrote con todas mis fuerzas y con tal acierto contra una codorniz, que la derribé del golpe, y cogiéndola por el cuello traté de arrastrarla hasta donde me aguardaba mi ama. Pero la codorniz, que no estaba más que aturdida, me sacudió tales aletazos, que me habría visto precisado a soltarla si un criado no hubiese acudido precipitadamente en mi auxilio, teniendo yo al día siguiente el placer de que me sirviesen en la comida un soberbio muslo de aquel ave, que era del tamaño de nuestros cisnes.

Yo proporcionaba todos los días a la corte el tema de algún cuento ridículo, y Glumdalchitch, por más que me quisiese entrañablemente, era la primera en ir a hacer a la reina una relación de mis aventuras, cuando las consideraba dignas de hacer reír a Su Majestad. Así, por ejemplo, una vez en que hallándose algo indispuesta la nodriza del aya, trató ésta de sacarla a la campiña para que la diese el aire puro, ambas descendieron del coche de viaje y se sentaron en la hierba, abriéndome la caja para que yo saliese a dar un paseo; en un sendero próximo había una boñiga de vaca y yo, queriendo mostrar mi habilidad saltando por encima, tomé mal el empuje y caí precisamente en medio del excremento, llenándome de él hasta las rodillas. Después de mucho trabajo, conseguí salir de la basura, y uno de los criados me limpió como pudo con su pañuelo, pero al instante llegó a oídos de la reina aquel suceso tan mortificante para mí, los lacayos se hicieron lenguas para divulgarlo por toda la corte, y por espacio de muchos días proporcionó pasto para la chacota general.

Las damas de la reina invitaban con frecuencia a mi aya para que me llevase a sus aposentos y pudiesen agasajarme y contemplar mis delicados miembros. En estas ocasiones me desnudaban completamente y me oprimían con ternura contra su pecho, lo cual era para mí altamente desagradable, a causa del fuerte tufo que despedía su piel. Y no lo digo para que mis lectores se formen una idea equivocada del aseo de esas damas, que yo respeto como es debido, pero es que mi relativa pequeñez volvía más fino mi olfato, con todo y que aquellas bellezas eran en esta parte tan irreprochables como las de la más elevada aristocracia inglesa.

A este propósito recuerdo que durante mi estancia en la Pigmeonia, aquel amigo de quien dije en otro lugar que se había fijado en la aspereza de mi cutis, cierto día en que me hallaba cansado, le pareció bien hacerme observar el mal olor que mi cuerpo despedía, a pesar de que yo soy menos accesible que otros a semejante inconveniente; de manera que, es de suponer que la finura del olfato de los pigmeos estaba, respecto a mí, en la misma proporción que la del mío respecto a esa nación de gigantes. Sin embargo, no puedo menos en este punto de hacer justicia a la reina mi ama y a Glumdalchitch, pues, una y otra tenían la piel tan tersa y tan suave como la de la más delicada señora inglesa.

Lo único que me disgustaba en alto grado en las visitas que casi todas las mañanas hacíamos a las damas de honor, era que todas ellas procedían conmigo sin el menor recato, mirándome como un ser de todo punto indiferente, así es que mi presencia no las estorbaba el quitarse los vestidos y hasta las ropas menores mientras yo solía estar enfrente de ellas sobre su tocador, viéndolas a pesar mío enteramente en cueros, y digo contra mi voluntad, porque no me causaba más que asco y horror la vista de su piel desunida y jaspeada de varios colores, con lunares sembrados aquí y allá, grandes como platos, por no hablar del resto. Hay más; algunas de aquellas damas, hallándome yo presente, no tenían el menor escrúpulo de cumplir cierto acto de higiene secreta en un vaso de la cabida de tres toneles, y la más agraciada de entre ellas, que era una joven de dieciséis años, alegre y juguetona como pocas, se divertía a veces poniéndome a horcajadas en el borde de su corsé y haciendo conmigo otras mil travesuras que el lector me dispensará de referir, hasta el extremo de ponerme en el caso de pedir a mi pequeña aya que no volviese a dejarme a solas con ella.

En cierta ocasión, un sobrino de la nodriza de Glumdalchitch convidó a entrambas para que fuesen con él a presenciar la ejecución de un asesino, y si bien al principio las dos mujeres se resistieron a semejante invitación, al fin acabaron por acceder, y hasta yo mismo, que soy refractario a esos espectáculos sangrientos, llegué a desear ver aquél como objeto de curiosidad filosófica. El verdugo, que empuñaba una cuchilla de treinta y cinco pies de largo, se acercó calladamente al reo, que estaba amarrado al banquillo del cadalso, y de un solo golpe le cortó la cabeza; las arterias y las venas arrojaron chorros de sangre más altos que los surtidores del Parque de Versalles, y la cabeza cortada dio tales rebotes que yo temblé de horror, a pesar de hallarme situado a más de una milla de distancia.

La reina, que gustaba mucho de hablar conmigo de mis viajes por mar, y que me buscaba siempre ocasiones de distraerme cuando me veía apesadumbrado y triste, me preguntó un día si me creía capaz de mover un remo o de manejar una vela, y si consideraba conveniente para mi salud un poco de ejercicio de aquella clase. Yo contesté a Su Majestad que entendía perfectamente la maniobra de un buque, pues, aunque mi empleo particular a bordo era el de médico, no obstante, en ciertos momentos supremos de peligro, me había visto obligado a trabajar como un simple marinero, pero que no podía entrever el modo cómo podría navegar allí, donde la más pequeña barquilla era igual a un navío de línea de los nuestros, además de que, un barco proporcionado a mis fuerzas corporales, no podría flotar mucho tiempo en las corrientes tumultuosas de sus ríos, ni yo podría tampoco gobernarle.

Su Majestad replicó, no obstante, que si yo lo deseaba, su ebanista podría construirme un barquichuelo, y ella me proporcionaría un sitio donde yo pudiese maniobrar con seguridad; y, en efecto, el carpintero, siguiendo mis instrucciones, me construyó en diez días un buque con su arboladura, jarcia y demás piezas que podía contener cómodamente ocho europeos.

Luego que estuvo concluido, la reina quedó tan prendada del barco, que lo acomodó en su falda y corrió a enseñarlo al rey, quien dio orden de meterlo en un barreño para que yo probase de maniobrar, pero por más que hice no me fue posible, a causa de no quedar suficiente sitio para mover los remos.

Entonces, la reina, con mejor criterio, encargó a un tonelero que fabricase una gran tina de madera de trescientos pies de largo, cincuenta de ancho y ocho de profundidad, bien calafateada para que no se filtrase el agua, la cual hizo colocar en uno de los corredores de palacio, arrimada a la pared. Cerca del fondo de la cuba había una espita para renovar el agua cuando convenía, y dos mozos podían llenarla en menos de media hora. En esa cuba pude remar para distraerme, así como para recrear a la reina y a sus damas, que manifestaban ver con mucho gusto mi destreza y mi agilidad.

Algunas veces, yo izaba la vela, y en tales casos no debía ocuparme más que de vigilar el timón, pues las damas me daban aire con sus abanicos, y cuando se cansaban, alguno de los pajes impelía el buque con su soplo, mientras yo, a mi placer, viraba a babor o a estribor. Concluida la maniobra, Glumdalchitch volvía a llevar el barco a su habitación, y lo suspendía de un clavo para que se secase.

En este ejercicio me ocurrió una vez un accidente, que por poco me cuesta la vida. Uno de los criados acababa de colocar mi esquife en la tina, cuando una sirvienta de Glumdalchitch le pidió a ésta con mucho empeño que le permitiese pasarme al buque, pero lo hizo con tan mala suerte, que me dejó escurrir entre sus dedos, y hubiera caído al suelo desde una altura de cuarenta pies, si por la más feliz de las casualidades no hubiese tropezado con la cabeza de un alfiler muy gordo, que dicha mujer tenía prendido en el delantal, que atravesó la pretina de mi pantalón, manteniéndome en suspenso en el aire hasta que vinieron a darme auxilio.

En otra ocasión, uno de los mozos que cada tres días tenían el encargo de llenar de agua mi tina, fue tan descuidado en su tarea que dejó escapar de su cubeta una soberbia rana, que se mantuvo oculta hasta que yo penetré en la embarcación. Hallando entonces un sitio donde descansar, se subió a ella, haciéndola inclinar de tal modo que tuve necesidad de hacer contrapeso del otro lado para impedir que la lancha zozobrase; pero la rana, que por su tamaño se me aparecía como un monstruo espantoso, empezó a saltarme a la cabeza y a las piernas, cubriéndome el rostro de lodo y poniéndome el vestido en un estado deplorable. Pero no por esto yo desmayé; antes bien, pidiendo a mi aya que me dejase habérmelas solo con el animalazo, la perseguí a golpes de remo y la obligué a saltar del barco.

Pero el mayor de los peligros que corrí en aquella sazón, fue el que voy a contar. Glumdalchitch había salido a sus negocios o a alguna de sus visitas, dejándome encerrado con llave en su gabinete, con las ventanas abiertas porque hacía mucho calor. Yo me hallaba tranquilo en mi caja sentado junto a la mesa, cuando oí que algo entraba por la ventana del cuarto, moviéndose furiosamente de acá para allá. De pronto, me alarmó el ruido, pero no tanto que me impidiese mirar al exterior, aunque sin salirme de mi caja, y pude observar un animal bullicioso que no cesaba de dar cabriolas por todos lados, hasta que por último se acercó a mi aposento y lo contempló, al parecer con fruición y curiosidad, asomándose a cada una de sus aberturas.

Yo me retiré al punto, al extremo más apartado de mi cajón, pero no pude evitar que me viese aquel animal, que era un mono de gran tamaño, causándome tal miedo, que perdí la presencia de ánimo necesaria para ocultarme debajo de la cama, donde hubiera estado a cubierto de toda agresión. El mono, después de hacer muchos visajes, introdujo una de sus manos por la abertura de la puerta, como lo hacen los gatos cuando quieren jugar con un ratoncillo, y por más que yo probé de escapar de sus garras, acabó por cojerme por los faldones de mi sobretodo (que era de tela del país bastante tupida) y me sacó fuera. Entonces, me tomó en brazos y me reclinó sobre su pata derecha, a la manera que las nodrizas sostienen a los niños de teta al darles el pecho, y tal como yo había oído hablar en Europa de monos que se divierten de esta suerte con gatitos, y apretándome tan fuertemente cuando yo probaba de soltarme, que creí que el partido más cuerdo era el de someterme y aguantar todo lo que se le antojase hacer conmigo, siendo presumible que el animal me tomaba por un monito recién nacido, pues con la otra mano me acariciaba dulcemente.

De pronto, el mono fue interrumpido en sus finezas por un ruido que sonó hacia la puerta del cuarto, como si alguien tratase de abrirla, y asustado saltó a la ventana por donde había venido, y de allí a la cornisa, andando sobre tres pies y sosteniéndome con el cuarto, hasta que logró encaramarse al tejado de una casa vecina, desde donde yo pude ver a Glumdalchitch que lanzaba lastimeros gritos y se retorcía las manos con desesperación. Pronto cundió la alarma por todo aquel lado del palacio, los criados corrían a buscar escaleras, y en tanto mi mono se estaba sentado con toda tranquilidad en el alero del edificio contiguo, a la vista de un sinnúmero de personas, sosteniéndome con una de sus patas delanteras como un muñeco y embutiéndome con la otra en la boca, a viva fuerza, algunas viandas que había podido pillar en la cocina. Esto hacía desternillar de risa a la chusma que nos contemplaba desde la calle, pues, excepto para mí, el espectáculo era altamente divertido; algunos curiosos se propasaron a tirarnos piedras para hacer bajar al mono, pero hubo de impedírseles

142

que siguiesen por temor de que me descalabrasen de una pedrada.

Por fin trajeron las escaleras y muchos hombres se subieron al tejado, intimidando al mono, que desamparó el puesto dejándome caer en el hueco de un canalón. Allí trepó uno de los lacayos de mi pequeña ama, mozo muy honrado y que me quería mucho, que me recogió, y metiéndome en la faltriquera de sus calzones, me bajó con toda seguridad.

Yo estaba casi ahogado con las porquerías que el animal me había introducido en el gaznate, pero mi querida Glumdalclitch me hizo vomitarlas, aliviándome grandemente; sin embargo, me hallaba tan débil y postrado a causa de los abrazos de aquella fiera, que hube de guardar cama por espacio de quince días, en cuyo tiempo el rey y toda la corte enviaron diariamente a saber noticias de mi salud, y la reina me hizo personalmente muchas visitas. El mono fue condenado a muerte, y se publicó un Real decreto prohibiendo para lo sucesivo a toda persona el mantener semejantes animales en las inmediaciones de palacio.

La primera vez que me presenté al rey después de mi restablecimiento, para darle las gracias por sus bondades, Su Majestad tuvo la humorada de permitirse algunas alusiones acerca de aquella aventura; me preguntó cuáles fueron mis impresiones y mis reflexiones mientras el mono me tenía entre sus brazos, qué sabor tenían las viandas que me hacía engullir y si el ambiente fresco que había respirado en la azotea me había excitado el apetito, instándome por último en gran manera para que le dijese lo que en un caso igual habría hecho en mi país. Yo contesté a Su Majestad, que en Inglaterra no se criaban monos, y que los que había allí los traían de otros puntos, no siendo temibles a causa de su pequeñez, pero que respecto a aquel animal enorme con quien acababa de bregar (y en efecto, abultaba tanto como un elefante), si el miedo me hubiese permitido pensar en acudir a mi sable, y al decir estas palabras eché mano a la empuñadura tomando un aire fiero, cuando él se atrevió a meter la pata en

143

mi cuarto, le hubiese dado tal cuchillada que quizá la habría retirado con mayor prontitud de la que la había introducido.

Yo pronuncié estas palabras con la firmeza propia de las personas que no consienten que su honor sea puesto en tela de juicio; sin embargo, mi arenga no produjo otro efecto que la risa entre las personas que rodeaban al monarca, y que no pudieron contener a pesar de la gran veneración que le tenían. Aquello me hizo recapacitar acerca de la sandez del hombre que trata de darse importancia a sí mismo delante de otros que están por muchos conceptos fuera de toda comparación con él, con mayor motivo cuanto que en aquel instante me vinieron a la memoria muchos ejemplos del mismo error moral que había observado en Inglaterra, donde con frecuencia, un hombrecillo sin mérito alguno, bajo el punto de vista del linaje, del talento, del buen parecer y hasta del buen sentido, se codea y trata de un tono dominante a los personajes más altos del reino.

CAPITULO VI

Diferentes invenciones del autor para agradar a los reyes. — El monarca se informa del estado político de Europa, del cual el autor trata de darle una idea. — Observaciones del rey acerca de este particular.

Yo tenía la costumbre de asistir dos o tres veces por semana al acto de levantarse el rey, y a menudo me hallaba presente cuando le afeitaban, lo cual, en los primeros días, me impresionó vivamente, pues, la navaja que usaba el barbero era casi dos tantos más larga que las hoces de nuestros segadores. Se me ocurrió un día pedir al ayuda de cámara que me proporcionase algunos despojos de la barba de Su Majestad, y tomando un pedacito de madera lo taladré a distancias iguales con un alfiler y ajusté perfectamente un pelo a cada agujero, arreglándome un peine que me hacía bastante falta, pues el mío se había roto y estaba poco menos que inservible, no siendo probable que se hubiese hallado en el país un obrero capaz de hacerme otro igual.

Recuerdo también otro entretenimiento que me procuré en la misma época. Encargué a una de las camaristas de la reina que recogiese los cabellos más finos que se desprendiesen de la cabeza de Su Majestad al hacerle el tocado y me los entregase. Habiendo reunido una regular cantidad de ellos, consulté el parecer del ebanista que había recibido la orden de fabricarme todos los objetos menudos que necesitase, y le di instrucciones para que me hiciese dos sillones de la medida de los que yo tenía en mi caja, y que después, con una lezna fina les abriese unos agujeritos alrededor del asiento. Cuando estuvo a punto el armazón de las sillas, me ocupé en tejerles el asiento con los cabellos de la reina, pasándolos por los agujeros, y sacando unos sillones parecidos a los de enea que usamos en Inglaterra. Inmediatamente, los presenté a Su Majestad, que me ofreció conservarlos en su escaparate como un objeto exquisito, y me invitó a sentarme en uno de ellos, pero yo me excusé protestando que para mí sería preferible sufrir mil muertes antes que descansar una parte tan innoble de mi persona encima de los respetables cabellos que en otro tiempo habían adornado la cabeza augusta de Su Majestad.

Y como yo tenía mucho ingenio para la fabricación de objetos artísticos, con el cabello restante tejí una bolsita de malla muy estrecha, de unos dos palmos de larga, con el nombre de Su Majestad trazado en letras de oro, la que con permiso de la reina regalé a Glumdalchitch, que encerró en ella algunas de esas fruslerías tan preciosas para las muchachas.

El rey, que era apasionadísimo por la música, daba de vez en cuando algunos conciertos, que yo me veía obligado a escuchar desde mi caja, pero el estruendo era tan terrible que ni aun podía llegar a distinguir los acordes, siendo bien seguro que todos los tambores y cornetas de un regimiento batiendo marcha junto a mis oídos no hubieran sido capaces de producir semejante estrépito. Así es que me vi obligado a encargar a Glumdalchitch que colocase mi jaula lo más apartada del sitio de la orquesta y tomando, además, por mi parte, la precaución de cerrar las ventanas y la puerta y correr las cortinas, llegué a encontrar su música menos detestable.

Yo, en mi juventud, aprendí a tocar algo el piano, y como mi aya tenía en sus habitaciones uno de esos instrumentos, en el que daba lecciones dos veces por semana, me cogió un día el capricho de hacer presente al rey y a la reina de un aire inglés tocado en aquel piano. No obstante, esta tarea no era tan fácil como parecía a primera vista, pues, el piano tenía más de ochenta pies de largo y cada tecla más de un pie de ancho, de suerte que con los brazos abiertos yo no podía alcanzar más allá de seis teclas, además de que para arrancarle un sonido tenía que golpearlas a puñetazos.

He aquí el medio que inventé para salir del apuro. Preparé dos palos del grueso de un garrote ordinario, y revestí uno de sus extremos de piel de ratón para mover las teclas y dirigir la música; delante del clavicordio mandé colocar un banco en el que me subí, y entonces me puse a correr con toda la rapidez y agilidad imaginables por aquella especie de puente, batiendo aquí y allá el techado con mis dos palos y con todas mis fuerzas, logrando, al fin, que saliese una especie de *gig* inglés, que me valió los plácemes de Sus Majestades. Sin embargo, preciso es confesar que en mi vida he hecho un ejercicio tan violento y penoso, pues, con los palos no podía abarcar más de dieciséis teclas, y por consiguiente, no podía tocar a un tiempo la baja y la tercera, con lo cual, mi música perdía bastante de sus atractivos.

El rey, que según he manifestado ya, poseía un gran talento, mandaba a menudo que llevasen mi caja a sus habitaciones y me colocasen encima de su bufete, haciéndome sentar en una silla de modo que viniese a quedar al nivel de su cara, en cuya disposición tuve diferentes conferencias con él.

Un día me permití hacer observar a Su Majestad que el menosprecio que había concebido de la Europa y del resto del mundo, no me parecía digno de un alma tan noble y elevada como la suya, que el raciocinio era independiente del tamaño del cuerpo, y que en nuestro país se había especialmente notado, que las personas de gran estatura no eran, por lo regular, las más listas, y que entre los mismos animales, la abeja y la hormiga, con todo y su pequeñez, gozaban fama de ser los más industriosos y sagaces, y, en fin, que por poco aprecio que hiciese de mi figura, no obstante yo esperaba poder prestar grandes servicios a Su Majestad. El rey me escuchó con atención profunda, y mirándome de un modo especial, pareció indicarme que iba a modificar la opinión que tenía formada de mí.

Entonces me mandó le hiciese una descripción del gobierno

de Inglaterra, manifestándome que por más que los príncipes estuviesen comúnmente prevenidos en pro de sus máximas y de sus costumbres, no obstante, tendría mucho placer en enterarse de cosas nuevas, algunas de las cuales quizá fuera conveniente imitar. ¡Considere el lector cuánto deseé yo en aquel momento poseer el genio y la elocuencia de Demóstenes y de Cicerón para enaltecer a mi querida patria en un estilo digno de sus méritos y de su gloria!

Comencé por decir a Su Majestad que nuestro estado se componía de dos islas que formaban tres poderosos reinos bajo el cetro de un solo soberano, sin contar las colonias de América, extendiéndome mucho acerca de la fertilidad de nuestra tierra y de lo templado de nuestro clima, y describí sucesivamente la constitución del Parlamento inglés, dividido en dos cuerpos legisladores, uno de ellos llamado Cámara de los Pares, compuesta de personas de sangre noble, poseedores y propietarios de los mejores terrenos del país. Le hablé del cuidado y esmero que se pone en la educación de sus individuos en lo relativo a las ciencias y a las armas, para ponerles en condiciones de ser los consejeros y defensores natos del rey, tomar parte en la administración del gobierno, ingresar en el Supremo Tribunal de Justicia, que conoce de los pleitos en última instancia, y ser los ciudadanos más eminentes de su patria por su valor, su buena conducta y su fidelidad. Dije que aquellos señores eran el adorno y la seguridad del reino, como dignos herederos de sus antepasados, cuyos honores habían sido la justa recompensa de sus insignes virtudes. Y añadí que alternaban con dichos nobles algunos santos varones con el título de *obispos*, que teían el encargo especial de velar por la religión y por los ministros que la predican al pueblo, escogiéndose de entre el sacerdocio los hombres más ejemplares y eruditos para investirles de tal dignidad.

Proseguí explicando al monarca, que la otra sección del Parlamento era una respetable asamblea llamada Cámara de los Comunes, compuesta de nobles y particulares elegidos indistintamente, y enviados por el pueblo mismo, atendiendo a sus luces, su talento y su amor patrio, al objeto de que representasen la sabiduría de toda la nación; manifestando por último que ambos cuerpos colegisladores formaban la asamblea más venerable del mundo, y que aquella asamblea, de acuerdo con el monarca, daba las leyes y resolvía todos los negocios del Estado.

De allí pasé a describir nuestros tribunales de justicia, donde se sentaban los verdaderos intérpretes de la ley, que decidían las diferentes contestaciones entre particulares, y castigaban el crimen y protegían la inocencia. No me olvidé de hablar de la discreta y económica administración de la Hacienda pública, y de extenderme acerca de las hazañas de nuestros guerreros de mar y tierra. Yo ponderé el número de mis conciudadanos, contando cuántos millones de hombres había en Inglaterra de tal o cual religión, y cuál era el número de nuestros partidos políticos. Tampoco omití ni nuestros juegos, ni nuestros espectáculos, ni ninguna otra particularidad que en mi concepto pudiese hacer honor a mi país, y concluí por hacer una breve reseña de las varias revoluciones de Inglaterra en los últimos cien años.

Esta conversación ocupó cinco audiencias, cada una de muchas horas, escuchándolo todo el rey con una gran atención, haciendo por escrito un extracto de cuanto yo le decía, y apuntando algunas veces las preguntas que tenía intención de dirigirme, así es que, al concluir yo mis largos discursos, Su Majestad dedicó una sexta audiencia a examinar sus resúmenes y en proponerme algunas dudas y muchas objeciones sobre cada uno de mis capítulos.

Ante todo, quiso informarse de los medios que se adoptaban para cultivar el espíritu de los jóvenes de la aristocracia; qué medidas se empleaban cuando se extinguía una familia ilustre, como así debía suceder de tiempo en tiempo; qué condiciones se exigían a los individuos que habían de ser creados nuevos pares; si alguna vez eran los móviles de esas promociones el capricho del rey, un regalo de dinero hecho oportunamente a una dama de la corte o a un favorito, o el propósito de robustecer un partido de oposición a los intereses del gobierno; a qué altura de conocimientos estaban los pares respecto a la legislación de su país y de qué modo se hacían capaces para decidir en última instancia los derechos de sus compatriotas; si estaban siempre exentos de avaricia o de parcialidad; si aquellos santos obispos, de quienes le había hablado, llegaban generalmente a tan elevado rango por su saber en materias teológicas y por la ejemplaridad de su vida, sin haber jamás intrigado cuando eran simples sacerdotes; si los capellanes del palacio de algún par habían obtenido el obispado por recomendaciones de éste, y si en este caso seguían siempre la opinión de su protector, sirviendo a sus pasiones y a sus intereses en la asamblea del Parlamento.

Quiso saber, asimismo, el rey de los Gigantes, de qué manera se procedía a la elección de lo que yo había llamado diputado de los Comunes; si un desconocido, disponiendo de una bolsa bien repleta, podía en algunos casos ganar el voto de los electores a fuerza de ducados, haciendo preferir a su propio señor o a los nobles y propietarios más ricos o distinguidos del vecindario; me preguntó también por qué razón había tan vivo empeño para salir electo diputado, siendo así que la elección ocasionaba a los candidatos un gran desembolso y no les producía renta de ninguna clase, haciéndose por lo tanto preciso, o que esos elegidos fuesen hombres de un perpetuo desinterés y de una virtud eminente y heroica, o que contasen con ser indemnizados y reembolsados con exceso de sus gastos por el soberano y por sus ministros, sacrificándoles los intereses públicos que les estaban confiados. Su Majestad me hizo, acerca de este punto, algunas objeciones tan embarazosas, que la prudencia no me permite repetirlas.

Al considerar nuestros tribunales, Su Majestad deseó que le enterase de ciertos particulares, en los cuales me cogía sobradamente instruido, como que en cierta ocasión me vi en peligro de arruinarme con motivo de un pleito que seguí ante la Cancillería, no obstante de haber obtenido un fallo favorable con condena de costas a la parte contraria. Me preguntó el rey qué tiempo acostumbraba emplearse para poner un negocio en estado de sentencia; si eran costosos los procesos; si los abogados tenían libertad para defender causas notoriamente injustas; si se había visto alguna vez que las influencias políticas o religiosas hubiesen hecho inclinar la balanza de la ley; si esos abogados tenían conocimientos fundamentales y elementales de la equidad, o se contentaban simplemente con hacer el estudio de las leyes escritas y de las costumbres locales; si ellos y los jueces tenían poderes para comentar e interpretar a su arbitrio las leyes; si los pedimentos y las providencias judiciales resultaban, en ocasiones dadas, contradictorios en litigios de igual índole; si los colegios de abogados eran ricos o pobres y si sus decanos podían ser elegidos miembros de la Cámara baja.

Luego se ocupó en hacerme preguntas sobre la administración de la Hacienda, creyendo en esta parte que yo había querido hacer burla de él, ya que había indicado que los ingresos no ascendían más allá de cinco o seis millones al año, siendo así que los gastos del presupuesto sobrepujaban esta cifra, y excedían, por lo tanto, del importe del presupuesto de ingresos. No podía concebir, decía él, cómo un gobierno se atrevía a gastar más de lo que cobraba, y absorber los bienes de la nación como un particular imprevisor y pródigo. Me preguntó quiénes eran nuestros acreedores, y de dónde sacábamos con qué pagarles, quedando aturdido de la descripción que yo le tracé de nuestras guerras y de los desembolsos exhorbitantes que las mismas exigían, pues, para ello era necesario, ciertamente, o que fuésemos un pueblo sobremanera revuelto y pendenciero, o que tuviésemos vecindad con naciones altamente pervertidas.

«Vuestros generales, dijo, deben ser más ricos que vuestros reyes. ¿Por qué os mezcláis en nada de lo que pasa fuera de vuestras islas? ¿Acaso debéis tratar allí otros negocios que los de vuestro comercio? ¿Tenéis necesidad de pensar en hacer conquistas? ¿No os basta y sobra con vigilar y guardar vuestros puertos y costas?» Lo que más le admiró fue el saber que manteníamos un gran ejército en plena paz y en el seno de un pueblo libre, puesto que si nuestros gobiernos eran nombrados por nosotros mismos, no podía llegar a comprender de qué teníamos miedo y contra quién podíamos batirnos; haciéndome la observación de que la casa de un particular estaría mejor defendida por su dueño, sus hijos y sus criados, que no por una turba de haraganes y bribones, sacados al azar de la hez del populacho, y ganando un sueldo tan mezquino, que podrían ganar cien veces más cortándonos el gaznate.

Se rio mucho de mi rumbosa aritmética, como así le plugo llamarla, cuando le hice la estadística de nuestra población, distinguiendo el número de nuestras diferentes fracciones religiosas y políticas; en este particular, no concebía aquel monarca que se tolerase que los súbditos profesasen opiniones contrarias a la seguridad del Estado y las discutiesen públicamente, pues, ya que no puede impedirse a una persona el conservar sustancias tóxicas en su casa, al menos debe prohibírsele que haga de ellas un mal uso.

Entre los recreos de nuestra nobleza había hecho yo mención del juego. Tuvo el rey curiosidad de saber en qué edad se comienza a poner en práctica dicho entretenimiento y cuándo lo dejaban, cuánto rato se destinaba al juego cada día, y si alguna vez menguaba la fortuna de las familias haciéndolas cometer toda clase de acciones bajas y ruines; si hombres infames o corrompidos podían, por su habilidad en este oficio, adquirir grandes riquezas, tener a nuestros mismos pares bajo una especie de dependencia, acostumbrarles a andar en malas compañías y hacerles perder del todo la cultura, la nobleza de espíritu y el cuidado de sus negocios domésticos, obligándoles, quizá, para resarcirse de las pérdidas que habían sufrido, a aprender a valerse a su vez de aquellas malas artes que les habían arruinado.

La relación que yo acababa de hacerle de nuestra historia durante el último siglo, le había pasmado en extremo, pues, en su concepto, no era más que un horrible encadenamiento de conspiraciones, sediciones, homicidios, matanzas, revoluciones, destierros y todos los efectos más terribles que podían producir la avaricia, el espíritu de partido, la hipocresía, la perfidia, la cruel-dad, la ira, la locura, la envidia, la malicia y la ambición.

En otra audiencia se tomó Su Majestad el trabajo de resu-mir la sustancia de todas nuestras conferencias, comparó las observaciones que me había hecho con las contestaciones que yo le había dado, y, después, tomándome ambas manos y aca-riciándome con mucha dulzura, se expresó en estos términos, que no olvidaré jamás, como tampoco el tono de sorna con que el rey los pronunció:

«Amiguito Grildrig: acabáis de hacerme un admirable panegírico de vuestra Inglaterra, me habéis demostrado cum-plidamente que la ignorancia, la pereza y el vicio pueden llegar a ser las únicas cualidades de un hombre de gobierno, que las leyes son comentadas, interpretadas y aplicadas pre-cisamente por unas personas cuyos intereses y talento les llevan a corromperlas, a embrollarlas y a eludirlas. Advierto en vosotros una organización política que, en su origen, pudo ser tolerable, pero que luego las malas pasiones de los gober-nantes y de los súbditos la han desfigurado por completo, pues, por todo lo que me habéis referido, no me parece que se exija en vuestro país una sola virtud para llegar a tal o cual categoría o para desempeñar algún destino público. Yo veo que allí, los hombres en general, no se ennoblecen por su ta-lento, que los sacerdotes no están adelantados en las ciencias mo-rales y en la piedad, los militares no despuntan por su valor, los jueces no sobresalen por su integridad, ni los diputados por su amor a la patria.

»En cuanto a vos, prosiguió el rey, que habéis pasado la mayor parte de vuestra vida navegando, quiero creer que no estaréis inficionado de los vicios de vuestra nación, pero por lo que me habéis declarado espontáneamente, y por las res-puestas que os he precisado a dar al haceros mis objeciones, juzgo que la mayoría de vuestros compatriotas son la más perniciosa raza de insectos que la naturaleza haya jamás tolerado que se extendiese sobre la superficie del globo.»

CAPITULO VII

*Celo del autor por la honra de su patria. — Presenta
al rey una proposición ventajosa que es rechazada en el
acto. — Ignorancia del monarca en cuestiones políticas. — Los conocimientos literarios de aquel pueblo
son imperfectos y limitados. — Sus leyes, su organización militar y sus partidos políticos.*

Unicamente por amor a la verdad, he hecho públicas las
discusiones que tuve entonces con el rey, en las cuales me vi
obligado a escuchar con paciencia las diatribas que tuvo
a bien decir contra mi querida patria, ya que cualquier demostración de resentimiento por mi parte no hubiera producido otro efecto que excitar la risa de los circunstantes.

Por otro lado, es lo cierto que aquel príncipe era tan cu-
rioso y hacía unas preguntas tan terminantes, que el agradecimiento, como la más sencilla urbanidad, me obligaban a
contestarle lo mejor posible. Cumple, sin embargo, manifestar en justicia mía, que yo procuraba desfigurar diestramente
la mayor parte de las cuestiones, dando a cada una el giro
más favorable que me era posible, porque yo he tenido siempre
la noble parcialidad que Dionisio de Halicarnaso recomienda
con sobra de razón a los historiadores; así es, que en las diferentes conversaciones que tuve con aquel juicioso monarca
no omití nada para ocultar las enfermedades y las plagas de
mi patria, y para colocar su esplendor y sus virtudes en un
lugar ventajoso; por más que, desgraciadamente, mis esfuerzos
no fueron siempre felices.

Pero es preciso dispensar a un rey que vive completamente separado del resto del mundo, y que, por lo tanto, ignora las costumbres y la vida social de las demás naciones. Esa falta de conocimientos será siempre la causa de muchos juicios temerarios y de una cierta limitación en la manera de pensar, de la cual la mayor parte de los países de Europa están exentos, porque en realidad, sería ridículo que las ideas que tiene formadas de la virtud y del vicio un monarca extranjero y aislado, fuesen propuestas como reglas y principios que debiesen imitarse.

En confirmación de lo que acabo de decir, y para demostrar los fatales efectos de una educación tan reducida, voy a referir aquí un caso que, con trabajo, querrán creer mis lectores.

Con la mira de ganarme más y más la gracia de Su Majestad el rey, quise un día darle noticia del descubrimiento hecho tres o cuatrocientos años atrás, de cierto polvo negro que la más débil chispa podía inflamar en un instante con tanta fuerza, que era capaz de hacer volar las montañas, con un estallido y un destrozo mayores que los del trueno. Le dije que una pequeña cantidad de aquella pólvora, encerrada dentro de un tubo de bronce o de hierro, arrojaba una pelota de plomo o de otro metal, con una velocidad y violencia tales, que nada podía resistir su empuje; que aquellas bolas, lanzadas desde interior de esos tubos de fundición, por la inflamación de dicho polvo, rompían, descomponían y destrozaban los batallones y los escuadrones, derribaban las murallas más resistentes, hacían volar las torres más robustas y echaban a pique los navíos de mayor porte; que esa misma pólvora, atacada en el interior de una esfera hueca de hierro, despedida por medio de otra máquina a propósito, incendiaba y hundía los edificios, esparciendo alrededor sus fragmentos que aniquilaban cuanto tenían delante.

Continué explicándole que yo conocía la composición de aquel polvo tan sorprendente, en la que entraban sólo ingredientes muy comunes y de poco coste, y que si Su Majestad me daba su consentimiento podría enseñarla a sus súbditos, así como la manera de construir esos tubos de las dimensiones proporcionadas a las demás cosas existentes en su país, y tales que los más pequeños no deberían tener menos de cien pies de longitud. Que veinte o treinta de los indicados cañones, con su carga de pólvora correspondiente, volcarían con facilidad los muros de la plaza más fuerte de su reino, si alguna vez se sublevaba y se atrevía a hacerle resistencia, y arruinaría en pocas horas la misma capital, si pretendiese sustraerse a su poder absoluto.

Yo le ofrecí humildemente este pequeño regalo como una prueba de mi reconocimiento por sus favores; pero el rey quedó sobrecogido de horror ante la descripción que le hice de los terribles efectos de la pólvora, y más aún de la proposición que la siguió, no pudiendo comprender cómo un insecto impotente y miserable (estas fueron sus palabras) era bastante osado para hablar con tanta ligereza de escenas de sangre y desolación, producidas por semejantes invenciones. diabólicas, pues, decía el monarca, necesariamente el inventor de ellas debió haber sido el Genio malo, enemigo del Ser Supremo y de sus obras. Me aseguró que, por más que no había nada en el mundo que le causase mayor placer que los nuevos descubrimientos, ya fuese en el terreno de la naturaleza, ya en la esfera de las artes, preferiría perder su corona antes que hacer uso de una invención tan funesta, prohibiéndome, bajo pena de la vida, que la revelase a ninguno de sus súbditos.

¡Extraño efecto de la ignorancia y de los principios poco sólidos de un monarca, adornado de todas las cualidades que pueden granjearle la veneración, el amor y el aprecio de un pueblo! ¡Aquel príncipe sabio, poseedor de un admirable talento y casi adorado de su nación, se veía tontamente afectado de unos escrúpulos de los que no tenemos la menor idea en Europa, dejando escapar la ocasión que se le ponía en las manos de hacerse dueño absoluto de la vida, de la libertad y de la hacienda de todos sus súbditos!

Yo no digo esto con intención de rebajar las virtudes y las luces de aquel monarca, de quien, sin duda, formará un mal juicio el lector inglés, pero yo estoy convencido de que este defecto no procedía sólo de escasez de conocimientos, sino de que esos pueblos no habían llegado aún a convertir la política en arte, como se hace entre los europeos, cuyo espíritu es mucho más sutil, pues, recuerdo que en una de las sesiones que tuve con el rey, habiendo indicado casualmente que en mi país se habían escrito gran número de libros sobre el arte de gobernar, Su Majestad, contra lo que yo me creía, concibió una idea muy pobre de nuestra virilidad, añadiendo que detestaba toda clase de misterio, toda especulación y toda intriga en el proceder de un monarca o de sus ministros.

Lo que se le hacía más difícil de comprender era lo que yo llamaba secretos de gabinete. En su opinión, la ciencia de gobernar se hallaba reducida a muy estrechos principios, como son, el sentido común, la razón, el pronto despacho de los negocios civiles y criminales y a otras prácticas parecidas puestas al alcance de todo el mundo, y de las que no es necesario ocuparse. Por fin, adelantó el rey esta extraña paradoja: «que si alguien pudiese hacer crecer dos espigas de grano o dos tallos de hierba en el mismo recinto de tierra donde antes no crecía más que uno, merecería más alabanzas del género humano, y prestaría a su país un servicio más señalado que toda la raza entera de nuestros sublimes políticos».

La literatura de aquel pueblo se reduce a bien poca cosa, pues, sus conocimientos no van más allá de la moral, la historia, la poesía y las matemáticas; pero es preciso hacerles la justicia de que sobresalen en dichas cuatro ramas del saber. La última de ellas no la aplican más que a las cosas útiles, esto es, al progreso de la agricultura y de las artes mecánicas, y de una manera que entre nosotros sería poco apreciada. Por lo que se refiere a las entidades metafísicas, a las abstracciones y categorías, me fue imposible hacerles concebir la menor idea.

Entre los Gigantes, no se consiente que al redactar las leyes se les den más palabras que letras tiene su alfabeto, que está compuesto de veintidós, y aun así, se hallan pocas leyes que alcancen dicho número de frases. Todas ellas están concebidas en los términos más claros y sencillos, y el ingenio de aquel pueblo no es muy sagaz para encontrarles muchos sentidos, además de que es considerado como un crimen y castigado con pena capital, el escribir comentarios a las leyes. Y respecto a la administración de justicia en lo civil y en lo criminal, hay tan pocos precedentes en el país, que nadie puede alabarse de ser una especialidad en la materia.

Desde tiempo inmemorial, poseen el arte de imprimir tan bien como los chinos, pero sus bibliotecas son muy incompletas. La de palacio, que es la que contiene mayor número de libros, no pasa de mil volúmenes, arreglados en una galería de mil doscientos pies de largo, donde tuve la libertad de leer todos los libros que quise.

A este objeto, el carpintero de la reina había montado una escalera portátil de veintiocho pies de alta, con escalones de cincuenta pies de ancho, que se arrimaba al muro contra el cual estaba apoyado el libro. Para leer, yo me subía al último escalón y, volviéndome de cara al libro, empezaba a leer en lo alto de la página, andando de izquierda a derecha por el escalón, siguiendo el trazado de la línea escrita, y luego retrocedía para volver a tomar el principio de la otra, hasta que llegaba al nivel de mi vista. Entonces bajaba otro escalón, y así sucesivamente, hasta el pie de la página; después, volvía a subir para leer la otra por el mismo procedimiento, y concluida la segunda página, daba vuelta fácilmente a la hoja, aplicando a ella ambas manos, pues, el papel era rígido como cartón y los libros mayores no tenían más de dieciocho a veinte pies de largo.

Su estilo es claro, expresivo y dulce, aunque no florido, porque los escritores evitan cuidadosamente el multiplicar las palabras y variar los vocablos. Yo hojeé muchos de sus libros, sobre todo los que trataban de Historia y de Moral, y entre otros, leí con placer un antiguo compendio que Glumdalchitch tenía en su cuarto, cuyo título era *Tratado de la debilidad de la raza humana*, no apreciado más que de las mujeres y del vulgo poco instruido, pero que, no obstante, despertó mi curiosidad de saber lo que los autores de aquel país escribían acerca de semejante asunto.

El escritor reproducía los lugares comunes de nuestros moralistas, demostrando la flaqueza del hombre para ponerse a cubierto de las afecciones atmosféricas, o del furor de las fieras, mientras muchos animales le aventajan en fuerza y en ligereza, en previsión y en industria, añadiendo que la naturaleza había degenerado en los últimos siglos, inclinándose ya a su ocaso, y no produciendo más que abortos, en comparación de las obras de los tiempos antiguos. Pretendía que los hombres, en su origen, habían sido de una constitución más robusta que en la actualidad, como lo acreditan la historia escrita, la tradición y las osamentas que se han encontrado al reconocer la tierra en ciertas comarcas.

Sostenía que las mismas leyes de la naturaleza exigían rigurosamente que nuestra primitiva estatura fuese mayor que la que lo es al presente, para no estar expuestos a un fracaso al menor accidente que ocurriese, como una teja desprendida de un alero, una piedra lanzada por la mano de un niño, un pequeño arroyo donde nos ahogásemos al vadearlo, etc., etc. De estos razonamientos deducía el autor algunos preceptos morales aplicables a la conducta del hombre en su vida, que es inútil repetir aquí, y, por mi parte, confieso que no pude prescindir de hacer algunas reflexiones morales acerca de esta misma moral, y de la propensión que generalmente tienen los hombres de quejarse de la naturaleza, exagerando sus defectos, hasta el punto de que examinando maduramente las cosas, nuestros lamentos no serían menos infundados que los de aquellos pueblos.

La Medicina y la Cirugía se cultivan asimismo, en aquel país, y por lo que hace a la Farmacia, cierto día entré en un vasto edificio, que al primer golpe creí era un arsenal abundantemente provisto de balas y cañones, siendo así que era la tienda de un boticario que tenía expuesto un buen surtido de píldoras y jeringas, en cuya comparación son juguetes nuestras piezas de artillería de mayor potencia.

El ejército se compone de unos ciento setenta y seis mil hombres de infantería, y treinta y dos mil de caballería, si es que puede darse el nombre de ejército a una reunión de tropas formadas exclusivamente de mercaderes y labradores, y cuyos jefes lo son los pares y la nobleza, unos y otros, sin recibir la menor paga ni recompensa. No obstante, esos hombres armados hacen el ejercicio con bastante regularidad y tienen una buena disciplina, lo cual no es de extrañar; porque los labradores están mandados por sus propios amos y los industriales por los señores de más nota de la población, elegidos por suerte al estilo de Venecia.

Yo he visto muy a menudo a las milicias de la Gigantea hacer maniobras militares en una llanura próxima a la ciudad, en número de veintidós mil infantes y seis mil caballos aproximadamente, pues, el espacio inmenso que ocupaban no me permitía calcularlo con exactitud. Un jinete montado, tenía la altura de noventa pies, y a la voz del general que mandaba las evoluciones, toda la caballería arrancaba al trote, sable en mano, produciendo un espectáculo imponente, pareciendo que seis mil relámpagos surcasen a la vez todos los puntos del horizonte.

Yo traté de enterarme del por qué aquel monarca, cuyos estados son inaccesibles, se empeñaba en hacer aprender a sus vasallos las prácticas de la carrera militar, pero muy pronto pude saber, por las conversaciones que tuve acerca de este asunto, y por la lectura de la historia del país, que por espacio de muchos siglos, aquellos pueblos han padecido la enfermedad a que han estado sujetos tantos y tantos gobiernos de Europa; la nobleza se había batido a menudo para conservar sus privilegios, el pueblo para alcanzar su libertad y el rey para llegar a la dominación absoluta.

Estos sucesos, sabiamente templados por las leyes del reino, habían sido renovados algunas veces por tal o cual de los tres brazos, lo que había inflamado de nuevo las pasiones y hecho arder las guerras civiles, la última de las cuales fue terminada felizmente por el abuelo del monarca reinante. Este príncipe hizo una concordia, con la cual, las partes beligerantes se dieron por satisfechas, pero la milicia establecida en aquella ocasión en el reino, de común acuerdo, ha venido continuando con posterioridad, y sigue manteniéndosela para precaver en lo sucesivo todo desorden.

CAPITULO VIII

Los reyes emprenden un viaje hacia la frontera. —
El autor les acompaña. — Explicación de la manera
cómo sale de aquel país. — Su regreso a Inglaterra.

Yo conservaba siempre la esperanza de que un día u otro
recobraría mi libertad, por más que no pudiese adivinar por
qué medio, ni pudiese formar a este objeto ningún plan con
apariencias de éxito. El buque que me trajo, y que había an-
clado en la costa, era el primer barco europeo de que se tenía
noticia que se hubiese acercado allí, y el rey había expedido
las órdenes más terminantes para que, si volvía a ocurrir otro
hecho parecido, se apresase la nave con toda su tripulación y
pasajeros, y se les condujese en un carromato a la capital.

El rey hubiera deseado encontrar una mujer de mi talla
con quien casarme, para multiplicar así mi raza en sus estados,
pero yo rechacé siempre tales proyectos, pues, tanto en el caso
imposible de hallar novia en el país, como en el otro caso
improbable de poder enlazarme con una europea de algún
buque cogido en la costa, hubiera yo preferido mil veces la
muerte antes que procrear hijos infelices destinados a vivir
en aquel reino, enjaulados como ruiseñores, para ser luego
vendidos en los mercados como animales de singular rareza.

Es verdad que a mí me trataban todos con una benevolencia especial; que había llegado a ser el favorito del rey y de la
reina y las delicias de la corte, pero todo esto era en condiciones que no convenían a la dignidad de mi naturaleza humana. Yo no podía olvidar tampoco las prendas queridas que
había dejado en mi patria, deseando con impaciencia volver a

hallarme entre personas a las cuales pudiese tratar de igual a igual, con derecho para pasear por calles y campos, sin temor a ser destripado como una lagartija, o servir de juguete a algún perro faldero. Pero, al fin, llegó la hora de mi libertad cuando menos me lo esperaba, y del modo extraordinario que voy a referir fielmente con todas las circunstancias de este admirable suceso.

Hacía ya dos años que yo me hallaba en aquel país, y al comenzar el tercero, Glumdalchitch y yo íbamos agregados al séquito de los reyes, en una expedición que emprendieron hacia la costa meridional de sus estados. Yo iba, como de ordinario, encerrado en mi caja de camino, que era aquella habitación confortable de doce pies de longitud de que en otro lugar hablé. Por encargo mío se había colgado en lo alto del cajón una hamaca de malla de seda, suspendida por cordones de los cuatro ángulos del aposento, a fin de que sintiese menos las sacudidas del caballo, en el cual me conducía un criado delante de su pecho, cuando yo deseaba viajar montado, y a menudo me ocurría dormirme en la cama durante la marcha. Había encargado también al ebanista que abriese en el techo un boquete de un pie en cuadro, para dejar penetrar el aire, que pudiese abrirse y cerrarse por el interior con una trampa, cuando yo lo desease o me conviniese.

Al llegar al término de nuestra ruta, le pareció bien al monarca detenerse algunos días en una quinta de recreo que poseía cerca de un pueblo llamado Flanflasnich, situado a una hora de la playa. Glumdalchitch y yo íbamos estropeados, y si bien yo no tenía más que un resfriado pasajero, la pobre muchacha se encontraba tan indispuesta que no podía levantarse de la cama. Yo, en medio de todo, tenía grandes deseos de volver a ver el Océano, porque si algún día podía escaparme había de ser necesariamente por aquel lado, y con este propósito me fingí más enfermo de lo que en realidad estaba, y solicité el permiso de acercarme a tomar los aires del mar para restablecerme, al cargo de un paje a quien había cobrado afición, y con quien había salido a paseo algunas veces.

Jamás podré olvidar la repugnancia con que Glumdalchitch consintió en que me separase de ella, ni la orden estrecha que dió al paje para que tuviese buen cuidado de mí, ni las lágrimas que derramó a la despedida, como presintiendo lo que iba a acontecer. Con todo, el paje cogió mi caja, conduciéndome a media legua del palacio hacia unos escollos que bordeaban la playa, donde le pedí que me dejase en el suelo y me puse a contemplar el mar por entre las persianas de mi balcón. No obstante, el criado, para evitar que me molestase el aire, cerró a poco la ventana, y yo no tardé mucho en quedarme dormido.

Todo lo que puedo calcular es que mientras yo estaba entregado al sueño, creyendo el muchacho que nada había que temer, se subió por las rocas en busca de nidos de pájaros, pues, poco antes, le había visto desde mi ventana ocupado en esta tarea. Sea como fuere, es lo cierto que, de repente, me despertó una violenta sacudida que dieron a mi cajón, el cual pareció que lo levantaban en alto y lo llevaban hacia delante, con una velocidad vertiginosa. La primera sacudida casi me había echado fuera de la hamaca; pero luego me calmé porque el movimiento que la siguió, fue bastante acompasado. Entonces, me puse a dar gritos con toda la fuerza de mis pulmones, pero inútilmente, y cuando miré al través de las celosías, no pude distinguir más que nubes y vapores por todos lados, oyendo por encima de mi cabeza un estruendo horrible, parecido al aleteo de un ave. Con esto, acabé de venir en conocimiento de la situación peligrosa en que me encontraba, y empecé a sospechar que algún águila había cogido con su pico la cuerda de mi caja, con el intento de dejarla estrellar contra una peña, como si fuese una tortuga metida en su concha, y sacar después mi cuerpo y devorarlo, pues, la sagacidad y el olfato de esa ave, le permiten descubrir su presa a una gran distancia, aunque esté más oculta de lo que yo lo estaba dentro de las tablas de mi cajón que apenas tenían dos pulgadas de grueso.

Al cabo de un rato, noté que el ruido y el batir de alas

aumentaba en intensidad, y que mi caja fluctuaba violentamente, como muestra de tienda en día de vendaval; oí luego como unos golpes terribles que descargaban sobre el águila (porque era verdad que un águila me había arrebatado), y en seguida me sentí caer verticalmente por espacio de un minuto, con tan indecible rapidez, que casi me cortó la respiración. La caída terminó con un batacazo tremendo, que resonó en mis oídos con más fuerza que el salto de agua de nuestro Niágara, volviendo a levantarse perpendicularmente mi cajón, de manera que pude ver por lo alto de mi claraboya la luz del día.

Con esto, ya no me cupo duda de que había caído al mar, y que mi gabinete flotaba al vaivén de las olas, calando unos cinco pies a causa del peso de mi cuerpo, de mis muebles y de las planchas de hierro que reforzaban las esquinas. Yo creí, y sigo creyendo aún, que el águila que levantó mi caja había sido acometida por otras dos o tres águilas, viéndose obligada a soltarme para defenderse de las otras que le disputaban su presa. Las placas de hierro que sujetaban el fondo de mi habitación, por tener mayor peso, conservaron el equilibrio en la caída e impidieron que se descompusiese, además de que las piezas se hallaban tan bien ajustadas, que no penetraba apenas agua por las junturas. Por fin, tras muchos esfuerzos, pude saltar de la hamaca y abrir la trampilla del techo para dar paso al aire, pues me hallaba casi asfixiado.

¡Ah! ¡cuánto no deseé en aquel momento que acudiese a socorrerme mi querida Glumdalchitch, de quien este inesperado accidente me había separado! En verdad, puedo decir que en medio de mi desgracia, echaba de menos en primer lugar a mi inocente ama, pensando en el dolor que pasaría al verme perdido para siempre, que caería por esta causa del favor de la reina y quedaría su suerte malparada por el resto de sus días. Estoy seguro de que pocos viajeros se habrán encontrado en una situación tan terrible como en la que yo me encontraba, esperando a cada instante ver destrozado mi cajón por el oleaje, o volcado por algún golpe de viento y echado al fondo; bastaba que se quebrase un cristal y todo quedaba concluido, y a excepción de la malla de alambre fuerte que cubría las ventanas por el exterior, no había nada que pudiese ampararlos en los contratiempos que podían sobrevenir en tan singular viaje.

Pronto vi penetrar el agua en la habitación por algunas pequeñas rendijas, que procuré calafatear de la mejor manera que pude, pero, ¡qué conseguía si no tenía yo fuerza suficiente para levantar la cubierta de la caja, como traté de hacerlo, para sentarme encima en lugar de permanecer medio ahogado en aquella especie de sentina! Y si por uno o dos días escapaba al peligro de sumergirme, ¡qué podía sucederme sino perecer miserablemente de frío y de hambre, ya que carecía por completo de víveres y de abrigo! En este estado permanecí cuatro horas, creyendo a cada momento que aquél iba a ser el último de mi vida.

En otro lugar he hablado ya de unas asas de cuero muy recio que servían para transpotar mi caja, y que estaban sujetas en una de las caras donde no había ventana. Mientras yo me hallaba en tan lamentable situación, oí, o me pareció oír, como un ruido por aquel lado donde estaban las referidas asas, y a poco pude llegar a creer que tiraban de ellas y que en cierto modo llevaban mi cuarto a remolque porque a trechos sentía como un esfuerzo que hacía levantar las olas hasta la altura de mis ventanas, dejándome casi en la oscuridad.

Con esto concebí algunas débiles esperanzas de socorro, por más que no pude, de pronto, comprender, de qué lado podía venir. Al fin me determiné a subirme en una de mis butacas, y aplicando mis labios a una pequeña hendidura del techo, prorrumpí en descomunales gritos, pidiendo auxilio en todas las lenguas que yo hablaba. En seguida até mi pañuelo a un bastón de mi uso, y sacándolo por la abertura lo agité repetidas veces en el aire, a fin de que si estaba inmediato algún bote o algún buque, los tripulantes pudiesen comprender que había un desdichado mortal metido en aquel encierro.

En el primer momento, no observé que mi señal hubiese

producido el menor efecto, pero conocí evidentemente que seguían arrastrando por delante mi caja, y al cabo de una hora, sentí que ésta chocaba con algún cuerpo muy duro, que me figuré fuese una roca, y luego me sentí sacudido a más y mejor. Entonces oí ya distintamente un ruido semejante al de un cable, y que alguna cosa rozaba con el anillo del techo, viéndome levantado tres pies más alto de lo que lo estaba antes, por lo cual volví a sacar y mover mi bandera, dando gritos de socorro hasta enronquecer.

En respuesta oí grandes aclamaciones, repetidas varias veces, infundiéndome tales transportes de alegría que no los pueden concebir, sino las personas que se han encontrado en mi situación; al mismo tiempo, sentí que alguien andaba por la cubierta preguntando, en inglés, al través de la claraboya: «¿Quién está ahí dentro?», a lo que me apresuré a contestar: «Aquí está un pobre inglés reducido por su mala fortuna a la mayor calamidad en que jamás se haya visto criatura humana; libradme, por Dios, de este calabozo.» La misma voz replicó: «Tranquilizaos, pues nada hay que temer; vuestra caja está amarrada al buque, y va a pasar el carpintero para abrir un boquete en el techo y sacaros.» Yo volví a contestar que esta operación no era necesaria y ocuparía demasiado tiempo, que bastaba que alguno de la tripulación introdujese un dedo en el anillo de la caja, y extrayéndola del mar la subiese a bordo y la llevase al cuarto del capitán. Yo había olvidado que me encontraba otra vez entre hombres de mi estatura y de mi fuerza, lo cual motivó que algunos de los que me oyeron hablar así no pudieran contener la risa, y otros me tuvieron compasión, tomándome por un pobre demente. El carpintero del barco acudió, por fin, y en pocos minutos abrió en la cubierta una abertura de tres pies de ancho, ofreciéndome una escalera de mano por la cual llegué a bordo casi muerto de debilidad.

Los marineros quedaron admirados al verme y me agobiaron de preguntas, a las cuales no tuve fuerza para contestar. Estando mis ojos acostumbrados a ver objetos monstruosos en el país que acababa de dejar, me parecía que me hallaba entre multitud de pigmeos, pero su capitán, el señor Tomás Wilcooks, hombre de probidad y de talento, natural del Schropshire, advirtiendo que estaba próximo a desmayarme, me acompañó a su camarote donde me dio un cordial para reponerme y me hizo acostar en su propia cama, aconsejándome que descansase lo necesario para reparar mis fuerzas.

Antes de acostarme le manifesté que en la caja tenía yo un precioso mobiliario, una cama de campamento, una mesa y un guardarropa, que mi cuarto estaba tapizado, o por mejor decir, acolchado de seda y algodón; que si le parecía oportuno podía mandar a uno de sus marineros que trajese la caja a su cámara y yo la abriría en su presencia y le enseñaría los muebles. El capitán, oyéndome decir tales desatinos, creyó de veras que estaba loco; no obstante, para complacerme, me ofreció daría orden para que se hiciese lo que yo deseaba, y subiendo a cubierta envió a algunos hombres a visitar mi aposento, del que (como supe más tarde), se sacaron todos mis efectos. Aquellos marineros ignorantes y rudos levantaron los tapices de las paredes, estropearon los muebles atornillados, arrancándolos a viva fuerza, guardaron algunas planchas de madera para lo que pudiese convenir a bordo, y cuando se hubieron apoderado de todo lo que les pareció de algún provecho, arrojaron al agua el armazón de la caja, que inmediatamente se fue a pique, gracias a las brechas que le habían abierto por todos lados. Felizmente, yo no presencié el saqueo que hicieron en mi casa, pues me hubiera afectado bastante el recordar cosas que valía más dar al olvido.

Dormí algunas horas, pero con un sueño intranquilo, preocupado con la idea del país que recientemente había abandonado y de los peligros que acababa de correr, sin embargo de lo cual, al despertar, me encontré notablemente repuesto. Eran las ocho de la noche, y el capitán me hizo servir al punto la cena, considerando los largos ayunos que había pasado, tratándome con mucha urbanidad y cortesía, por más que observase en mis ojos algo de extraviado e incoherente.

Cuando quedamos solos, me rogó le contase las aventuras de mis viajes, explicándole por qué casual accidente estaba encerrado en aquella caja de madera. Me dijo que hacia el mediodía, mirando con su anteojo, había descubierto aquel bulto a gran distancia, y tomándolo al principio por un barquichuelo, trató de acercársele para comprar galleta de la que tenía alguna necesidad, pero que al aproximarse reconoció su error. Que habiendo enviado la chalupa para averiguar lo que era aquello, su gente había vuelto muy asustada jurando que habían visto una casa flotante, y habiéndose él reído de semejante bobería, había pasado personalmente a la lancha, encargando a sus marineros que preparasen un cable bien fuerte; que estando el tiempo en calma, después de haber remado en torno de aquel gran cajón, y de haberle dado la vuelta, había divisado las ventanas y las rejas que las cerraban, así como las dos abrazaderas de cuero en el lado donde no había aberturas, por lo cual había mandado atracar y correr el cable por aquellas asas para conducir la caja al buque. Cuando estuvo al costado, dispuso que pasasen otra cuerda por la argolla del techo, pero a pesar de haber montado un aparejo de regular fuerza, no pudieron elevar el cofre más allá de tres pies; y añadió, por último, que habiendo visto mi bastón y mi pañuelo, dedujo que había encerrados algunos infelices dentro de aquella máquina.

Yo le pregunté si él o su tripulación habían visto volar algunas aves monstruosas al tiempo que me descubrieron, y me respondió que hablando con los tripulantes, mientras yo descansaba, uno de ellos dijo que le había parecido ver tres águilas volando hacia el Norte, pero que no creía que fuesen mayores que de ordinario, lo que en mi concepto debe atribuirse a la inmensa altura en que se encontraban. El capitán, por su parte, no pudo adivinar el por qué le hacía esta pregunta.

Continué preguntándole a qué distancia juzgaba él que nos hallábamos de tierra, y me contestó, que según sus cálculos, estábamos a unas cien leguas de la costa. «Pues, necesariamente, debéis estar equivocado en más de la mitad, repuse yo, puesto que cuando fui precipitado al mar no hacía dos horas que había dejado el país de donde procedo.» Esto acabó de hacerle sospechar si yo tenía trastornado el juicio, y en su virtud me aconsejó que me metiese en cama en el cuarto que había hecho preparar para mí, pero yo le aseguré que me hallaba perfectamente bien, merced a la buena comida que me había servido y a su amable conversación, y que conservaba el pleno uso de mis sentidos y de mi inteligencia, tan cumplidamente, como podía apetecer.

Oyendo estas razones, el capitán se formalizó, y me exigió le dijese con franqueza si tenía la conciencia agobiada por algún delito por el que me hubiese castigado la justicia a estar expuesto en aquella caja, tal como se practica en ciertos países, en los que a los grandes criminales se les abandona al capricho de las olas en una embarcación sin provisiones ni remos; que si así fuese, por más que se le hiciese duro el haber recibido a bordo a semejante malhechor, me empeñaba su leal palabra de ponerme en tierra con toda seguridad, en el primer puerto en que hiciésemos escala; añadiendo, que sus sospechas se habían aumentado sobremanera por algunas conversaciones extrañas que yo había tenido, primero con la tripulación y luego había continuado con él, acerca de mi caja, y particularmente por el aspecto singular que ofrecía mi rostro durante la cena.

Yo le supliqué tuviese una poca de calma para escuchar el relato de mi historia, que le hice con toda fidelidad, desde la última salida de Inglaterra hasta el momento en que me había salvado en su buque, y como la verdad se abre siempre camino en los espíritus razonables, aquel honrado y digno caballero, que tenía sobrado buen sentido y no se hallaba desprovisto de instrucción, quedó satisfecho de mis explicaciones y de mi sinceridad.

Mas, con todo, para confirmarle cuanto acababa de decirle, le rogué diese orden para que me trajesen mi armario, cuya llave guardaba yo en la faltriquera, y abriéndolo en su presencia, le fui enseñando todos los objetos curiosos recogidos por mí en el país de donde había salido de una manera tan extraordinaria. Había, entre otras cosas, el peine formado por las barbas del rey, y otro de la misma especie cuyo lomo era una recortadura de la uña de uno de los dedos pulgares de Su Majestad. Había también allí un paquete de alfileres y otro de agujas, todas de un pie y medio de largas, y una sortija de oro que la reina me regaló un día, de una manera muy complaciente, quitándosela de su dedo meñique y colocándomela sobre los hombros a guisa de collar. Yo insté repetidas veces al capitán para que aceptase aquel anillo, en recompensa de sus bondades, pero él se negó rotundamente. Le enseñé también un callo que yo mismo había extirpado de la planta del pie de una de las camaristas, que era del tamaño de un limón, y que se puso tan duro, que a mi vuelta a Inglaterra lo hice tornear en forma de copa, y montar sobre un pie de plata. Por último, le dije que examinase los calzones que yo llevaba en aquel instante, que estaban hechos de la piel de un ratón.

Unicamente pude obligar al capitán a aceptar una muela de un lacayo, que contemplaba con gran interés y que me pareció tenía deseos de conservar, por la que me dio las gracias más afectuosas, a pesar de la pequeñez del regalo. Aquella muela había sido arrancada inadvertidamente por un destista ignorante, que la equivocó con otra cariada, estando, por consiguiente, del todo sana, por cuyo motivo yo la había mandado limpiar y la guardaba en mi gabinete; tenía un pie de largo y cuatro pulgadas de diámetro.

El capitán quedó tan satisfecho de la relación de mis viajes, que me dijo esperaba que a nuestro regreso a Inglaterra la escribiría con todos sus pormenores para darla a la imprenta. Yo le contesté que en mi concepto, existiendo ya tantos libros de viajes, una nueva obra no tendría probabilidades de éxito, sino en el caso de explicar algo extraordinario, lo cual haría dudar de la veracidad del autor. Mi historia, le dije, no contendría más que sucesos comunes de la vida, hallándose exenta de esas descripciones de plantas y animales raros, de cuadros de costumbres bárbaras y de ceremonias idolátricas que se observan entre los pueblos salvajes, con las cuales, la mayor parte de los autores de viajes adornan sus obras. No obstante, le agradecí la buena opinión que de mí tenía formada, prometiéndole reflexionar acerca de lo que me proponía.

Una cosa me pareció que al capitán le llamaba poderosamente la atención, cual era, el oírme hablar siempre en una voz tan alta, lo que dio lugar de que se informase de si el rey y la reina del país de los Gigantes eran sordos. Fue preciso decirle que de dos años acá me había acostumbrado a gritar de aquella manera, y que si él extrañaba mis voces descompasadas, a mí me tenían también admirado las vocecitas de él y de sus tripulantes, que semejaba que me hablasen siempre junto al oído, sin embargo de lo cual yo les oía perfectamente; y que debía tener en cuenta, que cuando yo conversaba con alguien de aquel país, me hallaba en la misma situación que una persona que desde la calle hablase con otra que estuviese en lo alto de un campanario, excepto en ocasión en que me colocaban encima de una mesa, o me tomaba en la palma de la mano alguno de los habitantes.

Yo le dije que en cuanto a mí, cuando subí a bordo de su buque, los marineros que estaban sobre cubierta me parecieron las criaturas más ruines que había visto en el mundo, y que otro tanto me parecía de mí mismo durante mi permanencia en el país que acababa de dejar, donde no me atrevía a mirarme al espejo, porque, estando mi vista acostumbrada a ver los objetos de un tamaño tan descomunal, la comparación que hacía entre ellos y mi persona me rebajaba a mis propios ojos. A esto me contestó el capitán que mientras yo estaba comiendo se había fijado, asimismo, en que yo miraba todas las cosas con cierto menosprecio, hasta el punto de creer que yo hacía esfuerzos para no soltar una carcajada, y extrañando lo que podía motivar semejante conducta, hubo de atribuirlo al trastorno de mi cerebro.

Le contesté que, en efecto, yo no sabía cómo había podido contenerme la risa al ver su vajilla del diámetro de una moneda de tres sueldos, un jamón del que apenas tenía un hombre para un bocado, una copa más diminuta que un cascarón de nuez, y así seguí describiendo el resto de su mobiliario, comparándolo con los objetos similares que yo acababa de dejar, pues, por más que la reina me hubiese surtido de todo lo indispensable para mi uso, no obstante, mi imaginación, ocupada por lo que veía continuamente a mi alrededor, hacía lo que acostumbra hacer la humanidad; es decir, considerar a los demás antes que a sí mismo, así es, que yo olvidaba mi propia pequeñez contemplando la altura del prójimo.

El capitán, comprendiendo perfectamente la pulla, me contestó de un tono jovial y haciendo alusión a un conocido proverbio inglés, «que mis ojos debían ser más grandes que mi barriga», ya que él no había advertido que yo tuviese muy abierto el apetito, sin embargo, de haber estado en ayunas toda la jornada, y siguiendo la broma, añadió que de buena gana habría dado cien libras esterlinas por tener el gusto de ver cómo el águila llevaba mi caja en su pico y la dejaba caer al mar desde la incomensurable altura que yo le había referido, pues, tal acontecimiento era, sin duda, digno de admiración y de ser trasladado en letras de oro a los siglos futuros. La fábula de Phaetón, se presentaba aquí tan a propósito que no dejó de aplicarla al caso, si bien de una manera a mi entender bastante sosa.

El señor Wilcooks, volviendo de Tonquín con rumbo a Inglaterra, había sido arrojado hacia el Nordeste, a cuarenta grados de latitud y ciento cuarenta de longitud, pero habiéndose levantado un vientecillo de estación a los dos días de estar yo a bordo, nos dirigió otra vez al Norte por bastante tiempo, y costeando la Nueva Holanda, tomamos al Oeste-Nordeste y luego al Sur-Suroeste hasta que doblamos el cabo de Buena Esperanza.

El viaje fue felicísimo, y por lo tanto excuso hacer una descripción prolija del mismo al lector. El capitán ancló en uno o dos puertos, desembarcando en la chalupa para refrescar el agua y los víveres; pero yo no salí del buque hasta que fondeamos en las Dunas, que si no recuerdo mal, fue el día 3 de junio de 1076, poco más de nueve meses después de mi libertad. Al bajar a tierra, le ofrecí dejarle empeñados mis muebles en garantía del precio del pasaje, pero no lo consintió, protestando que no quería recibir ni por valor de un penique. Nos despedimos muy afectuosamente, dándome palabra de venir a verme a Redriff, y pidiéndole yo prestado un escudo alquilé un caballo y un guía para conducirme a mi casa.

En este viaje por tierra, observando la pequeñez de los edificios, de los árboles, del ganado y de las personas, me parecía que estaba aún en la Pigmeonia, y haciendo esfuerzos para no atropellar a los caminantes que hallé al paso, daba continuamente voces para que se apartasen, de tal suerte, que llegué a incomodar a algunos, corriendo el peligro de que me moliesen a palos por mi impertinencia.

Llegué, por fin, a mi casa, y al abrirme uno de los criados la puerta, considerándola yo como un postiguillo, me agaché para entrar (al igual que lo hacen los patos al meterse en su garita) por temor de estrellarme la cabeza. Mi mujer acudió a abrazarme, pero yo me bajé hasta el nivel de su cintura, pensando que de no hacerlo así no podría ella llegarme a la cara para darme un beso. Mi hija se hincó de rodillas esperando mi bendición, pero yo no pude verla hasta que se hubo alzado (tal era la costumbre que había adquirido entre los Gigantes, de tener siempre la vista levantada a la altura de sesenta pies). A los criados y a uno o dos amigos que se hallaban en casa en aquel momento, les miré como si ellos fuesen enanos y yo un gigante.

Reconvine a mi esposa porque durante mi ausencia había querido atesorar mucho, pues las encontraba a ella y a nuestra hija tan flacas y descarnadas, que me parecían sombras. En una palabra, me conduje con todos de una manera tan extraña que creyeron lo mismo que le había sucedido al capitán al acogerme en su buque, que realmente yo había perdido el juicio. ¡A tanto como esto llega el poder del hábito y de la preocupación!

Pero en breve tiempo me acostumbré a la compañía de mi mujer y de mi familia y mis amigos, entrando otra vez en el curso de la vida normal, con lo que acabó el último episodio de mis aventuras; y por consiguiente, aquí termina esta segunda parte de mis *Viajes*.

TERCERA PARTE

UN VIAJE A LAPUTA, BALNIBARBI, LUGGNAGG, GLUBBDRUBDRIB Y EL JAPON

CAPITULO PRIMERO

El autor sale en su tercer viaje y es cautivado por piratas. — La maldad de un holandés. — El autor llega a una isla. — Es recibido en Laputa.

No llevaba en casa arriba de diez días, cuando el capitán William Robinson, de Cornwall, comandante del *Hope Well*, sólido barco de trescientas toneladas, se presentó a verme. Yo había sido ya médico en otro barco que él patroneaba, y navegando a la parte, con un cuarto del negocio, durante una travesía a Levante. Me había tratado siempre más como a hermano que como a subordinado, y, enterado de mi llegada, quiso hacerme una visita, puramente de amistad por lo que pensé, ya que en ella sólo ocurrió lo que es natural después de largas ausencias. Pero repetía sus visitas, expresando su satisfacción por encontrarme con buena salud, preguntando si me había establecido ya por toda la vida y añadiendo que proyectaba una travesía a las Indias Orientales para dentro de dos meses; viniendo, por último, a invitarme francamente, aunque con algunas disculpas, a que fuese yo el médico del barco. Díjome que tendría otro médico a mis órdenes, aparte de nuestros dos ayudantes; que mi salario sería doble de la paga corriente, y que, como sabía que mis conocimientos, en cuestiones de mar por lo menos, igualaban los suyos, se avendría a cualquier compromiso de seguir mi consejo en iguales términos que si compartiésemos el mando.

Me dijo tantas cosas amables, y yo le conocía como hombre tan honrado, que no pude rechazar su propuesta; tanto menos cuanto que el deseo de ver mundo seguía en mí tan vivo como siempre. La única dificultad que quedaba era convencer a mi esposa, cuyo consentimiento, sin embargo, alcancé al fin, con la perspectiva de ventajas que ella expuso a los hijos.

Emprendimos el viaje el 5 de agosto de 1706, y llegamos a Fort St. George el 11 de abril de 1707. Permanecimos allí tres semanas para descanso de la tripulación, de la cual había algunos hombres enfermos. De allá fuimos a Tonquín, donde el capitán decidió seguir algún tiempo, pues muchas de las mercancías que quería comprar no estaban listas, ni podía esperar que quedasen despachadas en varios meses. En consecuencia, para compensar en parte los gastos que había de hacer, compró una balandra y me dio autorización para traficar, mientras él concertaba sus negocios en Tonquín.

No habíamos navegado arriba de tres días, cuando se desencadenó una gran tempestad, que nos arrastró cinco días al Nordeste, y luego al Este; después de lo cual tuvimos tiempo favorable, aunque todavía con viento bastante fuerte por el Oeste. En el décimo día nos vimos perseguidos por dos barcos piratas, que no tardaron en alcanzarnos, pues la balandra iba tan cargada que navegaba muy despacio, y nosotros tampoco estábamos en condiciones de defendernos.

Fuimos abordados casi a un tiempo por los dos piratas, que entraron ferozmente a la cabeza de sus hombres; pero hallándonos postrados con las caras contra el suelo —lo que di orden de hacer—, nos maniataron con gruesas cuerdas y, después de ponernos guardia, marcharon a saquear la embarcación.

Advertí entre ellos a un holandés que parecía tener alguna autoridad, aunque no era comandante de ninguno de los dos barcos. Notó él por nuestro aspecto que éramos ingleses, y hablándonos atropelladamente en su propia lengua, juró que nos atarían espalda con espalda y nos arrojarían al mar. Yo hablaba holandés bastante regularmente; le dije quién era y le rogué que, en consideración a que éramos cristianos y protestantes, de países vecinos unidos por estrecha alianza, moviese a los capitanes a que usaran de piedad con nosotros. Esto inflamó su cólera; repitió las amenazas y, volviéndose a sus compañeros, habló con gran vehemencia, en idioma japonés, según supongo, empleando frecuentemente la palabra *cristianos*.

El mayor de los dos barcos piratas iba mandado por un capitán japonés que hablaba algo el holandés, pero muy imperfectamente. Se me acercó, y después de varias preguntas, a las que contesté con gran humildad, dijo que no nos matarían. Hice al capitán una profunda reverencia, y luego, volviéndome hacia el holandés, dije que lamentaba encontrar más merced en un gentil que en un hermano cristiano. Pero pronto tuve motivo para arrepentirme de estas palabras, pues aquel malvado sin alma, después de pretender en vano persuadir a los capitanes de que debía arrojárseme al mar —en lo que ellos no quisieron consentir después de la promesa que se me había hecho de no matarnos—, influyó, sin embargo, lo suficiente para lograr que se me infligiese un castigo peor en todos los humanos aspectos que la muerte misma. Mis hombres fueron enviados, en número igual, a ambos barcos piratas, y mi balandra tripulada por nuevas gentes. Por lo que a mí toca, se dispuso que sería lanzado al mar a la ventura, en una pequeña canoa con dos canaletes y una vela, y provisiones para cuatro días —éstas tuvo el capitán japonés la bondad de duplicarlas de sus propios bastimentos—, sin permitir a nadie que me buscase. Bajé a la canoa, mientras el holandés, de pie en la cubierta, me atormentaba con todas las maldiciones y palabras injuriosas que su idioma puede dar de sí.

Cosa de una hora antes de ver a los piratas, había hecho yo observaciones y hallado que estábamos a 46 grados de latitud Norte y una longitud de 183. Cuando estuve a alguna distancia de los piratas, descubrí con mi anteojo de bolsillo varias islas al Sudeste. Largué la vela con el designio de llegar, aprovechando el viento suave que soplaba, a la más próxima de estas islas, lo que conseguí en unas tres horas. Era toda peñascosa; encontré, no obstante, muchos huevos de pájaros, y haciendo fuego prendí algunos brezos y algas secas y en ellos asé los huevos. No tomé otra cena, resuelto a ahorrar cuantas provisiones pudiese. Pasé la noche al abrigo de una roca, acostado sobre un poco de brezo, y dormí bastante bien.

Al día siguiente navegué a otra isla, y luego a una tercera y una cuarta, unas veces con la vela y otras con los remos. Pero, a fin de no molestar al lector con una relación detallada de mis desventuras, diré sólo que al quinto día llegué a la última isla que se me ofrecía a la vista, y que estaba situada al Sur-Sudeste de la anterior. Estaba esta isla a mayor distancia de la que yo calculaba, y no llegué a ella en menos de cinco horas. La rodeé casi del todo, hasta que encontré un sitio conveniente para tomar tierra, y que era una pequeña caleta como de tres veces la anchura de mi canoa. Encontré que la isla era toda peñascosa, con sólo pequeñas manchas de césped y hierbas odoríferas. Saqué mis exiguas provisiones, y, luego de haberme reconfortado, guardé el resto en una cueva, de las que había en gran número. Cogí muchos huevos por las rocas y reuní una cierta cantidad de algas secas y hierba agostada, que me proponía prender al día siguiente para con ella asar los huevos como pudiera, pues llevaba conmigo pedernal, eslabón, mecha y espejo ustorio. Descansé toda la noche en la cueva donde había metido las provisiones. Fueron mi lecho las mismas algas y hierbas secas que había cogido para hacer fuego. Dormí muy poco, pues la intranquilidad de mi espíritu pudo más que mi cansancio y me tuvo despierto. Consideraba cuán imposible me sería conservar la vida en sitio tan desolado, y qué miserable fin había de ser el mío. Con todo, me sentía tan indiferente y desalentado que no tenía ánimo para levantarme, y primero que reuní el suficiente para arrastrarme fuera de la cueva, el día era muy entrado ya.

Paseé un rato entre las rocas; el cielo estaba raso completamente, y el sol quemaba de tal modo que me hizo desviar la cara de sus rayos; cuando, de repente, se hizo una oscuridad, muy distinta, según me pareció, de la que se produce por la interposición de una nube. Me volví y percibí un vasto cuerpo opaco entre el sol y yo, que se movía avanzando hacia la isla. Juzgué que estaría a unas dos millas de altura, y ocultó el sol por seis o siete minutos; pero, al modo que si me encontrase a la sombra de una montaña, no noté que el aire fuese mucho más frío ni el cielo estuviese más oscuro. Conforme se acercaba al sitio en que estaba yo, me fue pareciendo un cuerpo sólido, de fondo plano, liso y que brillaba con gran intensidad al reflejarse el mar en él. Yo me hallaba de pie en una altura separada unas doscientas yardas de la costa, y vi que este vasto cuerpo descendía casi hasta ponerse en la misma línea horizontal que yo, a menos de una milla inglesa de distancia. Saqué mi anteojo de bolsillo y pude claramente divisar multitud de gentes subiendo y bajando por los bordes, que parecían estar en declive; pero lo que hicieran aquellas gentes no podía distinguirlo.

El natural cariño a la vida despertó en mi interior algunos movimientos de alegría, y me veía pronto a acariciar la esperanza de que aquel suceso viniese de algún modo en mi ayuda para librarme del lugar desolado y la triste situación en que me hallaba. Pero, al mismo tiempo, difícilmente podrá concebir el lector mi asombro al contemplar una isla en el aire, habitada por hombres que podían —por lo que aparentaba— hacerla subir o bajar, o ponerse en movimiento progresivo, a medida de su deseo. Pero, poco en disposición entonces de darme a filosofías sobre este fenómeno, preferí más bien observar qué ruta tomaba la isla, que parecía llevar quieta un rato. Al poco tiempo se acercó más, y pude distinguir los lados de ella circundados de varias series de galerías y escaleras, con determinados intervalos, como para bajar de unas a otras. En la galería inferior advertí que había algunas personas pescando con caña y otras mirando. Agité la gorra —el sombrero se me había roto hacía mucho tiempo— y el pañuelo hacia la isla; cuando se hubo acercado más aún, llamé y grité con toda la fuerza de mis pulmones, y entonces vi, mirando atentamente, que se reunía gentío en aquel lado que estaba enfrente de mí. Por el modo en que me señalaban y en que me indicaban unos a otros, conocí que me percibían claramente, aunque no daban respuesta ninguna a mis voces. Después pude ver que cuatro o cinco hombres corrían apresuradamente escaleras arriba, a la parte superior de la isla, y desaparecían luego. Supuse inmediatamente que iban a recibir órdenes de alguna persona con autoridad para proceder en el caso.

Aumentó el número de gente, y en menos de media hora la isla se movió y elevó, de modo que la galería más baja quedaba paralela a la altura en que me encontraba yo, y a menos de cien yardas de distancia. Adopté entonces las actitudes más suplicantes y hablé con los más humildes acentos, pero no obtuve respuesta. Quienes estaban más próximos, frente por frente conmigo, parecían personas de distinción, a juzgar por sus trajes. Conferenciaban gravemente unos con otros, mirándome con frecuencia. Por fin, uno de ellos me gritó en un dialecto claro, agradable, suave, no muy diferente en sonido del italiano; de consiguiente, yo contesté en este idioma, esperando al menos que la cadencia sería más grata a los oídos de quien se me dirigía. Aunque no nos entendimos, el significado de mis palabras podía comprenderse fácilmente, pues la gente veía el apuro en que me encontraba.

Me hicieron seña de que descendiese de la roca y avanzase a la playa, como lo hice; fue colocada a conveniente altura la isla volante, cuyo borde quedó sobre mí; soltaron desde la galería más baja una cadena con un asiento atado al extremo, en el cual me sujeté, y me subieron por medio de poleas.

CAPITULO II

Descripción del genio y condición de los laputianos.
Referencias de su cultura. — Del rey y su corte. —
El recibimiento del autor en ella. — Motivo de los
temores e inquietudes de los habitantes. — Referencias
acerca de las mujeres.

Al llegar arriba me rodeó muchedumbre de gentes; pero las que estaban más cerca parecían de más calidad. Me consideraban con todas las muestras y expresiones a que el asombro puede dar curso, y yo no debía de irles mucho en zaga, pues nunca hasta entonces había visto una raza de mortales de semejantes figuras, trajes y continentes. Tenían inclinada la cabeza, ya al lado derecho, ya al izquierdo; con un ojo miraban hacia adentro, y con el otro, directamente al cenit. Sus ropajes exteriores estaban adornados con figuras de soles, lunas y estrellas, mezcladas con otras de violines, flautas, arpas, trompetas, guitarras, claves y muchos más instrumentos de música desconocidos en Europa. Dintinguí, repartidos entre la multitud, a muchos, vestidos de criados, que llevaban en la mano una vejiga hinchada y atada, como especie de un mayal, a un bastoncillo corto. Dentro de estas vejigas había unos cuantos guisantes secos o unas piedrecillas, según me dijeron más tarde. Con ellas mosqueaban, de vez en cuando, la boca y las orejas de quienes estaban más próximos, práctica cuyo alcance no pude por entonces comprender. A lo que parece, las gentes aquellas tienen el entendimiento de tal modo enfrascado en profundas especulaciones, que no pueden hablar ni escuchar los discursos ajenos si no se les hace volver en sí con algún contacto externo sobre los órganos del habla y del oído. Por esta razón, las personas que pueden costearlo, tienen siempre al servicio de la familia un criado, que podríamos llamar así como el instrumento mosqueador —allí se llama *climenole*—, y nunca salen de casa ni hacen visitas sin él. La ocupación de este servidor es, cuando están juntas dos o tres personas, golpear suavemente con la vejiga en la boca a aquella que debe hablar, y en la oreja derecha a aquél o aquéllos a quienes el que habla se dirige. Asimismo, se dedica el mosqueador a asistir diligentemente a su señor en los paseos que da y, cuando la ocasión llega, saludarle los ojos con un suave mosqueo, pues va siempre tan abstraído en su meditación, que está en peligro manifiesto de caer en todo precipicio y embestir contra todo poste, y en las calles, de ser lanzado o lanzar a otros de un empujón al arroyo.

Era preciso dar esta explicación al lector, sin la cual se hubiese visto tan desorientado como yo, para comprender el proceder de estas gentes, cuando me condujeron por las escaleras hasta la parte superior de la isla y de allí al palacio real. Mientras subíamos, olvidaron numerosas veces lo que estaban haciendo, y me abandonaron a mí mismo, hasta que les despertaron la memoria los respectivos mosqueadores, pues aparentaban absoluta indiferencia a la vista de mi vestido y mi porte extranjero y ante los gritos del vulgo, cuyos pensamientos y espíritu estaban más desembarazados.

Entramos, por fin, en el palacio, y luego en la sala de audiencia, donde vi al rey sentado en su trono; a ambos lados le daban asistencia personas de principal calidad. Ante el trono había una gran mesa llena de globos, esferas e instrumentos matemáticos de todas clases. Su Majestad no hizo el menor caso de nosotros, aunque nuestra entrada no dejó de acompañarse de ruido suficiente, al que contribuyeron todas las personas pertenecientes a la corte. Pero él estaba entonces enfrascado en un problema, y hubimos de esperar lo menos una hora a que lo resolviese. A cada lado suyo había un joven paje en pie, con sendos mosqueadores en la mano, y cuando vieron que estaba ocioso, uno de ellos le golpeó suavemente en la boca, y el otro en la oreja derecha, a lo cual se estremeció, como hombre a quien despertasen de pronto, y mirándome a mí y a la compañía que tenía en su presencia, recordó el motivo de nuestra llegada, de que ya le habían informado antes. Habló algunas palabras, e inmediatamente un joven con un mosqueador se llegó a mi lado y me dio suavemente en la oreja derecha; pero yo di a entender con las señas más claras que pude, que no necesitaba semejante instrumento, lo que, según supe después, hizo formar a Su Majestad y a toda la corte, tristísima opinión de mi inteligencia. El rey, por lo que pude suponer, me hizo varias preguntas, y yo me dirigí a él en todos los idiomas que sabía. Cuando se vio que yo no podía entender ni hacerme entender, se me condujo, por orden suya, a una habitación de su palacio —sobresalía este príncipe entre todos sus predecesores por su hospitalidad a los extranjeros—, y se designaron dos criados para mi servicio. Me llevaron la comida, y cuatro personas de calidad, a quienes yo recordaba haber visto muy cerca del rey, me hicieron el honor de comer conmigo. Nos sirvieron dos entradas, de tres platos cada una. La primera fue un brazuelo de carnero cortado en triángulo equilátero, un trozo de vaca en romboide y un puding en cicloide. La segunda, dos patos, empaquetados en forma de violín; salchichas y pudings imitando flautas y oboes, y un pecho de ternera en figura de arpa. Los criados nos cortaron el pan en conos, cilindros, paralelogramos y otras diferentes figuras matemáticas.

Mientras comíamos me tomé la libertad de preguntar los nombres de varias cosas en su idioma, y aquellos nobles caballeros, con la ayuda de sus mosqueadores, se complacieron en darme respuesta, con la esperanza de llenarme de admiración con sus habilidades, si alguna vez llegaba a conversar con ellos. Pronto pude pedir pan, de beber y todo lo demás que necesitaba.

Después de la comida mis acompañantes se retiraron, y me fue enviada una persona, por orden del rey, servida por su mosqueador. Llevaba consigo pluma, tinta y papel y tres o cuatro libros, y por señas me hizo comprender que le enviaban para enseñarme el idioma. Nos sentamos juntos durante cuatro horas, y en este espacio escribí gran número de palabras en columnas, con las traducciones enfrente, y logré también aprender varias frases cortas. Mi preceptor mandaba a uno de mis criados traer algún objeto, volverse, hacer una inclinación, sentarse, levantarse, andar y cosas parecidas; y yo escribía la frase luego. Me mostró también en uno de sus libros las figuras del Sol, la Luna y las estrellas, el zodíaco, los trópicos y los círculos polares, juntos con las denominaciones de muchas figuras de planos y sólidos. Me dio el nombre y las descripciones de todos los instrumentos musicales y los términos generales del arte de tocar cada uno de ellos. Cuando se fue, dispuse todas las palabras, con sus significados, en orden alfabético. Y así, en pocos días, con ayuda de mi fidelísima memoria, adquirí algunos conocimientos serios del lenguaje.

La palabra que yo traduzco por la isla volante o flotante es en el idioma original *laputa*, cuya verdadera etimología no he podido saber nunca. *Lap*, en el lenguaje antiguo fuera de uso, significa alto, y *untuh*, piloto; de donde dicen que, por corrupción, se deriva *laputa*, de *lapuntuh*. Pero no estoy conforme con esta derivación, que se me antoja un poco forzada. Me arriesgué a ofrecer a los eruditos de allá la suposición propia de que *laputa* era *quasi lapouted*: de *lap*, que significa realmente el jugueteo de los rayos del sol en el mar, y *outed*, ala. Lo cual, sin embargo, no quiero imponer, sino, simplemente someterlo al juicioso lector.

Aquellos a quienes el rey me había confiado, viendo lo mal vestido que me encontraba, encargaron a un sastre que fuese a la mañana siguiente para tomarme medida de un traje. Este operario hizo su oficio de modo muy diferente que los que se dedican al mismo tráfico en Europa. Tomó primero mi altura con un cuadrante, y luego, con compases y reglas, describió las dimensiones y contornos de todo mi cuerpo y lo trasladó todo al papel; y a los seis días me llevó el traje, muy mal hecho y completamente desatinado de forma, por haberle acontecido equivocar una cifra en el cálculo. Pero me sirvió de consuelo el observar que estos accidentes eran frecuentísimos y muy poco tenidos en cuenta.

Durante mi reclusión por falta de ropa y por culpa de una indisposición, que me retuvo algunos días más, aumenté grandemente mi diccionario; y cuando volví a la corte ya pude entender muchas de las cosas que el rey habló y darle algún género de respuestas. Su Majestad había dado orden de que la isla se moviese al Nordeste y por el Este hasta el punto vertical sobre Lagado, metrópoli de todo el reino de abajo, asentado sobre tierra firme. Estaba la metrópoli a unas noventa leguas de distancia, y nuestro viaje duró cuatro días y medio. Yo no me daba cuenta lo más mínimo del movimiento progresivo de la isla en el aire. La segunda mañana, a eso de las once, el rey mismo en persona y la nobleza, los cortesanos y los funcionarios, tomaron los instrumentos musicales de antemano dispuestos y tocaron durante tres horas sin interrupción, de tal modo que quedé atolondrado con el ruido; y no pude imaginar a qué venía aquello, hasta que me informó mi preceptor. Díjome que los habitantes de aquella isla tenían los oídos adaptados a oír la música de las esferas, que sonaban siempre en épocas determinadas, y la corte estaba preparada para tomar parte en el concierto, cada cual con el instrumento en que sobresalía.

En nuestro viaje a Lagado, la capital, Su Majestad ordenó que la isla se detuviese sobre ciertos pueblos y ciudades, para recibir las peticiones de sus súbditos; y a este fin se echaron varios bramantes con pesos pequeños a la punta. En estos bramantes ensartaron las peticiones, que subieron rápidamente como los trozos de papel que ponen los escolares al extremo de las cuerdas de sus cometas. A veces recibíamos vino y víveres de abajo, que se guindaban por medio de poleas.

El conocimiento de las matemáticas que tenía yo me ayudó mucho en el aprendizaje de aquella fraseología, que depende en gran parte de esta ciencia y de la música: y en esta última tampoco era profano. Las ideas de aquel pueblo se refieren perpetuamente a líneas y figuras. Si quieren, por ejemplo, alabar la belleza de una mujer, o de un animal cualquiera, la describen con rombos, círculos, paralelogramos, elipses y otros términos geométricos, o con palabras de arte sacadas de la música, que no es necesario repetir aquí. Encontré en la cocina del rey toda clase de instrumentos matemáticos y músicos, en cuyas figuras cortan los cuartos de res que se sirven a la mesa de Su Majestad.

Sus casas están muy mal construidas, con las paredes trazadas de modo que no se puede encontrar un ángulo recto en una habitación. Débese este defecto al desprecio que tienen allí por la geometría réctica, que juzgan mecánica y vulgar; y como las instrucciones que dan son demasiado profundas para el intelecto de sus trabajadores, de ahí las equivocaciones perpetuas. Aunque son aquellas gentes bastante diestras para manejar, sobre una hoja de papel, regla, lápiz y compás de división, sin embargo, en los actos corrientes y en el modo de vivir, yo no he visto pueblo más tosco, poco diestro y desmañado, ni tan lerdo e indeciso en sus concepciones sobre todos los asuntos que no se refieran a matemáticas y música. Son malos razonadores y dados con gran vehemencia a la contradicción, menos cuando aciertan a sustentar la opinión oportuna, lo que les sucede muy rara vez. La imaginación, la fantasía y la inventiva les son por completo extrañas, y no hay en su idioma palabras con qué expresar estas ideas; todo el círculo de sus pensamientos y de su raciocinio está encerrado en las dos ciencias ya mencionadas.

Muchos de ellos, y especialmente los que se dedican a la parte astronómica, tienen gran fe en la astrología judiciaria, aunque se avergüenzan de confesarlo en público. Pero lo que principalmente admiré en ellos, y me pareció por completo inexplicable, fue la decidida inclinación que les aprecié para la política, y que de continuo les tiene averiguando negocios públicos, dando juicios sobre asuntos de Estado y disputando apasionadamente sobre cada letra de un programa de partido. Cierto que yo había observado igual disposición en la mayor parte de los matemáticos que he conocido en Europa, aunque nunca pude descubrir la menor analogía entre las dos ciencias, a no ser que estas gentes imaginen que, por el hecho de tener el círculo más pequeño tantos grados como el más grande, la regulación y el gobierno del mundo no exigen más habilidades que el manejo y volteo de una esfera terrestre. Pero me inclino más bien a pensar que esta condición nace de un mal muy común en la naturaleza humana, que nos lleva a sentirnos en extremo curiosos y afectados por asuntos con que nada tenemos que ver, y para entender en los cuales estamos lo menos adaptados posible por el estudio o por las naturales disposiciones.

Aquella gente vive bajo constantes inquietudes, y no goza nunca de un minuto de paz su espíritu; pero sus confusiones proceden de causas que importan muy poco al resto de los mortales. Sus recelos nacen de determinados cambios que temen en los cuerpos celestes. Por ejemplo: que la Tierra, a causa de las continuas aproximaciones del Sol, debe, en el curso de los tiempos, ser absorbida o engullida; que la faz del Sol irá gradualmente cubriéndose de una costra de sus propios efluvios y dejará de dar luz a la Tierra; que el mundo se libró por muy poco de un choque con la cola del último cometa, que le hubiese reducido infaliblemente a cenizas, y que el próximo, que ellos han calculado para dentro de treinta y un años, nos destruirá probablemente; porque si en su perihelio se aproxima al Sol más allá de cierto grado —lo que, por sus cálculos, tienen razones para temer—, desarrollará un grado de calor diez mil veces más intenso que el de un hierro puesto al rojo, y al apartarse del Sol llevará una cola inflamada de un millón y catorce millas de largo, y la Tierra, si la atraviesa a una distancia de cien mil millas del núcleo o cuerpo principal del cometa, deberá ser a su paso incendiada y reducida a cenizas; que el Sol, como gasta sus rayos diariamente, sin recibir ningún alimento para suplirlos, acabará por consumirse y aniquilarse totalmente; lo que vendrá acompañado de la destrucción de la Tierra y todos los planetas que reciben la luz de él.

Están continuamente tan alarmados con el temor de estas y otras parecidas catástrofes inminentes, que no pueden ni dormir tranquilos en sus lechos, ni tener gusto para los placeres y diversiones comunes de la vida. Si por la mañana se encuentran a un amigo, la primera pregunta es por la salud del Sol, su aspecto al ponerse y al salir y las esperanzas que pueden tenerse en cuanto a que evite el choque con el cometa que se acerca. Abordan esta conversación con el mismo estado de ánimo que los niños muestran cuando se deleitan oyendo cuentos terribles de espíritus y duendes, que escuchan con avidez y luego no se atreven a ir a acostarse, de miedo.

Las mujeres de la isla están dotadas de gran vivacidad; desprecian a sus maridos y son extremadamente aficionadas a los extranjeros. Siempre hay de éstos número considerable con los del continente de abajo, que esperan en la corte por asuntos de las diferentes corporaciones y ciudades y por negocios particulares. En la isla son muy desdeñados, porque carecen de los dones allí corrientes. Entre éstos buscan las damas sus galanes; pero la molestia es justamente que proceden con demasiada holgura y seguridad, porque el marido está siempre tan enfrascado en sus especulaciones, que la señora y el amante pueden entregarse a las mayores familiaridades en su misma cara, con tal que él tenga a mano papel e instrumentos y no esté a su lado el mosqueador.

Las esposas y las hijas lamentan verse confinadas en la isla, aunque yo entiendo que es el más delicioso paraje del mundo; y por más que allí viven en el mayor lujo y magnificencia, y tienen libertad para hacer lo que se les antoja, suspiran por ver el mundo y participar en las diversiones de la metrópoli, lo que no les está permitido hacer sin una especial licencia del rey. Y ésta no se alcanza fácilmente, porque la gente de calidad sabe por frecuentes experiencias cuán difícil es persuadir a sus mujeres para que vuelvan de abajo. Me contaron que una gran dama de la corte —que tenía varios hijos y estaba casada con el primer ministro, el súbdito más rico del reino, hombre muy agraciado y enamorado de ella y que vive en el más bello palacio de la isla—, bajó a Lagado con el pretexto de su salud; allí estuvo escondida varios meses, hasta que el rey mandó un auto para que fuese buscada, y la encontraron en un lóbrego figón, vestida de harapos y con las ropas empeñadas para mantener a un lacayo viejo y feo que le pegaba todos los días, y en cuya compañía estaba ella muy contra su voluntad. Pues bien: aunque su marido la recibió con toda la amabilidad posible y sin hacerle el menor reproche, poco tiempo después se huyó nuevamente abajo, con todas sus joyas, en busca del mismo galán, y no ha vuelto a saberse de ella.

Quizá, para el lector, esto pase más bien por una historia europea o inglesa, que no de un país tan remoto, pero debe pararse a meditar que los caprichos de las mujeres no están limitados por frontera ni clima ninguno, y son más uniformes de lo que fácilmente pudiera imaginarse.

En cosa de un mes había hecho yo un regular progreso en el idioma, y podía contestar a la mayoría de las preguntas del rey cuando tenía el honor de acompañarle. Su Majestad no mostró nunca la menor curiosidad por enterarse de las leyes, el gobierno, la historia, la religión ni las costumbres de los países en que yo había estado, sino que limitaba sus preguntas al estado de las matemáticas y recibía las noticias que yo le daba con el mayor desprecio e indiferencia, aunque su mosqueador le acariciaba frecuentemente por uno y otro lado.

CAPITULO III

Un problema resuelto por la filosofía y la astronomía
moderna. — Los grandes progresos de los laputianos
en la última. El método del rey para suprimir la
insurrección.

Supliqué a este príncipe que me diese licencia para ver
las curiosidades de la isla, y me la concedió graciosamente,
encomendando además a mi preceptor que me acompañase. Deseaba principalmente conocer a qué causa, ya de arte,
ya de la Naturaleza, debía sus diversos movimientos; y de ello
haré aquí un relato filosófico al lector.

La isla volante o flotante es exactamente circular; su
diámetro, de 7.837 yardas, esto es, unas cuatro millas y media,
y contiene, por lo tanto, diez mil acres. Su grueso es de 300 yardas. El piso, o superficie inferior, que se presenta a quienes
la ven desde abajo es una plancha regular lisa, de diamante,
que tiene hasta unas 200 yardas de altura. Sobre ella yacen
los varios minerales en el orden corriente, y encima de todos
hay una capa de riquísima tierra, profunda, de diez o doce
pies. El declive de la superficie superior, de la circunferencia
al centro, es la causa natural de que todos los rocíos y lluvias
que caen sobre la isla sean conducidos formando pequeños
riachuelos hacia el interior, donde vierten en cuatro grandes
estanques, cada uno como de media milla en redondo y 200 yardas distante del centro. De estos estanques el Sol evapora continuamente el agua durante el día, lo que impide que rebasen.
Además, como el monarca tiene en su poder elevar la isla

por encima de la región de las nubes y los vapores, puede impedir la caída de rocíos y lluvias siempre que le place, pues las nubes más altas no pasan de las dos millas, punto en que todos los naturalistas convienen; al menos, nunca se conoció que sucediese de otro modo en aquel país.

En el centro de la isla hay un hueco de unas 50 yardas de diámetro, por donde los astrónomos descienden a un gran aposento, de ahí llamado Flandona Gagnole, que vale tanto como la Cueva del Astrónomo, situado a la profundidad de 100 yardas por bajo de la superficie superior del diamante. En esta cueva hay veinte lámparas ardiendo continuamente, las cuales, como el diamante refleja su luz, arrojan viva claridad a todos lados. Se atesoran allí gran variedad de sextantes, cuadrantes, telescopios, astrolabios y otros instrumentos astronómicos. Pero la mayor rareza, de la cual depende la suerte de la isla, es un imán de tamaño prodigioso, parecido en la forma a una lanzadera de tejedor. Tiene de longitud seis yardas, y por la parte más gruesa, lo menos tres yardas más en redondo. Este imán está sostenido por un fortísimo eje de diamante que pasa por su centro, sobre el cual juega, y está tan exactamente equilibrado, que la mano más débil puede volverlo. Está rodeado de un cilindro hueco de diamante, de cuatro pies de concavidad, y otros tantos de espesor en las paredes, y que forma una circunferencia de doce yardas de diámetro, colocada horizontalmente y apoyada en ocho pies, asimismo de diamante, de seis yardas de alto cada uno. En la parte interna de este aro, y en medio de ella, hay una muesca de doce pulgadas de profundidad, donde los extremos del eje encajan y giran cuando es preciso.

No hay fuerza que pueda sacar a esta piedra de su sitio, porque el aro y sus pies son de la misma pieza que el cuerpo de diamante que constituye el fondo de la isla.

Por medio de este imán, se hace a la isla bajar y subir y andar de un lado a otro. En relación con la extensión de tierra que el monarca domina, la piedra está dotada, por uno de los lados, de fuerza atractiva, y de fuerza repulsiva por el otro. Poniendo el imán derecho por el extremo atrayente hacia la tierra, la isla desciende; pero cuando se dirige hacia abajo el extremo repelente, la isla sube en sentido vertical. Cuando la piedra está en posición oblicua, el movimiento de la isla es igualmente oblicuo, pues en este imán las fuerzas actúan siempre en líneas paralelas a su dirección.

Por medio de este movimiento oblicuo se dirige la isla a las diferentes partes de los dominios de Su Majestad. Para explicar esta forma de su marcha, supongamos que *AB* representa una línea trazada a través de los dominios de Balnibarbi; *cd*, el imán, con su extremo repelente *d* y su extremo atrayente *c*, y *C*, la isla. Dejando la piedra en la posición *cd*, con el extremo repelente hacia abajo, la isla se levará oblicuamente hacia *D*. Si al llegar a *D* se vuelve la piedra sobre su eje, hasta que el extremo atrayente se dirija a *E*, la isla marchará oblicuamente hacia *E*, donde, si la piedra se hiciese girar una vez más sobre su eje, hasta colocarla en la dirección *EF*, con la punta repelente hacia abajo, la isla subirá oblicuamente hacia *F*, desde donde, dirigiendo hacia *G* el extremo atrayente, la isla iría a *G*, y de *G* a *H*, volviendo la piedra de modo que su extremo repelente apuntará hacia abajo. Así, cambiando de posición la piedra siempre que es menester, se hace a la isla subir y bajar alternativamente, y por medio de estos ascensos y descensos alternados —la oblicuidad no es considerable— se traslada de un lado a otro de los dominios.

Pero debe advertirse que esta isla no puede ir más allá de la extensión que tienen los dominios de abajo, ni subir a más de cuatro millas de altura. Lo que explican los astrónomos —que han escrito extensos tratados sobre el imán— con las siguientes razones: la virtud magnética no se extiende a más de cuatro millas de distancia, y el mineral que actúa sobre la piedra desde las entrañas de la Tierra y desde el mar, no está difundido por todo el globo, sino limitado a los dominios del rey; y fue cosa sencilla para un príncipe, a causa de la gran ventaja de situación tan superior, reducir a la obe diencia a todo el país que estuviese dentro del radio de atracción de aquel imán.

Cuando se coloca la piedra paralela a la línea del horizonte, la isla queda quieta; pues en tal caso los dos extremos del imán, a igual distancia de la Tierra, con la misma fuerza, el uno tirando hacia abajo, y el otro empujando hacia arriba, de lo que no puede resultar movimiento ninguno.

Este imán está al cuidado de ciertos astrónomos, quienes, en ocasiones, lo colocan en la posición que el rey indica. Emplean aquellas gentes la mayor parte de su vida en observar los cuerpos celestes, para lo que se sirven de anteojos que aventajan con mucho a los nuestros; pues aunque sus grandes telescopios no exceden de tres pies, aumentan mucho más que los de cien yardas que tenemos nosotros, y al mismo tiempo muestran las estrellas con mayor claridad. Esta ventaja les ha permitido extender sus descubrimientos mucho más allá que los astrónomos de Europa, pues han conseguido hacer un catálogo de diez mil estrellas fijas, mientras el más extenso de los nuestros no contiene más de la tercera parte de este número. Asimismo han descubierto dos estrellas menores o satélites, que giran alrededor de Marte, de las cuales la interior dista del centro del planeta primario exactamente tres diámetros de éste, y la exterior, cinco; la primera hace una revolución en el espacio de diez horas, y la última, en veintiuna y media; así que los cuadros de sus tiempos periódicos están casi en igual proporción que los cubos de su distancia del centro de Marte, lo que evidentemente indica que están sometidas a la misma ley de gravitación que gobierna los demás cuerpos celestes.

Han observado noventa y tres cometas diferentes y calculado sus revoluciones con gran exactitud. Si esto es verdad —y ellos lo afirman con gran confianza—, sería muy de desear que se hiciesen públicas sus observaciones, con lo que la teoría de los cometas, hasta hoy muy imperfecta y defectuosa, podría elevarse a la misma perfección que las demás partes de la Astronomía.

El rey podría ser el príncipe más absoluto del universo, sólo con que pudiese obligar a un ministerio a asociársele; pero como los ministros tienen abajo, en el continente, sus haciendas y conocen que el oficio de favorito es de muy incierta conservación, no consentirían nunca en esclavizar a su país.

Si acontece que alguna ciudad se alza en rebelión o en motín, se entrega a violentos desórdenes o se niega a pagar el acostumbrado tributo, el rey tiene dos medios de reducirla a la obediencia. El primero, y más suave, consiste en suspender la isla sobre la ciudad y las tierras circundantes, con lo que quedan privadas de los beneficios del sol y de la lluvia, y afligidos, en consecuencia, los habitantes, con carestías y epidemias. Y si el crimen lo merece, al mismo tiempo se les arrojan grandes piedras, contra las que no tienen más defensa que zambullirse en cuevas y bodegas, mientras los tejados de sus casas se hunden, destrozados. Pero si aún se obstinaran y llegasen a levantarse en insurrecciones, procede el rey al último recurso; y es dejar caer la isla derechamente sobre sus cabezas, lo que ocasiona universal destrucción, lo mismo de casas que de hombres. No obstante, es éste un extremo a que el príncipe se ve arrastrado rara vez, y que no gusta de poner por obra, así como sus ministros tampoco se atreven a aconsejarle una medida que los haría odiosos al pueblo y sería gran daño para sus propias haciendas, que están abajo, ya que la isla es posesión del rey.

Pero aún existe, ciertamente, otra razón de más peso para que los reyes de aquel país hayan sido siempre contrarios a ejecutar acción tan terrible, a no ser en casos de extremada necesidad. Si la ciudad que se pretende destruir tiene en su recinto elevadas rocas, como por regla general acontece en las mayores poblaciones, que probablemente han escogido de antemano esta situación con miras a evitar semejante catástrofe, o si abunda en altos obeliscos o columnas de piedra, una caída rápida pondría en peligro el fondo o superficie interior de la isla, que, aun cuando consiste, como yo he dicho, en un diamante entero de doscientas yardas de espesor, podría suceder que se partiese con un choque demasiado grande o saltase al aproximarse demasiado a los hogares de las casas de abajo, como a menudo ocurre a los cortafuegos de nuestras chimeneas, sean de piedra o de hierro. El pueblo sabe todo esto muy bien, y conoce hasta dónde puede llegar en su obstinación cuando ve afectada su libertad o su fortuna. Y el rey, cuando la provocación alcanza el más alto grado y más firmemente se determina a deshacer en escombros una ciudad, ordena que la isla descienda con gran blandura, bajo pretexto de terneza para su pueblo, pero, en realidad, por miedo de que se rompa el fondo de diamante, en cuyo caso es opinión de todos los filósofos que el imán no podría seguir sosteniendo la isla, y la masa entera se vendría al suelo.

Por una ley fundamental del reino, está prohibido al rey y a sus dos hijos mayores salir de la isla, así como a la reina hasta que ha dado a luz.

CAPITULO IV

*El autor sale de Laputa, es conducido a Balnibarbi
y llega a la metrópoli. — Descripción de la metrópoli
y de los campos circundantes. — El autor, hospitalariamente recibido por un gran señor. — Sus conversaciones con este señor.*

Aunque no puedo decir que me tratasen mal en esta isla,
debo confesar que me sentía muy preterido y aun algunos
puntos despreciado; pues ni el príncipe ni el pueblo parecían experimentar la menor curiosidad por rama ninguna
de conocimiento, excepto las matemáticas y la música, en
que yo les era muy inferior, y por esta causa muy poco digno
de estima.

Por otra parte, como yo había visto todas las curiosidades de la isla, tenía ganas de salir de ella, porque estaba
aburrido hasta lo indecible de aquella gente. Verdad que
sobresalían en las dos ciencias que tanto apreciaban y en
que yo no soy del todo lego; pero a la vez estaban de tal
modo abstraídos y sumidos en sus especulaciones, que nunca me encontré con tan desagradable compañía. Yo sólo
hablé con mujeres, comerciantes, mosqueadores y pajes de
corte durante los dos meses de mi residencia allí; lo que
sirvió para que se acabara de despreciarme. Pero aquéllas
eran las únicas gentes que me daban razonables respuestas.

Estudiando empeñadamente, había llegado a adquirir
buen grado de conocimiento del idioma; mas estaba aburrido de verme confinado en una isla donde tan poco favor

encontraba, y resuelto a abandonarla en la primera oportunidad.

Había en la corte un gran señor, estrechamente emparentado con el rey, y sólo por esta causa tratado con respeto. Se le reconocía universalmente como el señor más ignorante y estúpido entre los hombres. Había prestado a la corona servicios eminentes y tenía grandes dotes naturales y adquiridos, realzados por la integridad y el honor, pero tan mal oído para la música, que sus detractores contaban que muchas veces se le había visto llevar el compás a contratiempo; y tampoco sus preceptores pudieron, sin extrema dificultad, enseñarle a demostrar las más sencillas proposiciones de las matemáticas. Este caballero se dignaba darme numerosas pruebas de su favor: me hizo en varias ocasiones el honor de su visita y me pidió que le informase de los asuntos de Europa, las leyes y costumbres, maneras y estudios de los varios países por que yo había viajado. Me escuchaba con gran atención y hacía muy atinadas observaciones a todo lo que yo decía. Por su rango tenía dos mosqueadores a su servicio, pero nunca los empleó sino en la corte y en las visitas de ceremonia, y siempre los mandaba retirarse cuando estábamos los dos solos.

Supliqué a esa ilustre persona que intercediese en mi favor con Su Majestad para que me permitiera partir; lo que cumplió, según se dignó decirme, con gran disgusto; pues, en verdad, me había hecho varios ofrecimientos muy ventajosos, que yo, sin embargo, rechacé con expresiones de la más alta gratitud.

El 16 de febrero me despedí de Su Majestad y de la corte. El rey me hizo un regalo por valor de unas doscientas libras inglesas, y mi protector, su pariente, otro tanto, más una carta de recomendación para un amigo suyo de Lagado, la metrópoli. La isla estaba a la sazón suspendida sobre una montaña situada a unas dos millas de la ciudad, y me bajaron desde la galería inferior igual que me habían subido.

El continente, en la parte que está sujeta al monarca de la isla Volante, se designa con el nombre genérico de Balnibarbi, y la metrópoli, como antes dije, se llama Lagado. Experimenté una pequeña satisfacción al encontrarme en tierra firme. Marché a la ciudad sin cuidado ninguno, pues me encontraba vestido como uno de los naturales y suficientemente instruido para conversar con ellos. Pronto encontré la casa de aquella persona a quien iba recomendado; presenté la carta de mi amigo, el grande de la isla, y fui recibido con gran amabilidad. Este gran señor, cuyo nombre era Munodi, me hizo disponer una habitación en su casa misma, donde permanecí durante mi estancia y fui tratado de la más hospitalaria manera.

A la mañana siguiente de mi llegada, me sacó en su coche a ver la ciudad, que viene a ser la mitad que Londres, pero de casas muy extrañamente construidas y, las más, faltas de reparación. La gente va por las calles de prisa, con expresión aturdida, los ojos fijos y generalmente vestida con andrajos. Pasamos por una o dos puertas y salimos unas tres millas al campo, donde vi muchos obreros trabajando con herramientas de varias clases, sin poder conjeturar yo a qué se dedicaban, pues no descubrí el menor rastro de grano ni de hierba, por más que la tierra parecía excelente. No pude por menos de sorprenderme ante estas extrañas apariencias de la ciudad y del campo, y me tomé la libertad de pedir a mi guía que se sirviese explicarme qué significaban tantas cabezas, manos y semblantes ocupados, lo mismo en los campos que en la ciudad, pues yo no alcanzaba a descubrir los buenos efectos que producían; antes al contrario, yo no había visto nunca suelo tan desdichadamente cultivado, casas tan mal hechas y ruinosas ni gente cuyo porte y traje expresaran tanta miseria y necesidad.

El señor Munodi era persona de alto rango, que había sido varios años gobernador de Lagado; pero por maquinaciones de ministros fue destituido como incapaz. Sin embargo, el rey le trataba con gran cariño, teniéndole por hombre de buena intención, aunque de entendimiento menos que escaso. Cuando hube hecho esta franca censura del país y de sus habitantes, no me dio otra respuesta sino que yo no llevaba entre ellos el tiempo suficiente para formar un juicio, y que las diferentes naciones del mundo tienen costumbres diferentes, con otros tópicos en el mismo sentido. Pero cuando volvimos a su palacio me preguntó qué tal me parecía el edificio, qué absurdos apreciaba y qué tenía que decir de la vestidura y el aspecto de su servidumbre. Podía hacerlo con toda sinceridad, ya que todo cuanto le rodeaba era magnífico, correcto y agradable. Respondí que la prudencia, la calidad y la fortuna de Su Excelencia le habían eximido de aquellos defectos, que la insensatez y la indigencia habían causado en los demás. Díjome que, si quería ir con él a su casa de campo, situada a veinte millas de distancia y donde estaba su hacienda, habría más lugar para esta clase de conversación. Contesté a Su Excelencia que estaba por entero a sus órdenes, y, en consecuencia, partimos a la mañana siguiente.

Durante el viaje me hizo observar los diversos métodos empleados por los labradores en el cultivo de sus tierras, lo que para mí resultaba completamente inexplicable, porque, exceptuando poquísimos sitios, no podía distinguir una espiga de grano ni una brizna de hierba. Pero a las tres horas de viaje, la escena cambió totalmente; entramos en una hermosísima campiña: casas de labranza poco distanciadas entre sí y lindamente construidas, sembrados, praderas y viñedos con sus cercas en torno. No recuerdo haber visto más delicioso paraje. Su Excelencia advirtió que mi semblante se había despejado. Díjome, con un suspiro, que allí empezaba su hacienda y todo seguía lo mismo hasta llegar a su casa, y que sus conciudadanos le ridiculizaban y despreciaban por no llevar mejor sus negocios, y por dar al reino tan mal ejemplo; ejemplo que, sin embargo, sólo era seguido por muy pocos viejos, porfiados y débiles como él.

Llegamos, por fin, a la casa, que era, a la verdad, de muy noble estructura y edificada según las mejores reglas de la arquitectura antigua. Los jardines, fuentes, paseos, avenidas y arboledas estaban dispuestos con mucho conocimiento y gusto. Alabé debidamente cuanto vi, de lo que Su Excelencia no hizo el menor caso, hasta que después de cenar, y cuando no había con nosotros tercera persona, me dijo con expresión melancólica que temía tener que derribar sus casas de la ciudad y del campo para reedificarlas según la moda actual, y destruir todas sus plantaciones para hacer otras en la forma que el uso moderno exigía, y dar las mismas instrucciones a sus renteros, so pena de incurrir en censura por su orgullo, singularidad, afectación, ignorancia y capricho, y quizá de aumentar el descontento de Su Majestad. Añadió que la admiración que yo parecía sentir se acabaría, o disminuiría al menos, cuando él me hubiese informado de algunos detalles de que probablemente no habría oído hablar en la corte, porque allí la gente estaba demasiado sumida en sus especulaciones, para mirar lo que pasaba aquí abajo.

Todo su discurso vino a parar en lo siguiente:

Hacía unos cuarenta años subieron a Laputa, para resolver negocios, o simplemente por diversión, ciertas personas que, después de cinco meses de permanencia, volvieron con un conocimiento muy superficial de matemáticas, pero con la cabeza llena de volátiles visiones adquiridas en aquella aérea región. Estas personas, a su regreso, empezaron a mirar con disgusto el gobierno de todas las cosas de abajo, y dieron en la ocurrencia de colocar sobre nuevo pie, artes, ciencias, idiomas y oficios. A este fin se procuraron una patente real para erigir una academia de arbitristas en Lagado; y de tal modo se extendió la fantasía entre el pueblo, que no hay en el reino ciudad de alguna importancia que no cuente con una de esas academias. En estos colegios los profesores discurren nuevos métodos y reglas de agricultura y edificación, y nuevos instrumentos y herramientas para todos los trabajos y manufacturas, con los que ellos responden de que un hombre podrá hacer la tarea de diez, un palacio ser construido en una semana con tan duraderos materiales que subsista eternamente sin reparación, y todo fruto de la tierra llegar a madurez en la estación que nos cumpla elegir y producir cien veces más que en el presente, con otros innumerables felices ofrecimientos. El único inconveniente consiste en que todavía no se ha llevado ninguno de estos proyectos a la perfección; y, en tanto, los campos están asolados, las casas en ruinas y las gentes sin alimentos y sin vestido. Todo esto, en lugar de desalentarlos, los lleva con cincuenta veces más violencia a persistir en sus proyectos, igualmente empujados ya por la esperanza y la desesperación. Por lo que a él hacía referencia, no siendo hombre de ánimo emprendedor, se había dado por contento con seguir los antiguos usos, vivir en las casas que sus antecesores habían edificado y proceder como siempre procedió en todos los actos de su vida, sin innovación ninguna. Algunas otras personas de calidad y principales habían hecho lo mismo; pero se las miraba con ojos de desprecio y malevolencia, como enemigos del arte, ignorantes y perjudiciales a la república, que ponen su comodidad y pereza por encima del progreso general de su país.

Agregó Su Señoría que no quería, con nuevos detalles, privarme del placer que seguramente tendría en ver la Gran Academia, donde había resuelto llevarme. Sólo me llamó la atención sobre un edificio ruinoso situado en la ladera de una montaña, que a cosa de tres millas se veía, y acerca del cual me dio la explicación siguiente: Tenía él una aceña muy buena a media milla de su casa, movida por la corriente de un gran río y suficiente para su familia, así como para un gran número de sus renteros. Hacía unos siete años fue a verle una junta de aquellos arbitristas, con la proposición de que destruyese su molino y levantase otro en la ladera de aquella montaña, en cuya larga cresta se abriría un largo canal para depósito de agua que se elevaría por cañerías y máquinas, a fin de mover el molino, porque el viento y el aire de las alturas agitaban el agua y la hacían más propia para la moción, y porque el agua, bajando por un declive, movería la aceña con la mitad de la corriente de un río, cuyo curso estuviese más a nivel. Me dijo que no estando muy a bien con la corte, e instado por muchos de sus amigos, se allanó a la propuesta;

y después de emplear cien hombres durante dos años, la obra se había frustrado y los arbitristas se habían ido, dejando toda la vergüenza sobre él, que tenía que aguantar las burlas desde entonces, a hacer con otros el mismo experimento, con iguales promesas de triunfo y con igual desengaño.

A los pocos días volvimos a la ciudad, y Su Excelencia, teniendo en cuenta la mala fama que en la Academia tenía, no quiso ir conmigo, pero me recomendó a un amigo suyo para que me acompañase en la visita. Mi buen señor se dignó presentarme como gran admirador de proyectos y persona de mucha curiosidad y fácil a la creencia, para lo que, en verdad, no le faltaba del todo razón, pues yo había sido también algo arbitrista en mis días de juventud.

CAPITULO V

Se permite al autor visitar la Gran Academia de La-
gado. — Extensa descripción de la Academia. — Las
artes a que se dedican los profesores.

Esta Academia no está formada por un solo edificio, sino
por una serie de varias casas, a ambos lados de la calle, que,
habiéndose inutilizado, fueron compradas y dedicadas a este
fin. Me recibió el conserje con mucha amabilidad y fui a la
Academia durante muchos días. En cada habitación había
uno o más arbitristas, y creo quedarme corto calculando las
habitaciones en quinientas.

El primer hombre que vi era de consumido aspecto, con
manos y cara renegridas, la barba y el pelo largos, desga-
rrado y chamuscado por diversas partes. Traje, camisa y
piel, todo era del mismo color. Llevaba ocho años estudiando
un proyecto para extraer rayos de sol de los pepinos, que
debían ser metidos en redomas herméticamente cerradas y
selladas, para sacarlos a caldear el aire en veranos crudos o
inclementes. Me dijo que no tenía duda de que en ocho años
más podría surtir los jardines del gobernador de rayos de sol
a precio módico; pero se lamentaba del escaso almacén que
tenía y me rogó que le diese alguna cosa, en calidad de estímulo al ingenio; tanto más, cuanto que el pasado año había
sido muy malo para pepinos. Le hice un pequeño presente,
pues mi huésped me había proporcionado deliberadamente

211

algún dinero, conociendo la práctica que tenían aquellos señores de pedir a todo el que iba a visitarlos.

Vi a otro que trabajaba en reducir hielo a pólvora por la calcinación, y que también me enseñó un tratado que había escrito y pensaba publicar, concerniente a la maleabilidad del fuego.

Estaba un ingeniosísimo arquitecto que había discurrido un nuevo método de edificar casas empezando por el tejado y trabajando en sentido descendente hasta los cimientos, lo que justificó ante mí con la práctica semejante de dos tan prudentes insectos como la abeja y la araña.

Había un hombre, ciego de nacimiento, que tenía varios discípulos de su misma condición y los dedicaba a mezclar colores para pintar, y que su maestro les había enseñado a distinguir por el tacto y el olfato. Fue en verdad desgracia mía encontrarlos en aquella ocasión no muy diestros en sus lecciones, y aun al mismo profesor le acontecía equivocarse generalmente. Este artista cuenta en el más alto grado con el estímulo y la estima de toda la hermandad.

En otra habitación, me complació grandemente encontrarme con un arbitrista que había descubierto un plan para arar la tierra por medio de puercos, a fin de ahorrar los gastos de aperos, ganado y labor. El método es éste: en un acre de terreno se entierra, a seis pulgadas de distancia entre sí, cierta cantidad de bellotas, dátiles, castañas y otros frutos o verduras de que tanto gustan estos animales. Luego se sueltan dentro del campo seiscientos o más de ellos, que a los pocos días habrán hozado todo el terreno en busca de comida y dejándolo dispuesto para la siembra. Cierto que la experiencia ha mostrado que la molestia y el gasto son muy grandes, y la cosecha poca o nula; sin embargo, no se duda que este invento es susceptible de gran progreso.

Entré en otra habitación, en que de las paredes y del techo colgaban telarañas todo alrededor, excepto un estrecho paso para que el artista entrara y saliera. Al entrar yo me gritó que no descompusiese sus tejidos. Se lamentó de

212

la fatal equivocación en que el mundo había estado tanto tiempo al emplear gusanos de seda, cuando tenemos tantísimos insectos domésticos que infinitamente aventajan a esos gusanos, porque saben tejer lo mismo que hilar. Díjome luego que, empleando arañas, el gasto de teñir las sedas se ahorraría totalmente; de lo que me convenció por completo cuando me enseñó un enorme número de moscas de los colores más hermosos, con las que alimentaba a sus arañas, al tiempo que me aseguraba que las telas tomaban de ellas el tinte. Y como las tenía de todos los matices, confiaba en satisfacer el gusto de todo el mundo, tan pronto como pudiese encontrar para las moscas un alimento, a base de ciertos aceites, gomas y otra materia aglutinante, adecuado para dar fuerza y consistencia a los hilos.

Vi un astrónomo que había echado sobre sí la tarea de colocar un reloj de sol sobre la veleta mayor de la Casa Ayuntamiento, ajustando los movimientos anuales y diurnos de la Tierra y el Sol de modo que se correspondiesen y coincidieran con los cambios occidentales del viento. Visité muchas habitaciones más; pero no he de molestar al lector con todas las rarezas que vi, en gracia a la brevedad.

Hasta entonces había visto tan sólo uno de los lados de la Academia, pues el otro estaba asignado a los propagadores del estudio especulativo, de quienes diré algo cuando haya dado a conocer a otro ilustre personaje, llamado entre ellos el Artista Universal. Este nos dijo que durante treinta años había dedicado sus pensamientos al progreso de la vida humana. Tenía dos grandes aposentos llenos de maravillosas rarezas y cincuenta hombres trabajando. Unos condensaban aire para convertirlo en una sustancia tangible, dura, extrayendo el nitro y colando las partículas acuosas o flúidas; otros ablandaban mármol para almohadas y acericos; otros petrificaban los cascos a un caballo vivo para impedir que se despease. El mismo Artista en persona hallábase ocupado a la sazón en dos grandes proyectos: el primero, sembrar en arena los hollejos del grano, donde afirmaba estar contenida la verdadera virtud seminal, como demostró con varios experimentos que yo no fui bastante inteligente para comprender. Era el otro impedir, por medio de una cierta composición de gomas minerales y vegetales, aplicada externamente, que les creciera la lana a dos corderitos, y esperaba, en un plazo de tiempo razonable, propagar la raza de corderos desnudos por todo el reino.

Pasamos a dar una vuelta por la otra parte de la Academia, donde, como ya he dicho, se alojan los arbitristas de estudios especulativos.

El primer profesor que vi estaba en una habitación muy grande, rodeado por cuarenta alumnos. Después de cambiar saludos, como observase que yo consideraba con atención un tablero que ocupaba la mayor parte del largo y del ancho de la habitación, dijo que quizá me asombrase de verle entregado a un proyecto para hacer progresar el conocimiento especulativo por medio de operaciones prácticas y mecánicas; pero pronto comprendería el mundo su utilidad, y se alababa de que pensamiento más elevado y noble jamás había nacido en cabeza humana. Todos sabemos cuán laborioso es el método corriente para llegar a poseer artes y ciencias; pues bien: gracias a su invento, la persona más ignorante, por un precio módico y con un pequeño trabajo corporal, puede escribir libros de filosofía, poesía, política, leyes, matemáticas y teología, sin que para nada necesite el auxilio del talento ni del estudio.

Me llevó luego al tablero, que rodeaban por todas partes los alumnos formando filas. Tenía veinte pies en cuadro y estaba colocado en medio de la habitación. La superficie estaba constituida por varios trozos de madera del tamaño de un dedo aproximadamente, aunque algo mayores unos que otros. Todos estaban ensartados juntos en alambres delgados. Estos trozos de madera estaban por todos lados cubiertos de papel pegado a ellos; y sobre estos papeles aparecían escritas todas las palabras del idioma en sus varios modos, tiempos y declinaciones, pero sin orden alguno. Díjome el profesor que atendiese, porque iba a enseñarme el funcionamiento de su aparato. Los discípulos, a una orden suya, echaron mano a unos mangos de hierro que había alrededor del borde del tablero, en número de cuarenta, y, dándoles una vuelta rápida, toda la disposición de las palabras quedó cambiada totalmente. Mandó luego a treinta y seis de los muchachos que leyesen despacio las diversas líneas, tales como habían quedado en el tablero, y cuando encontraban tres o cuatro palabras juntas que podían formar parte de una sentencia, las dictaban a los cuatro restantes, que servían de escribientes. Repitiose el trabajo tres veces o cuatro, y cada una, en virtud de la disposición de la máquina, las palabras se mudaban a otro sitio al dar vuelta los cuadrados de madera.

Durante seis horas diarias se dedicaban los jóvenes estudiantes a esta tarea, y el profesor me mostró varios volúmenes en gran folio, ya reunidos en sentencias cortadas, que pensaba enlazar, para, sacándola de ellas, ofrecer al mundo una obra completa de todas las ciencias y artes, la cual podía mejorarse y facilitarse en gran modo con que el público crease un fondo para construir y utilizar quinientos de aquellos tableros en Lagado, obligando a los directores a contribuir a la obra común con sus colecciones respectivas.

Me aseguró que había dedicado a este invento toda su inteligencia desde su juventud, y que había agotado el vocabulario completo en su tablero y hecho un serio cálculo de la proporción general que en los libros existe entre el número de artículos, nombres, verbos y demás partes de la oración.

Expresé mi más humilde reconocimiento a aquella ilustre persona por haberse mostrado de tal modo comunicativa, y le prometí que si alguna vez tenía la dicha de regresar a mi país, le haría la justicia de proclamarle único inventor de aquel aparato maravilloso, cuya forma y combinación le rogué que delinease en un papel, para llevarlo a mi país. Le dije que, aunque en Europa los sabios tenían la costum-

bre de robarse los inventos unos a otros, y de este modo logra-
ban, cuando menos, la ventaja de que se discutiese cuál era
el verdadero autor, tomaría yo tales precauciones, que él solo
disfrutase el honor íntegro, sin que viniera a mermárselo ningún rival.

Fuimos luego a la escuela de idiomas, donde tres profesores celebraban consulta sobre el modo de mejorar el de
su país.

El primer proyecto consistía en hacer más corto el discurso, dejando a los polisílabos una sílaba nada más, y pres-
cindiendo de verbos y participios; pues, en realidad, todas las
cosas imaginables son nombres y nada más que nombres.

El otro proyecto era un plan para abolir por completo
todas las palabras, cualesquiera que fuesen; y se defendía
como una gran ventaja, tanto respecto de la salud como
de la brevedad. Es evidente que cada palabra que habla-
mos supone, en cierto grado, una disminución de nuestros
pulmones por corrosión, y, por lo tanto, contribuye a acor-
tarnos la vida; en consecuencia, se ideó que, siendo las palabras simplemente los nombres de las cosas, sería más conveniente que cada persona llevase consigo todas aquellas
cosas de que fuese necesario hablar en el asunto especial
sobre que había de discurrir. Y este invento se hubiese im-
plantado, ciertamente, con gran comodidad y ahorro de salud
para los individuos, de no haber las mujeres, en consorcio
con el vulgo y los ignorantes, amenazado con alzarse en rebelión si no se les dejaba en libertad de hablar con la lengua,
al modo de sus antepasados; que a tales extremos llegó siempre el vulgo en su enemiga por la ciencia. Sin embargo,
muchos de los más sabios y eruditos se adhirieron al nuevo
método de expresarse por medio de cosas: lo que presenta
como único inconveniente el de que cuando un hombre se
ocupa en grandes y diversos asuntos, se ve obligado, en proporción, a llevar a espaldas un gran talego de cosas, a menos
que pueda pagar uno o dos robustos criados que le asistan.
Yo he visto muchas veces a dos de estos sabios, casi abrumados

por el peso de sus fardos, como van nuestros buhoneros, encontrarse en la calle, echar la carga a tierra, abrir los talegos y conversar durante una hora; y luego, meter los utensilios, ayudarse mutuamente a reasumir la carga y despedirse.

Mas para conversaciones cortas, un hombre puede llevar los necesarios utensilios en los bolsillos o debajo del brazo, y en su casa no puede faltarle lo que precise. Así, en la estancia donde se reúnen quienes practican este arte, hay siempre a mano todas las cosas indispensables para alimentar este género artificial de conversaciones.

Otra ventaja que se buscaba con este invento era que sirviese como idioma universal para todas las naciones civilizadas, cuyos muebles y útiles son, por regla general, iguales, o tan parecidos, que puede comprenderse fácilmente cuál es su destino. Y de este modo los embajadores estarían en condiciones de tratar con príncipes o ministros de Estado extranjeros, para quienes su lengua fuese por completo desconocida.

Estuve en la escuela de matemáticas, donde el maestro enseñaba a los discípulos por un método que nunca hubiéramos imaginado en Europa. Se escribían la proposición y la demostración en una oblea delgada, con tinta compuesta de un colorante cefálico. El estudiante tenía que tragarse esto en ayunas y no tomar durante los tres días siguientes más que pan y agua. Cuando se digería la oblea, el colorante subía al cerebro llevando la proposición. Pero el éxito no ha respondido aún a lo que se esperaba; en parte, por algún error en la composición o en la dosis, y en parte por la perversidad de los muchachos a quienes resultan de tal modo nauseabundas aquellas bolitas, que generalmente las disimulan en la boca y las disparan a lo alto antes de que puedan operar. Y tampoco ha podido persuadírseles hasta ahora de que practiquen la larga abstinencia que requiere la prescripción.

CAPITULO VI

Siguen las referencias sobre la Academia. — El autor propone algunas mejoras, que son recibidas con todo honor.

En la escuela de arbitristas políticos pasé mal rato. Los profesores parecían, a mi juicio, haber perdido el suyo; era una escena que me pone triste siempre que la recuerdo. Aquellas pobres gentes presentaban planes para persuadir a los monarcas de que escogieran los favoritos en razón de su sabiduría, capacidad y virtud; enseñaran a los ministros a consultar el bien común; recompensaran el mérito, las grandes aptitudes y los servicios eminentes; instruyeran a los príncipes en el conocimiento de que su verdadero interés es aquel que se asienta sobre los mismos cimientos que el de su pueblo; escogieran para los empleos a las personas capacitadas para desempeñarlos; con otras extrañas imposibles quimeras que nunca pasaron por cabeza humana, y confirmaron mi vieja observación de que no hay cosa tan irracional y extravagante que no haya sido sostenida como verdad, alguna vez por un filósofo.

Pero, no obstante, he de hacer a aquella parte de la Academia la justicia de reconocer que no todos eran tan visionarios. Había un ingeniosísimo doctor que parecía perfectamente versado en la naturaleza y el arte del gobierno. Este ilustre personaje había dedicado sus estudios, con gran provecho, a descubrir remedios eficaces para todas las enfermedades y corrupciones a que están sujetas las varias índoles de adminis-

219

tración pública, por los vicios y flaquezas de quienes gobiernan, así como por las licencias de quienes deben obedecer. Por ejemplo: puesto que todos los escritores y pensadores han convenido en que hay una estrecha y universal semejanza entre el cuerpo natural y el político, nada puede haber más evidente que la necesidad de preservar la salud de ambos y curar sus enfermedades con las mismas recetas. Es sabido que los senados y grandes consejos se ven con frecuencia molestados por humores redundantes, hirvientes y viciados; por numerosas enfermedades de la cabeza y más del corazón; por fuertes convulsiones y por graves contracciones de los nervios y tendones de ambas manos, pero especialmente de la derecha; por hipocondrías, flatos, vértigos y delirios; por tumores escrofulosos llenos de fétida materia purulenta; por inmundos eructos espumosos, por hambre canina, por indigestiones y por muchas otras dolencias que no hay para qué nombrar. En su consecuencia, proponía este doctor que al reunirse un senado asistieran determinados médicos a las sesiones de los tres primeros días, y al terminarse el debate diario tomaran el pulso a todos los senadores. Después de maduras consideraciones y consultas sobre la naturaleza de las diversas enfermedades, debían volver al cuarto día al senado, acompañados de sus boticarios, provistos de los apropiados medicamentos, y antes de que los miembros se reuniesen, administrarles a todos lenitivos, aperitivos, abstergentes, corrosivos, restringentes, paliativos, laxantes, cefalálgicos, ictéricos, apoflemáticos y acústicos, según cada caso lo requiriera. Y teniendo en cuenta la operación que los medicamentos hicieren, repetirlos, alterarlos o admitir a los miembros en la siguiente sesión. Este proyecto no supondría gasto grande para el país, y, en mi concepto, sería de gran eficacia para despachar los asuntos, en aquellos en que el senado comparte en algún modo el poder legislativo, para lograr la unanimidad, acortar los debates, abrir unas pocas bocas que hoy están cerradas, cerrar muchas más que hoy están abiertas, moderar la petulancia de la juventud, corregir la terquedad de los viejos, despabilar a los tontos y sosegar a los descocados.

Además, como es general la queja de que los favoritos de príncipes padecen de muy flaca memoria, proponía el mismo doctor que aquel que estuviese al servicio de un primer ministro, después de haberle dado conocimiento de los asuntos con la mayor brevedad y las más sencillas palabras posibles, diese al tal un tirón de narices o un puntapié en el vientre, o le pisase los callos, o le tirase tres veces de las orejas, o le pasase con un alfiler los calzones y algunos puntos más, o le pellizcase en un brazo hasta acardenárselo, a fin de evitar el olvido; operación que debía repetir todos los días cuando el ministro se levantara, hasta que el asunto se hiciese o fuera totalmente rechazado.

Igualmente pretendía que a todo senador del gran consejo de un país, una vez que hubiese dado su opinión y argüido en defensa de ella, se le obligase a votar justamente en sentido contrario; pues si esto se hiciera, el resultado conduciría infaliblemente al bien público.

Presentaba un invento maravilloso para reconciliar a los partidos de un Estado, cuando se mostrasen violentos. El método es éste: tomar cien adalides de cada partido; disponerlos por parejas, acoplando a los que tuviesen la cabeza de tamaño más parecido; hacer luego que dos buenos operadores asierren los occipucios de cada pareja al mismo tiempo, de modo que los cerebros queden divididos igualmente, y cambiar los occipucios de esta manera aserrados, aplicando cada uno a la cabeza del contrario. Ciertamente se ve que la operación exige bastante exactitud; pero el profesor nos aseguró que si se realizaba con destreza, la curación sería infalible. Y lo razonaba así: los dos medios cerebros llevados a debatir la cuestión entre sí en el espacio de un cráneo, llegarían pronto a una inteligencia y producirían aquella moderación y regularidad de pensamiento tan de desear en las cabezas de quienes imaginan haber venido al mundo para guardar y gobernar su movimiento. Y en cuanto a la diferencia que en cantidad o en calidad pudiera existir entre los cerebros de quienes están al frente de las facciones, nos aseguró el doctor, basado en sus conocimientos, que era una cosa insignificante de todo punto.

Oí un acalorado debate entre dos profesores que discutían los caminos y procedimientos más cómodos y eficaces para allegar recursos de dinero sin oprimir a los súbditos. Afirmaba el primero que el método más justo era establecer un impuesto sobre los vicios y la necedad, debiendo fijar, según los medios más perfectos, la cantidad por que cada uno hubiera de contribuir a un jurado de sus vecinos. El segundo era de opinión abiertamente contraria, y quería imponer tributo a aquellas cualidades del cuerpo y de la inteligencia en las cuales basan principalmente los hombres su valor; la cuota sería mayor o menor, según los grados de superioridad, y su determinación quedaría por entero a la conciencia de cada uno. El impuesto más alto pesaría sobre los hombres que se ven particularmente favorecidos por el sexo contrario, y la tasa estaría de acuerdo con el número y la naturaleza de los favores que hubiesen recibido, lo que los interesados mismos serían llamados a atestiguar. El talento, el valor y la cortesía debían ser asimismo fuertemente gravados, y el cobro, igualmente fundado en la palabra que diese cada persona respecto de la cantidad que poseyera. Pero el honor, la justicia, la prudencia y el estudio no habían de ser gravados en absoluto, pues son cualidades de índole tan singular que nadie se las reconoce a su vecino ni en sí mismo las estima.

Se proponía que las mujeres contribuyeran según su belleza y su gracia para vestir; para lo cual, como con los hombres se hacía, tendrían el privilegio de ser clasificadas según su criterio propio. Pero no se tasarían la constancia, la castidad, la bondad ni el buen sentido, porque no compensarían el gasto de la recaudación.

Para que no se apartasen los senadores del interés de la corona, se proponía que se rifaran entre ellos los empleos, después de jurar y garantizar todos que votarían con la corte, tanto si ganaban como si perdían, reservando a los que perdiesen el derecho a su vez de rifarse la vacante próxima. Así se mantendrían la esperanza y la expectación y nadie podría quejarse de promesas incumplidas, ya que sus desengaños serían por entero imputables a la fortuna, cuyas espaldas son más anchas y robustas que las de un ministerio.

Otro profesor me mostró un largo escrito con instrucciones para descubrir conjuras y conspiraciones contra el Gobierno. Estaba todo él redactado con gran agudeza, y contenía muchas observaciones a la par curiosas y útiles para los políticos; pero, a mi juicio, no era completo. Así me permití decírselo al autor, con el ofrecimiento de proporcionarle, si lo tenía a bien, algunas adiciones. Recibió mi propuesta mucho más complacido de lo que es uso entre escritores, y especialmente entre los de la cuerda arbitrista, y manifestó que recibiría con mucho gusto los informes que quisiera darle.

Le hablé de que en el reino de Tribnia, llamado por los naturales Langden, donde pasé algún tiempo durante mis viajes, la imensa mayoría del pueblo está constituida en cierto modo por husmeadores, testigos, espías, delatores, acusadores, cómplices que denuncian los delitos y juradores, con sus varios instrumentos subordinados; y todos ellos, atenidos a la bandera, la conducta y la paga de ministros y diputados suyos. En aquel reino son las conjuras, por regla general, obra de aquellas personas que se proponen dar realce a sus facultades de profundos políticos, prestar nuevo vigor a una administración decrépita, extinguir o distraer el general descontento, llenarse los bolsillos con secuestros y confiscaciones y elevar o hundir el concepto del crédito público, según cumpla mejor a sus intereses particulares. Se conviene y determina primero entre ellos qué persona sospechosa deberá ser acusada de conjura y en seguida se tiene cuidado especial en apoderarse de sus cartas y papeles y encadenar a los criminales. Estos papeles se entregan a una cuadrilla de artistas muy diestros en descubrir significados misteriosos en los vocablos, las sílabas y las cartas. Por ejemplo: pueden descubrir que una bandada de gansos significa un senado; un perro cojo, un invasor; la plaga, un cuerpo de ejército; un milano, un primer ministro; la gota, una alta dignidad eclesiástica; una horca, un secretario de Estado; una criba, una dama de corte; una escoba, una revolución; una ratonera, un empleo; un pozo sin fondo, un tesoro; una sentina, una corte; un gorro y unos cascabeles, un favorito; una caña rota, un tribunal de justicia; un tonel vacío, un general; una llaga supurando, la Administración.

Por si este método fracasa, tienen otros dos más eficaces, llamados por los que entre aquellas gentes se tienen como instruidos, acrósticos y anagramas. Con el primero pueden descifrar significados políticos en todas las letras iniciales: así, *N* significa conjura; *B*, regimiento de caballería; *L*, una flota en el mar. Con el segundo, trasponiendo las letras del alfabeto en cualquier papel sospechoso, pueden dejar al descubierto los más profundos designios de un partido disgustado. Así, por ejemplo, si yo escribo a un amigo una carta que a nuestro hermano Tom acaban de salirle almorranas, un descifrador hábil descubrirá que las mismas letras que componen esta sentencia pueden analizarse en las palabras siguientes: «Resistid —hay una conspiración dentro del país— el viaje» Y éste es el método anagramático.

El profesor me expresó su gran reconocimiento por haberle comunicado estas observaciones, y me prometió hacer honorífica mención de mí en su tratado.

Y como no encontraba en esta ciudad nada que me invitase a más dilatada permanencia, empecé a pensar en volverme a mi país.

CAPITULO VII

El autor sale de Lagado y llega a Maldonado. —
No hay barco listo. — Hace un corto viaje a Glubb-
drubdrib. — Cómo le recibió el gobernador.

El continente de que forma parte este reino se extiende, según tengo razones para creer, al Este de la región desconocida de América situada al Oeste de California y al Norte del océano Pacífico, que no se encuentra a más de ciento cincuenta millas de Lagado. Esta ciudad tiene un buen puerto y mucho comercio con la gran isla de Luggnagg, situada en el Noroeste, a unos 29 grados de latitud Norte y a 140 de longitud. Esta isla de Luggnagg está al Sudeste y a unas cien leguas de distancia del Japón. Existe una estrecha alianza entre el emperador japonés y el rey de Luggnagg, que ofrece frecuentes ocasiones de navegar de una isla a otra; en consecuencia, determiné dirigir el viaje en ese sentido para mi regreso a Europa. Alquilé un guía con dos mulas para que me enseñase el camino y trasladar mi reducido equipaje. Me despedí de mi noble protector, que tanto me había favorecido, y que me hizo un generoso presente a mi partida.

No me ocurrió en el viaje aventura ni incidente digno de mención. Cuando llegué al puerto de Maldonado —que tal es su nombre— no había ningún barco destinado para Luggnagg, ni era probable que lo hubiese en algún tiempo. Pronto hice algunos conocimientos y fui hospitalariamente recibido. Un distinguido caballero me dijo que, pues los barcos destinados para Luggnagg no estarían listos antes de un mes, podría yo encontrar agradable esparcimiento en una excursión a la pequeña isla de Glubbdrubdrib, situada unas cinco leguas al Sudoeste. Se ofreció con un amigo suyo para acompañarme y asimismo para proporcionarme una pequeña embarcación adecuada a la travesía.

Glubbdrubdrib, interpretando la palabra con la mayor exactitud posible, viene a significar la isla de los hechiceros o de los mágicos. Es como una tercera parte de la isla de White y en extremo fértil; está gobernada por el jefe de una cierta tribu en que todos son mágicos. Los matrimonios se verifican solamente entre individuos de la tribu, y el más viejo es por sucesión príncipe o gobernador. Este príncipe tiene un hermoso palacio y un parque de tres mil acres aproximadamente, rodeado de un muro de piedra tallada de veinte pies de altura. En este parque hay pequeños cercados para ganados, mies y jardinería.

Sirven y dan asistencia al gobernador y a su familia criados de una especie en cierto modo extraordinaria. Su habilidad en la nigromancia concede a este gobernador el poder de resucitar a quien quiere y encargarle de su servicio por veinticuatro horas, pero no más tiempo; así como tampoco puede llamar a la misma persona otra vez antes de transcurridos tres meses, salvo en ocasiones muy excepcionales.

Cuando llegamos a la isla —lo que aconteció sobre las once de la mañana—, uno de los caballeros que me acompañaban fue a ver al gobernador, y le rogó que permitiese visitarle a un extranjero que iba con el propósito de tener el honor de ponerse al servicio de Su Alteza. Le fue concedido inmediatamente, y los tres pasamos por la puerta del palacio entre dos filas de guardias armados y vestidos a usanza muy antigua, y con no sé qué en sus rostros que hizo estremecer mis carnes, con un horror que no puedo expresar. Atravesamos varias habitaciones entre servidores de la misma catadura, alineados a un lado y otro, como en el caso anterior, hasta que llegamos a la sala de audiencia, donde, luego de hacer profundas cortesías y contestar algunas preguntas generales, nos fue permitido tomar asiento en tres banquillos próximos a la grada inferior del trono de Su Alteza. Comprendía el gobernador el idioma de Balnibarbi, aunque era distinto del de su isla. Me pidió que le diese alguna cuenta de mis viajes, y para demostrarme que sería tratado sin ceremonia, mandó retirarse a sus cortesanos moviendo un dedo, a lo cual, con gran asombro mío, se desvanecieron en un instante como las visiones de un sueño cuando nos despiertan de repente. Tardé en volver en mí buen rato, hasta que el gobernador me dio seguridades de que no recibiría daño ninguno; y viendo que mis compañeros, a quienes otras muchas veces había recibido del mismo modo, no aparentaban el menor cuidado, empecé a cobrar valor, e hice a Su Alteza un relato somero de mis diferentes aventuras, aunque no sin algún sobresalto ni sin mirar frecuentemente detrás de mí al sitio donde antes había visto aquellos espectros domésticos. Tuve la honra de comer con el gobernador entre una nueva cuadrilla de duendes que nos traían las viandas y nos servían la mesa. Ya en aquella ocasión, me sentí menos aterrorizado que por la mañana. Seguí allí hasta la caída de la tarde, pero supliqué humildemente a Su Alteza que me excusara de aceptar su invitación de alojarme en el palacio. Mis dos amigos y yo nos hospedamos en una casa particular de la ciudad próxima, que es la capital de esta pequeña isla, y a la mañana siguiente volvimos a ponernos a las órdenes del gobernador, en cumplimiento de lo que se dignó mandarnos.

De este modo continuamos en la isla diez días; las más horas de ellos, con el gobernador, y por la noche en nuestro alojamiento. Pronto me familiaricé con la vista de los espíritus, hasta el punto de que a la tercera o cuarta vez ya no me causaban impresión ninguna, o, si tenía aún algunos recelos, la curiosidad los superaba. Su Alteza el gobernador me ordenó que llamase de entre los muertos a cualesquiera personas cuyos nombres se me ocurriesen y en el número que se me antojase, desde el principio del mundo hasta el tiempo presente, y les mandase responder a las preguntas que tuviera a bien dirigirles, con la condición de que mis preguntas habían de reducirse al período de los tiempos en que vivieron. Y agregó que una cosa en que podía confiar era en que me dirían la verdad indudablemente, pues el mentir era un talento sin aplicación alguna en el mundo interior.

Expresé a Su Alteza mi más humilde reconocimiento por tan gran favor. Estábamos en un aposento desde donde se descubría una bella perspectiva del parque. Y como mi primera inclinación me llevara a admirar escenas de pompa y magnificencia, pedí ver a Alejandro el Grande, a la cabeza de su ejército, inmediatamente después de la batalla de Arbela; lo cual, a un movimiento que hizo con un dedo el gobernador, se apareció inmediatamente en un gran campo al pie de la ventana en que estábamos nosotros. Alejandro fue llamado a la habitación; con grandes trabajos pude entender su griego, que se parecía muy poco al que yo sé. Me aseguró por su honor que no había muerto envenenado, sino de una fiebre a consecuencia de beber con exceso.

Luego vi a Aníbal pasando los Alpes, quien me dijo que no tenía una gota de vinagre en su campo. Vi a César y a Pompeyo, a la cabeza de sus tropas, dispuestos para acometerse. Vi al primero en su último gran triunfo. Pedí que se apareciese ante mí el Senado de Roma, en una gran cámara, y en otra, frente por frente, una junta representativa moderna. Se me antojó el primero una asamblea de héroes y semidioses, y la otra, una colección de buhoneros, raterillos, salteadores de caminos y rufianes.

El gobernador, a ruego mío, hizo seña para que avanzasen hacia nosotros César y Bruto. Sentí súbitamente profunda veneración a la vista de Bruto, en cuyo semblante todas las facciones revelaban la más consumada virtud, la más grande intrepidez, firmeza de entendimiento, el más verdadero amor a su país y general benevolencia para la especie humana. Observé con gran satisfacción que estas dos personas estaban en estrecha inteligencia, y César me confesó francamente que no igualaban con mucho las mayores hazañas de su vida a la gloria de habérsela quitado. Tuve el honor de conversar largamente con Bruto, y me dijo que sus antecesores, Junius, Sócrates, Epaminondas, Catón el joven, sir Thomas Moore y él estaban juntos a perpetuidad; sextunvirato al que entre todas las edades del mundo no pueden añadir un séptimo nombre.

Sería fatigosa para el lector la referencia del gran número de gentes esclarecidas que fueron llamadas para satisfacer el deseo insaciable de ver ante mí el mundo en las diversas edades de la antigüedad. Satisfice mis ojos particularmente mirando a los asesinos de tiranos y usurpadores y a los restauradores de la libertad de naciones oprimidas y agraviadas. Pero me es imposible expresar la satisfacción que en el ánimo experimenté de modo que pueda resultar conveniente recreo para el lector.

CAPITULO VIII

Siguen las referencias acerca de Glubbdrubdrib.
Corrección de la historia antigua y moderna.

Deseando ver a aquellos antiguos que gozan de mayor renombre por su entendimiento y estudio, destiné un día completo a este propósito. Solicité que se apareciesen Homero y Aristóteles a la cabeza de todos sus comentadores; pero éstos eran tan numerosos, que varios cientos de ellos tuvieron que esperar en el patio y en las habitaciones exteriores del palacio. Conocí y pude distinguir a ambos héroes a primera vista, nò sólo entre la multitud, sino también a uno de otro. Homero era el más alto y hermoso de los dos, caminaba muy derecho para su edad y tenía los ojos más vivos y penetrantes que he contemplado en mi vida. Aristóteles marchaba muy inclinado y apoyándose en un báculo; era de cara delgada, pelo lacio y fino, y su voz hueca. Aprecié en seguida que ambos eran perfectamente extraños al resto de la compañía y nunca habían visto a aquellas personas ni oído de ellas hasta aquel momento, y un espíritu cuyo nombre no diré, me susurró al oído que estos comentadores se mantenían siempre en el mundo interior en los parajes más apartados de aquellos que ocupaban sus inspiradores, a causa del sentimiento de vergüenza y de culpa que les producía haber desfigurado tan horriblemente para la posteridad la significación de aquellos autores. Hice la presentación de Dídimo y Eustathio a Homero, recomendándole que los tratase mejor de lo que quizá merecían, pues él al instante descubrió que habían pretendido encajar un genio en el espíritu de un poeta. Pero Aristóteles no pudo guardar calma ante la cuenta que le di de quiénes eran Escoto y Ramus al tiempo que los presentaba, y les preguntó si todos los demás de la tribu eran tan zotes como ellos.

Pedí después al gobernador que llamase a Descartes y a Gassendi, a quienes hice que explicaran sus sistemas de Aristóteles. Este gran filósofo reconoció francamente sus errores en filosofía natural, debidos a que en muchas cosas había tenido que proceder por conjeturas, como todos los hombres, y observó que Gassendi —que había hecho la doctrina de Epicuro todo lo agradable que había podido— y los vórtices de Descartes estaban igualmente desacreditados. Predijo la misma suerte a la atracción, de que los eruditos de hoy son tan ardientes partidarios. Añadió que los nuevos sistemas naturales no son sino nuevas modas, llamadas a variar con los siglos; y aun aquellos cuya demostración se pretende asentar sobre principios matemáticos, florecerán solamente un corto espacio de tiempo y caerán en la indiferencia cuando les llegue la hora.

Empleé cinco días en conversar con muchos otros sabios antiguos. Vi a la mayor parte de los primeros emperadores romanos. Conseguí del gobernador que llamase a los cocineros de Heliogábalo para que nos hicieran una comida; pero no pudieron demostrarnos toda su habilidad por falta de materiales. Un esclavo de Agesilao nos hizo un caldo espartano; pero me fue imposible llevarme a la boca la segunda cucharada.

Los dos caballeros que me habían llevado a la isla tenían que regresar en un plazo de tres días, urgentemente solicitados por sus negocios, y empleé ese tiempo en ver a algunos de los muertos modernos que más importantes papeles habían desempeñado durante los dos o tres siglos últimos en nuestro país y en otros de Europa. Admirador siempre de las viejas familias ilustres, rogué al gobernador que llamase a una docena o dos de reyes con sus antecesores, guardando el orden debido, de ocho o nueve generaciones. Pero mi desengaño fue inesperado y cruel, pues en lugar de una larga comitiva ornada de diademas reales vi en una familia dos violinistas, tres bien parecidos palaciegos y un prelado italiano; y en otra, un barbero, un abad y dos cardenales. Siento demasiada veneración hacia las testas coronadas para detenerme más en punto tan delicado.

Pero por lo que hace a los condes, marqueses, duques, etcétera, no fue tan allá mi escrúpulo, y confieso que no sin placer seguí el rastro de los rasgos particulares que distinguen a ciertas alcurnias desde sus orígenes. Pude descubrir claramente de dónde le viene a tal familia una barbilla pronunciada; por qué tal otra ha abundado en pícaros durante dos generaciones y en necios durante dos más; por qué le aconteció a una tercera perder en entendimiento, y a una cuarta hacerse toda ella petardista; de dónde lo que dice Polidoro Virgilio de cierta casa: *Nec vir fortis, nec femina casta.* Y, en fin, de qué modo la crueldad, la mentira y la cobardía han llegado a ser características por las que se distingue a determinadas familias tanto como por su escudo de armas. Y no me asombré, ciertamente, de todo esto, cuando vi tal interrupción de descendencias con pajes, lacayos, ayudas de cámara, cocheros, monteros, violinistas, jugadores, capitanes y rateros.

Quedé disgustado muy particularmente de la historia moderna; pues habiendo examinado con detenimiento a las personas de mayor nombre en las cortes de los príncipes, durante los últimos cien años, descubrí cómo escritores prostituidos han extraviado al mundo, hasta hacerle atribuir las mayores hazañas de la guerra a los cobardes; los más sabios consejos, a los necios; sinceridad, a los aduladores; virtud romana, a los traidores a su país; piedad, a los ateos; veracidad, a los espías. Cuántas personas inocentes y meritísimas han sido condenadas a muerte o destierro por secretas influencias de grandes ministros sobre corrompidos jueces y por la maldad de los bandos; cuántos villanos se han visto exaltados a los más altos puestos de confianza, poder, dignidad y provecho; cuán grande es la parte que en los actos y acontecimientos de cortes, consejos y senados puede imputarse a parásitos y bufones. ¡Qué bajo concepto formé de la sabiduría y la integridad humana, cuando estuve realmente enterado de cuáles son los resortes y motivos de las grandes empresas y revoluciones del mundo, y cuáles los despreciables accidentes a que deben su victoria!

Allí descubrí la malicia y la ignorancia de quienes se hacen pasar por escritores de anécdotas o historia secreta y envían a docenas de reyes a la tumba con una copa de veneno, repiten conversaciones celebradas por un príncipe y un ministro principal sin presencia de testigo ninguno, abren los escritorios y los pensamientos de embajadores y secretarios de Estado, y tienen la desgracia continua de equivocarse. Allí descubrí las verdaderas causas de muchos grandes sucesos que han sorprendido al mundo. Un general confesó en mi presencia que alcanzó una victoria, simplemente, por la fuerza de la cobardía y del mal comportamiento; y un almirante, que por no tener la inteligencia necesaria derrotó al enemigo, a quien pretendía vender la flota. Tres reyes me aseguraron que en sus reinados respectivos jamás prefirieron a persona alguna de mérito, salvo por error o por deslealtad de algún ministro en quien confiaban, ni lo harían si vivieran otra vez; y me daban como razón poderosa la de que el trono real no podía sostenerse sin corrupción, porque ese carácter positivo, firme y tenaz que la virtud comunica a los hombres, era un obstáculo perpetuo para los asuntos públicos.

Tuve la curiosidad de averiguar, con ciertas mañas, por qué métodos habían llegado muchos a procurarse altos títulos de honor y crecidísimas haciendas. Limité mis averiguaciones a una época muy moderna, sin rozar, no obstante, los tiempos presentes, porque quise estar seguro de no ofender ni aun a los extranjeros —pues supongo que no necesito decir a los lectores que en lo que vengo diciendo no trato en lo más mínimo de mirar por mi país—; fueron llamadas en gran número personas interesadas, y con un muy ligero examen descubrí tal escena de infamia, que no puedo pensar en ella sin cierto dolor. El perjurio, la opresión, la subordinación, el fraude, la alcahuetería y flaquezas análogas figuraban entre las artes más excusables de que tuvieron que hacer mención, y para ellas tuve, como era de juicio, la debida indulgencia; pero cuando confesaron algunos que debían su engrandecimiento y bienestar al vicio, otros a haber traicionado a su país o a su príncipe, quién en envenenamientos, cuántos más a haber corrompido la justicia para aniquilar al inocente, mi impresión fue tal, que espero ser perdonado si estos descubrimientos me inclinan un poco a rebajar la profunda veneración con que mi natural me lleva a tratar a las personas de alto rango, a cuya sublime dignidad debemos el mayor respeto nosotros sus inferiores.

Había encontrado frecuentemente en mis lecturas mención de algunos grandes servicios hechos a los príncipes y a los estados, y quise ver a las personas que los hubiesen rendido. Pregunteles, y me dijeron que sus nombres no estaban en la memoria de nadie, si se exceptuaban unos cuantos que nos presentaba la Historia como correspondientes a los bribones y traidores más viles. Por lo que hacía a los demás llamados, yo no había oído nunca hablar de ellos; todos se presentaban con miradas de abatimiento y vestidos con los más miserables trajes. La mayor parte me dijeron que habían muerto en la pobreza y la desventura, y los demás, que en un cadalso o en una horca.

Había, entre otros, un individuo cuyo caso parecía un poco singular. A su lado tenía un joven como de dieciocho años. Me dijo que durante muchos había sido comandante de un barco, y que en la batalla de Accio tuvo la buena fortuna de romper la línea principal de batalla del enemigo, hundir a éste tres de sus barcos principales y apresar otro, lo que vino a ser la sola causa de la huida de Antonio y de la victoria que se siguió. El joven que tenía a su lado, su hijo único, encontró la muerte en la batalla. Añadió que, creyendo tener algún mérito a su favor, cuando terminó la guerra, fue a Roma y solicitó de la corte de Augusto ser elevado al mando de un navío mayor, cuyo comandante había sido muerto; pero sin tener para nada en cuenta sus pretensiones, se dio el mando a un joven que nunca había visto el mar, hijo de una tal Libertina, que estaba al servicio de una de las concubinas del emperador. De vuelta a su embarcación, se le acusó de abandono de su deber y se dio el barco a un paje favorito de Publícola, el vicealmirante; en vista de lo cual, él se retiró a una menguada heredad a gran distancia de Roma, donde terminó su vida. Tal curiosidad me vino por conocer la verdad de esta historia, que pedí que fuese llamado Agripa, almirante en aquella batalla. Apareció y confirmó todo el relato, pero mucho más en ventaja del capitán, cuya modestia había atenuado y ocultado gran parte de su mérito.

Me maravillé de ver a qué altura y con cuánta rapidez había llegado la corrupción de aquel imperio por la fuerza de los excesos tan tempranamente introducidos; y ello me hizo sorprender menos ante casos paralelos que se dan en otros países, donde por largo tiempo han reinado vicios de toda índole y donde todo encomio, así como todo botín, ha sido monopolizado por el comandante jefe, que quizá tenía menos derecho que nadie a uno y a otro.

Como todas las personas llamadas se aparecían exactamente como fueron en el mundo, no podía yo dejar de hacer tristes reflexiones, al observar cuánto ha degenerado entre nosotros la especie humana en los últimos cien años. Llegué al extremo de pedir que se exhortase a aparecer a algunos labradores ingleses del viejo cuño, en un tiempo tan famosos por la sencillez de sus costumbres, sus alimentos y sus trajes; por la rectitud de su conducta, por su verdadero espíritu de libertad, por su valor y por su cariño a la patria. No puedo menos de conmoverme al comparar los vivos con los muertos, y considerar cómo todas aquellas virtudes naturales las prostituyeron por una moneda los nietos de quienes las ostentaron, vendiendo sus votos, amañando las elecciones y, con ello, adquiriendo todos los vicios y toda la corrupción que en una corte sea dado aprender.

CAPITULO IX

El autor regresa a Maldonado. — Se embarca para el reino de Luggnagg. — El autor, reducido a prisión. — La corte envía a buscarle. — Modo en que fue recibido. — La gran benevolencia del rey para sus súbditos.

Llegado el día de nuestra marcha, me despedí de Su Alteza el gobernador de Glubbdrubdrib y regresé con mis dos acompañantes a Maldonado, donde a la semana de espera hubo un barco listo para Luggnagg. Los dos caballeros y algunos más llevaron su generosidad y cortesía hasta proporcionarme algunas provisiones y despedirme a bordo. Tardamos en la travesía un mes. Nos alcanzó una violenta tempestad, y tuvimos que tomar rumbo al Oeste para encontrar el viento general, que sopla más de sesenta leguas. El 21 de abril de 1708 llegábamos a Río Clumegnig, puerto situado al Sudeste de Luggnagg. Echamos el ancla a una legua de la ciudad e hicimos señas de que se acercase un práctico. En menos de media hora vinieron dos a bordo y nos llevaron por entre rocas y bajíos muy peligrosos a una concha donde podía fondear una flota a salvo y que estaba como a un largo de cable de la muralla de la ciudad.

Algunos de nuestros marineros, fuese por traición o por inadvertencia, habían enterado a los prácticos de que yo era extranjero y viajero de alguna cuenta, de lo cual informaron éstos al oficial de la aduana, que me examinó muy detenidamente al saltar a tierra. Este oficial me habló en

237

el idioma de Balnibarbi, que, por razón de mucho comercio, conoce en aquella ciudad casi todo el mundo, especialmente los marineros y los empleados de aduanas. Le di breve cuenta de algunos detalles, haciendo mi relación tan espaciosa y sólida como pude; pero creí necesario ocultar mi nacionalidad, cambiándomela por la de holandés, porque tenía propósito de ir al Japón y sabía que los holandeses eran los únicos europeos a quienes se admite en aquel reino. De suerte que dije al oficial que habiendo naufragado en la costa de Balnibarbi y estrellándose la embarcación contra una roca, me recibieron en Laputa, la isla volante —de la que él había oído hablar con frecuencia—, e intentaba a la hora presente llegar al Japón, para de allí regresar a mi país cuando se me ofreciera oportunidad. El oficial me dijo que había de quedar preso hasta que él recibiese órdenes de la corte, adonde escribiría inmediatamente, y que esperaba recibir respuesta en quince días. Me llevaron a un cómodo alojamiento y me pusieron centinela a la puerta; sin embargo, tenía el desahogo de un hermoso jardín y me trataban con bastante humanidad, aparte de correr a cargo del rey mi mantenimiento. Me visitaron varias personas, llevadas principalmente de su curiosidad, porque se cundió que llegaba de países muy remotos de que no habían oído hablar nunca.

Asalarié en calidad de intérprete a un joven que había ido en el mismo barco; era natural de Luggnagg, pero había vivido varios años en Maldonado y era consumado maestro en ambas lenguas. Con su ayuda pude mantener conversación con quienes acudían a visitarme, aunque ésta consistía sólo en sus preguntas y mis contestaciones.

En el tiempo esperado, aproximadamente, llegó el despacho de la corte. Contenía una cédula para que me llevasen con mi acompañamiento a Traldragdubb o Trildrogdrib —pues de ambas maneras se pronuncia, según creo recordar—, guardado por una partida de diez hombres de a caballo. Todo mi acompañamiento se reducía al pobre muchacho que me servía de intérprete, y a quien pude persuadir de que quedase a mi servicio; y gracias a mis humildes súplicas se nos dio a cada uno una mula para el camino. Se despachó a un mensajero media jornada delante de nosotros para que diese al rey noticia de mi próxima llegada y rogar a Su Majestad que se dignase señalar el día y la hora en que hubiera de tener la graciosa complacencia de permitirme el honor de lamer el polvo de delante de su escabel. Este es el estilo de la corte y, según tuve ocasión de apreciar, algo más que una simple fórmula, pues al ser recibido dos días después de mi llegada, se me ordenó arrastrarme sobre el vientre y lamer el suelo conforme avanzase; pero teniendo en cuenta que era extranjero, se había cuidado de limpiar el piso, de tal suerte que el polvo no resultaba muy molesto. Sin embargo, esta era una gracia especial, sólo dispensada a personas del más alto rango cuando solicitaban audiencia. Es más: algunas veces, cuando la persona que ha de ser recibida tiene poderosos enemigos en la corte, se esparce polvo en el suelo de propósito; y yo he visto un gran señor con la boca de tal modo atracada, que cuando se hubo arrastrado hasta la distancia conveniente del trono, no pudo hablar una palabra siquiera. Y lo peor es que no hay remedio, porque es delito capital en quienes son admitidos a audiencia escupir o limpiarse la boca en presencia de Su Majestad.

He aquí otra costumbre con la que no puedo mostrarme del todo conforme: cuando el rey determina dar muerte a alguno de sus nobles, de suave e indulgente manera, manda que sea esparcido por el suelo cierto polvo oscuro de mortífera composición, y que infaliblemente mata a quien lo lame en el término de veinticuatro horas. Pero, haciendo justicia a la gran clemencia de este príncipe y al cuidado que tiene con la vida de sus súbditos —en lo que sería muy de desear que le imitasen los de Europa—, ha de decirse en su honor que hay dada severa orden para que después de cada ejecución de estas se frieguen bien las partes del suelo inficionadas, y si los criados se descuidasen correrían el peligro de incurrir en el real desagrado. Yo mismo oí al rey dar instrucciones para que se azotase a uno de sus pajes porque, correspondiéndole ocuparse de la limpieza del suelo después de una ejecución, dejó de hacerlo por mala voluntad, y efecto de esta negligencia, un joven caballero en quien se fundaban grandes esperanzas, al ser recibido en audiencia, fue desgraciadamente envenenado, sin que en aquella ocasión estuviese en el ánimo del rey quitarle la vida. Pero este buen príncipe era tan benévolo que perdonó los azotes al pobre paje bajo la promesa de que no volvería a hacerlo sin órdenes especiales.

Dejando este digresión: cuando me había arrastrado hasta cuatro yardas del trono, me enderecé dulcemente sobre las rodillas, y luego, golpeando siete veces con la frente en el suelo, pronuncié las siguientes palabras, que me habían enseñado la noche antes: *Ickpling glofftrobb squut seruri Clihiop mlashnalt zwin tnodbalkuffh slhiophad gurdlubh asht.* Este es el cumplimiento establecido por las leyes del país para todas las personas admitidas a la presencia del rey. Puede trasladarse al español de este modo: «Pueda Vuestra Celeste Majestad sobrevivir al sol once meses y medio.» A esto el rey me dio una respuesta que no pude entender, pero a la que repliqué conforme a la instrucción recibida: *Fluft drin yalerick dwuldom prastrad mirpush*, que puntualmente significa: «Mi lengua está en la boca de mi amigo.» Con esta expresión di a comprender que suplicaba licencia para que mi intérprete pasara; el joven de que ya he hecho mención fue, en consecuencia, introducido, y con su intervención respondí a cuantas preguntas quiso hacerme Su Majestad en más de una hora. Yo hablaba en lengua balnibarba y mi intérprete traducía el sentido a la de Luggnagg.

Le sirvió de mucho agrado al rey mi compañía y ordenó a su *bliffmarklub*, o sea, su gran chambelán, que se me habilitase en palacio un alojamiento para mí y mi intérprete, con una asignación diaria para la mesa y una gran bolsa de oro para mis gastos ordinarios.

CAPITULO X

Elogio de los luggnaggianos. — Detalle y descripción de los struldbrugs, con numerosas pláticas entre el autor y varias personas eminentes acerca de este asunto.

Los luggnaggianos son gente amable y generosa, y aunque no dejan de participar algo del orgullo que es peculiar a todos los países orientales, se muestran corteses con los extranjeros, especialmente con aquellos a quienes favorece la corte. Hice amistad con personas del mejor tono, y, siempre acompañado de mi intérprete, tuve con ellas conversaciones no desagradables.

Un día, hallándome en muy buena compañía, me preguntó una persona de calidad si había visto a alguno de los struldbrugs, que quiere decir inmortales. Dije que no, y le supliqué que me explicase qué significaba tal nombre aplicado a una criatura mortal. Hízome saber que de vez en cuando, aunque muy raramente, acontecía nacer en una familia un niño con una mancha circular roja en la frente, encima de la ceja izquierda, lo que era infalible señal de que no moriría nunca. La mancha, por la descripción que hizo, era como el círculo de una moneda de plata de tres peniques, pero con el tiempo se agrandaba y cambiaba de color. Así, a los doce años se hacía verde, y de este color continuaba hasta los veinticinco, en que se tornaba azul oscuro; a los cuarenta y cinco se volvía negra como el carbón y del tamaño de un chelín inglés, y ya no sufría nunca más alteraciones. Dijo que estos nacimientos eran tan raros, que no creía que hubiese más de mil ciento struldbrugs de ambos sexos en todo el reino, de los cuales calculaban que estarían en la metrópoli cincuenta, y que figuraba entre el resto una niña nacida hacía unos tres años. Estos productos no eran privativos de familia alguna, sino siempre efecto del azar, y los hijos de los mismos struldbrugs eran mortales, como el común de las gentes.

Reconozco francamente que al oír esta historia me asaltó satisfacción inefable; y como ocurriese que la persona que me la había referido conociera el idioma balnibarbo, que yo hablaba muy bien, no pude contenerme, y prorrumpí en expresiones un poco extravagantes quizá. Exclamaba yo en aquel rapto: «¡Nación feliz ésta, en que cada nacido tiene al menos una contingencia de ser inmortal! ¡Pueblo feliz, que disfruta tantos vivos ejemplos de viejas virtudes y tiene maestros que le instruyan en la sabiduría de pretéritas edades! ¡Pero, felicísimos sobre toda comparación, estos excelentes struldbrugs, que, nacidos aparte de la calamidad universal que pesa sobre la naturaleza humana, gozan de entendimientos libres y despejados, no sometidos a la carga y depresión de espíritu causada por el continuo temor de muerte!» Manifesté mi admiración de no haber visto en la corte ninguna de estas personas ilustres; la mancha negra en la frente era distinción tan notable, que no era fácil que yo hubiese dejado de advertirla, y, por otra parte, era imposible que un príncipe de tan gran juicio no se sirviese de buen número de tan sabios y capaces consejeros. Sin embargo, quizá la virtud de aquellos reverendos sabios era demasiado austera para la corrupción y las costumbres libertinas de la corte; y a menudo nos muestra la experiencia que los jóvenes son demasiado tercos y volubles para dejarse guiar por los sobrios consejos de los ancianos. De un modo u otro, estaba resuelto, tan pronto como el rey se dignase permitirme el acceso a su real persona y en la primera ocasión, a exponerle mi opinión sobre este asunto con toda franqueza y por extenso, con la ayuda de mi intérprete. Y, se dignase tomar mi consejo o no, a una cosa estaba

ecidido; y era que, habiéndome ofrecido frecuentemente
su Majestad establecimiento en el país, aceptaría con gran-
ísima gratitud la oferta y pasaría allí mi vida en conversación
on aquellos seres superiores, los struldbrugs, si se dignaban
dmitirme a su lado.

El caballero a quien se dirigía mi discurso, en razón a
ue, como ya he advertido, hablaba el idioma de Balnibar-
i, me dijo, con esa especie de sonrisa que generalmente
rocede de piedad por la ignorancia, que tenía a grandísima
entura cualquier ocasión que me indujese a quedarme en
i compañía, y me pidió licencia para explicar a la compañía
e lo que yo había hablado. Se la di, y hablaron buen rato
n su idioma, del que yo no entendía ni sílaba, así como
mpoco podía descubrir en sus rostros la impresión que mi
iscurso les causaba. Después de un breve silencio díjome la
isma persona que sus amigos y míos —que así creyó con-
eniente expresarse— estaban muy satisfechos de las discretas
bservaciones que había hecho yo sobre la gran dicha y las
andes ventajas de la vida inmortal, y deseaban saber de
anera detallada qué norma de vida me hubiese yo trazado
hubiera sido mi suerte nacer struldbrug.

Respondí que era fácil ser elocuente sobre asunto tan
co y agradable, especialmente para mí, que con frecuen-
a me había divertido con visiones de lo que haría si fuese
y, general o gran señor; y, por lo que hacía al caso, mu-
as veces había reconocido de un cabo a otro el sistema
e habría de seguir para emplearme y pasar el tiempo si
viese la seguridad de vivir eternamente.

Si hubiese sido mi suerte venir al mundo straldbrug, por
que se me alcanza de mi propia felicidad al considerar
diferencia entre la vida y la muerte, me hubiese resuel-
, en primer término, y por cualesquiera métodos y artes,
procurarme riquezas. Puedo esperar razonablemente que,
r medio del ahorro y de la buena administración, en dos-
ntos años sería el hombre más acaudalado del reino. En
gundo lugar, me aplicaría desde los primeros años de mi

juventud al estudio de las artes y las ciencias, con lo qu
llegaría en cierto tiempo a aventajar a todos en erudició
Por último, registraría cuidadosamente todo acto y tod
acontecimiento de consecuencia que se produjese en la vid
pública, y pintaría con imparcialidad los caracteres de la
dinastías de príncipes y de los grandes ministros de Esta
do, con observaciones propias sobre cada punto. Escribir
exactamente los varios cambios de costumbres, idioma
modas en el vestido, en la comida y en las diversiones. Co
estas adquisiciones sería un tesoro viviente de conocimien
y sabiduría, y la nación me tendría, ciertamente, por u
oráculo.

No me casaría después de los sesenta años, sino que v
viría en prácticas de caridad, aunque siempre dentro de l
economía. Me entretendría en formar y dirigir los entend
mientos de jóvenes que prometiesen buen fruto, conven
ciéndoles, basado en mis propios recuerdos, experiencias
observaciones, robustecidos por ejemplos numerosos, de
utilidad de la virtud en la vida pública y privada. Pero n
preferencia y mis constantes compañeros estarían en u
grupo de mis propios hermanos en inmortalidad, entre l
cuales escogería una docena, desde los más ancianos has
mis contemporáneos. Si alguno de ellos careciese de medi
de fortuna, yo le asistiría con alojamientos cómodos, in
talados en torno de mis propiedades, y siempre sentaría
mi mesa a varios de ellos, mezclando sólo algunos de l
de mayor mérito de entre vosotros los mortales, a quien
perdería, endurecido por lo dilatado del tiempo, con po
o ningún disgusto, para tratar después lo mismo a su po
teridad; justamente como un hombre encuentra diversi
en el sucederse anual de los claveles y tulipanes de su jard
sin lamentar la pérdida de los que marchitó el año preceden

Estos struldbrugs y yo nos comunicaríamos mutuame
te nuestros recuerdos y observaciones a través del curso
los tiempos; anotaríamos las diversas gradaciones por q
la corrupción se desliza en el mundo y la atajaríamos

244

odos sus pasos, dando a la Humanidad constante aviso e
nstrucción; lo que, unido a la poderosa influencia de nues-
ro propio ejemplo, evitaría probablemente la continua de-
eneración de la naturaleza humana, de que con tanta jus-
cia se han quejado todas las edades.

Añádanse a esto los placeres de ver las varias revolucio-
es de estados e imperios, los cambios del mundo inferior
superior, antiguas ciudades en ruinas y pueblos oscuros
onvertirse en sedes de reyes; famosos ríos reducidos a so-
eros arroyos; el océano dejar unas playas en seco e inva-
ir otras; el descubrimiento de muchos países todavía des-
nocidos; infestar la barbarie las más refinadas naciones
civilizarse las más bárbaras. Vería yo entonces el descu-
rimiento de la longitud, del movimiento perpetuo y de la
edicina universal, y muchos más grandes inventos, llega-
os a la más acabada perfección.

¡Qué maravillosos descubrimientos haríamos en astrono-
ía si pudiésemos sobrevivir a nuestras predicciones y con-
marlas, observando la marcha y el regreso de los cometas,
n los cambios de movimientos del sol, la luna y las estrellas!

Me extendí sobre otros muchos tópicos que fácilmente
e inspiraba el deseo de vida sin fin y de felicidad terrena.
uando hube terminado el total de mi discurso y, como la
z anterior, fue traducido al resto de la compañía, sostu-
eron entre ellos, en el idioma del país, animada charla,
sin algunas risas a mi costa. Por último, el caballero que
bía sido mi intérprete me dijo que los demás le habían
dido que me disuadiese de algunos errores en que había
do por la debilidad común en la humana naturaleza, y
e, por esto mismo, no eran del todo imputables a mí. Ha-
me de que esta raza de struldbrugs era privativa de su
ís, pues no existían tales gentes en Balnibarbi ni en el Japón,
nos ambos en que él había tenido el honor de ser emba-
lor de Su Majestad y donde había encontrado a los na-
ales muy poco dispuestos a creer en la posibilidad del he-
o; y del asombro que yo mostré cuando por vez primera

me habló del asunto, se desprendía que para mí era cosa totalmente nueva y apenas digna de crédito. En los dos reino antes citados, donde durante su residencia había conversad mucho, encontró que una vida larga era el deseo y el anhel universal de la Humanidad. Quien tenía un pie en la tumba era seguro que afianzaba el otro lo más firmemente posible el más viejo tenía aún esperanza de vivir un día más, y mirab la muerte como el más grave de los males, del cual la Natu raleza le impulsaba a apartarse siempre. Sólo en esta isla d Luggnagg era menos ardiente el apetito de vivir, a causa de constante ejemplo que los struldbrugs ofrecían a la vista

El sistema de vida que yo imaginaba era, por lo que m dijo, irracional e injusto, porque suponía una perpetuida de juventud, salud y vigor que ningún hombre podía se tan insensato que esperase, por muy extravagantes que fuese sus deseos. La cuestión, por tanto, no era si un hombre prefer estar siempre en lo mejor de su juventud, acompañado de sa lud y prosperidad, sino cómo le iría en una vida eterna con la desventajas corrientes que la edad avanzada trae consig Aunque pocos hombres confiesen sus deseos de ser inmortal bajo tan duras condiciones, era indudable que en los dos rein antes mencionados de Balnibarbi y del Japón, él halló que tod deseaban alejar la muerte algún tiempo más, que se llega lo más tarde posible siempre, y por excepción oyó hablar algún hombre que muriese voluntariamente, a no ser que a él le impulsase un gran extremo de aflicción o de tortura. apelaba a mí para que dijese si no había observado la misn disposición general en los países por que había viajado, y a en mí mismo.

Después de este prefacio me dio detallada cuenta de cón viven los struldbrugs allí. Díjome que ordinariamente se co ducían como mortales hasta que tenían unos treinta años, luego, gradualmente, iban tornándose melancólicos y abatid más cada vez, hasta llegar a los ochenta. Sabía esto por pr pia confesión, aunque, por otra parte, como en cada époo no nacían arriba de dos o tres de tal especie, era escaso núme para formar con sus confesiones un juicio general. Cuando llegaban a los ochenta años, edad considerada en el país como el término de la vida, no sólo tenían todas las extravagancias y flaquezas de los otros viejos, sino muchas más, nacidas de la perspectiva horrible de no morir nunca. No sólo eran tercos, enojadizos, avaros, ásperos, vanidosos y charlatanes, sino incapaces de amistad y acabados para todo natural afecto, que nunca iba más allá de sus nietos. La envidia y los deseos impotentes constituían sus pasiones predominantes. Pero los objetos que parecían excitar en envidia en primer término eran los vicios más propios de la juventud y la muerte de los viejos. Pensando en los primeros, se encontraban apartados de toda posibilidad de placer, y cuando veían un funeral se lamentaban y afligían de que los otros llegaran a un puerto de descanso al que ellos no podían tener esperanza de arribar nunca. No guardan memoria sino de aquello que aprendieron y observaron en su juventud, y para eso, muy imperfectamente; y por lo que a la verdad o a los detalles de cualquier acontecimiento se refiere, es más seguro confiar en las tradiciones comunes que en sus más firmes recuerdos. Los menos miserables parecen los que caen en la chochez y pierden enteramente la memoria; éstos encuentran más piedad y ayuda porque carecen de las malas cualidades en que abundan los otros.

Si sucede que un struldbrug se casa con una mujer de su misma condición, el matrimonio queda disuelto, por merced del reino, tan pronto como el más joven de los dos llega a los ochenta años, pues estima la ley, razonable indulgencia, no doblar la miseria de aquellos que, sin culpa alguna de su parte, están condenados a perpetua permanencia en el mundo con la carga de una esposa.

Tan pronto como han cumplido los ochenta años se les considera legalmente como muertos; sus haciendas pasan a los herederos, dejándoles sólo una pequeña porción para su subsistencia, y los pobres son mantenidos a cargo del erario común. Pasado este término, quedan incapacitados para todo empleo de confianza o de utilidad; no pueden comprar tierras ni hacer contratos de arriendo, ni se les permite ser testigos en ninguna causa civil ni criminal, aunque sea para la determinación de linderos y confines.

A los noventa años se les caen los dientes y el pelo. A esta edad han perdido el paladar, y comen y beben lo que tienen, sin gusto, sin apetito. Las enfermedades que padecían siguen sin aumento ni disminución. Cuando hablan olvidan las denominaciones corrientes de las cosas y los nombres de las personas, aun de aquellas que son sus más íntimos amigos y sus más cercanos parientes. Por la misma razón, no pueden divertirse leyendo, ya que la memoria no puede sostener su atención del principio al fin de una sentencia, y este defecto les priva de la única diversión a que sin él podrían entregarse.

Como el idioma del país está en continua mudanza, los struldbrugs de una época no entienden a los de otra, ni tampoco pueden, pasados los doscientos años, mantener una conversación que exceda de unas cuantas palabras corrientes con sus vecinos los mortales, y así, padecen la desventaja de vivir como extranjeros en su país.

Tal fue la cuenta que me dieron acerca de los struldbrugs, por lo que puedo recordar. Después vi a cinco o seis de edades diferentes, que en varias veces me llevaron algunos de mis amigos; pero aunque les manifestaron que yo era un gran viajero y había visto todo el mundo, no tuvieron la curiosidad de hacerme la más pequeña pregunta. Sólo me rogaron que les diese *slumskudask*, o sea, un pequeño recuerdo, lo que constituye una manera modesta de mendigar burlando la ley, que se lo prohibe rigurosamente, puesto que son atendidos por el país, aunque con una muy pequeña asignación por cierto.

La gente de todas clases los desprecia y los odia. Su nacimiento se considera siniestro y se anota muy atentamente; así, puede saberse la edad de cada uno consultando los registros; pero éstos no se llevan hace más que mil años, o, al menos, han sido destruidos por el tiempo o por desórdenes públicos. Mas el procedimiento usual de calcular la edad que tienen es preguntarles de qué reyes o grandes personajes recuerdan, y luego consultar la historia, pues, infaliblemente, el último príncipe que tienen en la memoria, no empezó a reinar después de haber cumplido ellos los ochenta años.

Constituían el espectáculo más doloroso que he contemplado en mi vida, y las mujeres más aún que los hombres. Sobre las deformidades naturales en la vejez extrema, adquirían una cadavérica palidez, más acentuada cuantos más años tenían, de que no puede darse idea con palabras. Entre media docena distinguí en seguida cuál era la más vieja, aunque no se llevaban unas de otras arriba de un siglo o dos.

El lector podrá con facilidad creer que, a causa de lo que acababa de mirar y oír, menguó mucho mi apetito de vivir eternamente. Me avergoncé muy de veras de las agradables ilusiones que había concebido, y pensé que no había tirano capaz de inventar una muerte en que yo no me precipitase con gusto huyendo de tal vida. Supo el rey todo lo pasado entre mis amigos y yo, e hizo de mí gran donaire. Díjome que sería de desear que enviase a mi país una pareja de struldbrugs para armar a nuestras gentes contra el miedo a la muerte. Pero esto, a lo que parece, está prohibido por las leyes fundamentales del reino; de otro modo, hubiese echado sobre mí con gusto el precio y la molestia de transportarlos.

Tuve que convenir en que las leyes de aquel reino relativas a los struldbrugs estaban fundadas en las más sólidas razones, y que las mismas dictaría cualquier otro país en análogas circunstancias. De otra manera, como la avaricia es la necesaria consecuencia de la vejez, aquellos inmortales acabarían con el tiempo por ser propietarios de toda la nación, y monopolizar el poder civil, lo que, por falta de disposiciones para administrar, terminaría en la ruina de todos los demás.

CAPITULO XI

El autor abandona Luggnagg y embarca para el Japón. — Desde allí regresa a Amsterdam en un barco holandés, y desde Amsterdam, a Inglaterra

Pensé que este relato sobre los struldbrugs podía ser de algún interés para el lector, porque me parece que se sale de lo acostumbrado; al menos, yo no recuerdo haber visto nada semejante en ningún libro de viajes de los que han llegado a mis manos. Y si me equivoco, sírvame de excusa que es necesario muchas veces a los viajeros que describen el mismo país coincidir en el detenimiento sobre ciertos particulares, sin por ello merecer la censura de haber tomado o copiado de los que antes escribieron.

Hay, ciertamente, constante comercio entre aquel reino y el gran imperio del Japón, y es muy probable que los autores japoneses hayan dado a conocer en algún modo a los struldbrugs; pero mi estancia en el Japón fue tan corta y yo desconocía el lenguaje tan por completo, que no estaba capacitado para hacer investigación ninguna. Confío, sin embargo, en que los holandeses, noticiosos de esto, tendrán curiosidad y méritos suficientes para suplir mis faltas.

Su Majestad, que muchas veces me había instado para que aceptase un empleo en la corte, viéndome absolutamente decidido a volverme a mi país natal, se dignó concederme licencia para partir y me honró recomendándome en una carta de su propia mano al emperador del Japón. Asimismo, me hizo un presente de cuatrocientas cuarenta y cuatro monedas grandes de oro —esta nación se perece por los números, que se leen igual cualquiera que sea el lado por que se comience— y un diamante rojo que vendí en Inglaterra por mil cien libras.

El 6 de mayo de 1709 me despedí solemnemente de Su Majestad y de todos mis amigos. Este príncipe me dispensó la gracia de mandar que una guardia me condujese a Glanguenstald, puerto real, situado en la parte Sudoeste de la isla. A los seis días encontré navío que me llevase al Japón, y tardé en el viaje quince días. Desembarcamos en el pequeño puerto llamado Jamoschi, situado en la parte Sudeste del Japón; la ciudad cae al Oeste, donde hay un estrecho angosto que conduce por el Norte a un largo brazo de mar en cuya parte Noroeste se asienta Yedo, la metrópoli. Al desembarcar mostré a los oficiales de la aduana la carta del rey de Luggnagg para Su Majestad Imperial. Conocían perfectamente el sello, que era de grande como la palma de mi mano, y cuya impresión representaba a un rey levantando del suelo a un mendigo lisiado. Los magistrados de la ciudad, sabedores de que llevaba tal carta sobre mí, me recibieron como a un ministro público; pusieron a mi disposición carruajes y servidumbre y pagaron mis gastos hasta Yedo, donde fui recibido en audiencia. Entregué mi carta, que fue abierta con gran ceremonia, y hablé al emperador por mediación de un intérprete, el cual me dijo, de orden de Su Majestad, que cualquier cosa que pidiese me sería concedida por amor de su real hermano de Luggnagg. Este intérprete se dedicaba a negociar con los holandeses; de mi aspecto dedujo inmediatamente que yo era europeo y repitió las órdenes de Su Majestad en bajo holandés, que hablaba a la perfección. Respondí —como de antemano había pensado— que era un comerciante holandés que había naufragado en un país muy remoto, de donde por mar y tierra había llegado a Luggnagg, y allí embarcado para el Japón, país en el que sabía que mis compatriotas realizaban frecuente comercio. Esperaba tener ocasión de regresar con algunos de ellos a Europa, y, de consiguiente, suplicaba del real favor orden para que me condujesen salvo a Nangasac.

A esto agregué la petición de que, en gracia a mi protector el rey de Luggnagg, permitiese Su Majestad que se me dispensara de la ceremonia de hollar el crucifijo, impuesta a mis compatriotas, pues yo había caído en aquel reino por mis desventuras y no con intención ninguna de traficar. El emperador, cuando le hubieron traducido esta última demanda, se mostró un poco sorprendido y dijo que creía que era el primero de mis compatriotas que había tenido jamás escrúpulo en este punto; tanto, que empezaba a dudar si era holandés o no, y a sospechar que más bien había de ser cristiano. Sin embargo, ante las razones que le daba, y principalmente para obligar al rey de Luggnagg con una muestra excepcional de su favor, consentía en esta rareza de mi genio; pero el asunto debía llevarse con mucho tiento y sus oficiales recibirían orden de dejarme pasar como por olvido, pues me aseguró que si mis compatriotas los holandeses llegaran a descubrir el secreto, me degollarían de fijo en la travesía. Volví a darle gracias, valiéndome del intérprete, por tan excepcional favor; y como en aquel punto y hora se ponían en marcha algunas tropas para Nangasac, el comandante recibió orden de conducirme allá en salvo, con particulares instrucciones respecto del negocio del crucifijo.

El 9 de junio de 1709 llegué a Nangasac, después de muy larga y molesta travesía. Pronto caí en la compañía de unos marineros holandeses pertenecientes al *Amboyna*, de Amsterdam, sólido barco de cuatrocientas cincuenta toneladas. Yo había vivido mucho tiempo en Holanda, con ocasión de hallarme estudiando en Leyden, y hablaba bien el holandés. Los marinos supieron pronto de dónde llegaba y mostraron curiosidad por averiguar mis viajes y mi vida. Les conté una historia tan corta y verosímil como pude, pero ocultando la mayor parte. Conocía muchas personas en Holanda y pude inventar nombres para mis padres, de quienes dije que eran gente oscura de la provincia de Gelderland. Hubiera podido pagar al capitán —un tal Teodoro Vangrult— lo que me hubiese pedido por el viaje a Holanda; pero enterado él de que yo era cirujano, se conformó con la mitad del precio corriente a cambio de que le prestase los servicios de mi profesión. Antes de embarcar me preguntaron muchas veces algunos de los tripulantes si había cumplido la ceremonia a que ya he hecho referencia. Evadí la respuesta diciendo en términos vagos que había satisfecho al emperador y a la corte en todo lo preciso. Sin embargo, un bribonazo paje de escoba se acercó a un oficial y, apuntándome con el dedo, díjole que yo no había aún hollado el crucifijo; pero el otro, ya advertido para dejarme pasar, dio al tunante veinte latigazos en las espaldas con un bambú; después de lo cual no volvió a molestarme nadie con tales preguntas.

No me sucedió en esta travesía nada digno de mención. Navegamos con buen viento hasta el cabo de Buena Esperanza, donde sólo nos detuvimos para hacer aguada. El 16 de abril llegamos salvos a Amsterdam, sin más pérdidas que tres hombres por enfermedad durante el viaje y otro que cayó al mar desde el palo del trinquete, no lejos de la costa de Guinea. En Amsterdam embarqué poco después para Inglaterra en un pequeño navío perteneciente a este país.

El 10 de abril de 1710 entramos en Las Dunas. Desembarqué a la mañana siguiente, y de nuevo vi mi tierra natal, después de una ausencia de cinco años y seis meses justos. Marché directamente a Redriff, adonde llegué el mismo día, a las dos de la tarde, y encontré a mi mujer y familia en buena salud.

CUARTA PARTE

UN VIAJE AL PAIS DE LOS HOUYHNHNMS

CAPITULO PRIMERO

*El autor parte como capitán de un navío. — Sus
hombres se conjuran contra él y le encierran largo
tiempo en su camarote. — Le desembarcan en un país
desconocido. — Se interna en el país. — Descripción
de los yahoos, extraña clase de animales. — El autor
se encuentra con dos houyhnhnms*

Permanecí en casa, con mi mujer y mis hijos, por espacio de cinco meses, en muy feliz estado, sin duda, con sólo
que yo hubiese aprendido a saber cuándo estaba bien. Dejé
a mi pobre esposa embarazada y acepté un ventajoso ofrecimiento que se me hizo para ser capitán del *Adventure*, sólido
barco mercante de trescientas cincuenta toneladas. Conocía
bien el arte de navegar, y, hallándome cansado del cargo de
médico de a bordo —que de todos modos podía ejercer llegada la ocasión—, tomé en mi barco a un inteligente joven de
mi mismo oficio, de nombre Robert Purefoy. Nos hicimos a la
vela en Portsmouth el día 2 de agosto de 1710; el 14 nos encontramos en Tenerife con el capitán Pocock, de Brístol, que
iba a la bahía de Campeche a cortar palo de tinte. El 16 le
separó de nosotros una tempestad; a mi regreso supe que el
barco se fue a pique y sólo se salvó un paje. El capitán Pocock
era un hombre honrado y un buen marino, pero terco con
exceso en sus opiniones, y ésta fue la causa de su fin, como ha

sido la del de tantos otros. Si hubiese seguido mi consejo, a estas horas estaría sano y salvo con su familia, en su casa, igual como lo estoy yo.

En mi barco murieron de calenturas varios hombres, hasta el punto de que tuve que reclutar gente en las islas Barbada y Leeward, donde toqué por instrucción de los comerciantes que me habían comisionado; pero pronto tuve ocasión de arrepentirme, pues supe que la mayor parte de los reclutados habían sido filibusteros. Llevaba yo a bordo cincuenta manos, y mis órdenes eran comerciar con los indios en el mar del Sur y hacer los descubrimientos que pudiese. Los bribones que había recogido me corrompieron a los demás hombres y todos ellos se conjuraron para apoderarse del barco y hacerme prisionero, lo que realizaron una mañana irrumpiendo en mi camarote, atándome de pies y manos y amenazándome con lanzarme al mar si se me ocurría moverme. Les dije que era su prisionero y obedecería. Me hicieron jurarlo y después me desataron, dejándome sujeto solamente por un pie con una cadena, cerca de mi cama, y me pusieron a la puerta un centinela con el fusil cargado y orden de matarme de un tiro si pretendía escapar. Me bajaron de comer y beber y se apoderaron del gobierno del barco. Su designio era hacerse piratas y saquear a los españoles, lo que no podían emprender hasta tener más gente. Determinaron vender primero las mercancías que llevaba el buque e ir luego a Madagascar para reclutar hombres, pues varios de ellos habían muerto durante mi prisión. Navegaron muchas semanas y traficaron con los indios; pero yo ignoraba el rumbo que seguían, reducido estrechamente como estaba a mi camarote, sin más esperanza que morir asesinado, conforme a las frecuentes amenazas de que era objeto.

El día 9 de mayo de 1711, un tal James Welch bajó a mi camarote y me dijo que había recibido del capitán orden de desembarcarme. Discutí con él, pero en vano; ni siquiera quiso decirme quién era su nuevo capitán. Me forzó a entrar en la lancha, después de permitir me pusiera mi mejor traje, que estaba nuevo, y coger un atadijo de ropa blanca; pero no armas, salvo mi alfanje. Y fueron tan amables, que no me registraron los bolsillos, donde yo me había guardado todo el dinero que tenía y algunas cosillas de mi uso. Remaron cosa de una legua y me desembarcaron en una playa. Les supliqué me dijesen qué país era aquél; todos me juraron que lo ignoraban tanto como yo; sólo sabían que su capitán —como ellos decían— había resuelto, después de vender la carga, deshacerse de mí en el primer punto donde descubriese tierra. Se apartaron en seguida, recomendándome que me apresurase para que la marea no me alcanzara, y de este modo se despidieron de mí.

En esta lamentable situación avancé y pronto pisé tierra firme; me senté en un montón de arena para descansar y pensar cuál sería mi mejor partido. Cuando hube descansado un poco, me interné en el país, resuelto a entregarme a los primeros salvajes que encontrara y comprar mi vida con algunos brazaletes, anillos de vidrio y otras chucherías de las que generalmente llevan los marinos en esta clase de viajes, y yo conservaba algunas conmigo. Cortaban la tierra largas filas de árboles, no plantados con regularidad, sino nacidos naturalmente; había hierba en gran cantidad y varios campos de avena. Andaba yo con gran precaución, temeroso de verme sorprendido o herido de pronto por una flecha que me disparasen por detrás o por un lado. Entré en un camino muy trillado, donde se veían numerosas pisadas humanas, algunas de vacas, y de caballos muchas más. Por fin descubrí varios animales en un campo, y uno o dos de la misma especie subidos en árboles. Su facha irregular y disforme me inquietó bastante, hasta tal punto que me tumbé detrás de una espesura para examinarlos mejor. La circunstancia de venir algunos hacia el sitio en que yo yacía, me dio ocasión de apreciar su forma exactamente. Tenían la cabeza y el pecho cubiertos de espeso pelambre, rizado en unos y laso en otros; sus barbas eran de cabra, y largos mechones de pelo les caían por los lomos y les cubrían la parte anterior de las patas y los pies; pero el resto del cuerpo lo tenían desnudo y me dejaba verles la piel, de un color amarillento oscuro. No tenían cola y solían sentarse y tumbarse; con frecuencia se sostenían en los pies traseros. Trepaban a los árboles más altos con prontitud de ardilla, para lo cual contaban con grandes garras abiertas en las cuatro extremidades, ganchudas y de puntas afiladas. A menudo daban brincos, botes y saltos con prodigiosa agilidad. Las hembras no eran tan grandes como los machos; tenían en la cabeza pelo largo y laso, pero ninguno en la cara, ni más que una especie de vello en el resto del cuerpo. El pelo era en ambos sexos de varios colores: moreno, rojo, negro, amarillo. En conjunto, nunca vi en mis viajes animal tan desagradable ni que me inspirase tan honda repugnancia. Así, creyendo haber visto bastante, lleno de desprecio y aversión, me levanté y seguí el camino con la esperanza de que me llevase a la cabaña del algún indio. No había andado mucho, cuando encontré que me cerraba el camino y venía directamente hacia mí uno de los animales que he descrito. El horrible monstruo, al verme, torció repetidamente todas las facciones de su cara y quedó mirándome fijamente, como a algo que no hubiese visto en su vida; y luego, acercándoseme más, levantó la pata delantera, no sé si llevado de curiosidad o de malas intenciones. Yo saqué mi alfanje y le di un buen golpe de plano, no atreviéndome a darle con el filo por si los habitantes se enconaban contra mí al saber que había muerto o dejado inútil a una pieza de su ganado. Cuando la bestia sintió el golpe se hizo atrás y rugió tan fuerte, que una manada de cuarenta, lo menos, se vino en tropel sobre mí desde el campo inmediato, aullando y haciendo gestos horribles; pero yo corrí al tronco de un árbol, y guardándome con él la espalda, los contuve a distancia blandiendo el alfanje.

En medio de este apuro, vi que todos echaban a correr de repente con la mayor velocidad de que eran capaces; con lo cual yo me arriesgué a separarme del árbol y seguir el camino, admirado de qué podría haber sido lo que los asustase de tal modo. Pero mirando hacia mi siniestra mano, vi un caballo que marchaba por el campo reposadamente, y que, visto antes que por mí por mis perseguidores, era la causa de su huida. El caballo se estremeció un poco cuando llegó cerca de mí, pero se recobró pronto y me miró cara a cara con manifiestos signos de asombro; me inspeccionó las manos y los pies dando varias vueltas a mi alrededor. Quise continuar mi marcha; pero él se atravesó en mi camino, aunque con actitud muy apacible y sin intención alguna de violencia en ningún momento. Permanecimos un rato mirándonos con atención; por fin, me atreví a alargar la mano hacia su cuello con propósito de acariciarle, empleando el sistema y el silbido de los *jockeys* cuando se preparan a montar un caballo que no conocen. Pero este animal pareció recibir con desdén mis atenciones; movió la cabeza y arqueó las cejas, al tiempo que levantaba suavemente la mano derecha como si quisiera desviar la mía. Después relinchó tres o cuatro veces, pero con cadencias tan distintas que casi empecé a pensar que estaba hablándose a sí mismo en algún idioma propio.

Cuando en éstas nos hallábamos él y yo, llegó otro caballo, el cual se acercó al primero con muy ceremoniosas maneras, y ambos chocaron suavemente entre sí el casco derecho delantero, al tiempo que relinchaban por turno varias veces y cambiando el tono, que casi parecía articulado. Se apartaron unos pasos como para conferenciar, y pasearon uno al lado del otro, yendo y viniendo al modo de personas que deliberasen sobre algún asunto de cuenta, pero volviendo la vista frecuentemente hacia mí, como para vigilar que no me escápara. Yo estaba asombrado de ver semejantes acciones y conducta en bestias irracionales, y tuve para mí que si los habitantes de aquella tierra estaban dotados de un grado proporcional de entendimiento, habrían de ser las gentes más sabias que pudieran encontrarse en el mundo. Este pensamiento me procuró tanto alivio, que resolví seguir adelante hasta encontrar alguna casa o aldea, o tropezar a alguno de los naturales dejando a los dos caballos que discurriesen juntos cuanto qusieran. Pero el primero, que por cierto era rucio rodado, al ver que me escapaba, me relinchó de manera tan expresiva que me imaginé entender lo que quería decirme. En vista de ello me volví y me acerqué a él para esperar sus ulteriores órdenes, ocultando mi temor cuanto me era posible, pues empezaba a darme algún cuidado cómo podría terminar aquella aventura. Y el lector creerá sin trabajo que no me encontraba muy a gusto en tal situación.

Los dos caballos se me aproximaron y me miraron la cara y las manos con gran interés. El rucio restregó mi sombrero todo alrededor con el casco derecho y lo descompuso de tal modo que tuve que arreglarlo, para lo cual me lo quité, volviendo a ponérmelo luego. A él y a su compañero —que era bayo oscuro— pareció causarle esto gran sorpresa; el último tocó la vuelta de mi casaca, y al encontrarse con que me colgaba suelta por encima, hicieron los dos grandes extremos de asombro. Me acarició la mano derecha con señales de admirar la suavidad y el color, pero me la apretó tan fuertemente entre el casco y la cuartilla, que me arrancó un grito; desde entonces me tocaron con toda la dulzura posible. Les producían perplejidad enorme mis zapatos y medias, que palparon muchas veces, relinchándose uno a otro y haciendo diversos gestos no desemejantes de los que hiciera un filósofo que intentara explicarse algún fenómeno nuevo y difícil de entender.

En suma: el proceder de aquellos animales era tan ordenado y racional, tan agudo y discreto, que, por último, concluí que habían de ser mágicos que con ciertos fines se hubieran metamorfoseado y que, encontrando a un extranjero en su camino, hubiesen querido holgarse con él, o quizá que realmente se sorprendieran a la vista de un hombre tan diferente, por su traje, su semblante y su tez, de los que era probable que hubiese en clima tan remoto. Tomando fundamento de estas razones, me aventuré a dirigirme a ellos en la manera siguiente: «Caballeros: si sois encantadores, como tengo serios motivos para suponer, entenderéis todos los idiomas; de consiguiente, me permito comunicar a vuestras señorías que yo soy un pobre inglés afligido, lanzado por mis desventuras a vuestra playa; y rogar que uno de los dos me deje ir en su lomo, como si fuese un caballo verdadero, hasta alguna casa o aldea donde pueda ser remediado. Y en pago de este favor, yo os regalaré este cuchillo y este brazalete», y lo saqué del bolsillo al mismo tiempo. Los dos animales guardaron silencio mientras yo hablaba, con muestra de escucharme muy atentamente, y cuando hube terminado relincharon repetidamente cada uno, dirigiéndose al otro, como si mantuviesen una seria conversación. Observé con toda claridad que su lenguaje expresaba muy bien las pasiones, y las palabras hubiesen podido reducirse sin gran trabajo a un alfabeto más fácilmente que el chino.

Pude distinguir frecuentemente la palabra *yahoo*, que los dos repitieron varias veces; y aunque me fuera imposible conjeturar lo que significaba, mientras los dos caballos estaban entregados a su conversación, yo intenté ejercitar en mi lengua esa palabra; y tan pronto como callaron pronuncié yahoo descaradamente, en voz alta e imitando al mismo tiempo lo mejor que supe el relincho de un caballo. Los dos quedaron visiblemente sorprendidos, y el rucio repitió la misma palabra dos veces, como si quisiera enseñarme la pronunciación correcta; yo la imité después lo mejor que pude, y aprecié que progresaba perceptiblemente, aunque muy lejos todavía de todo grado de perfección. Luego el bayo me puso a prueba con una segunda palabra mucho más dura de pronunciar, pero que reducida a la ortografía inglesa, pudiera deletrearse así: *houyhnhnm*. No fui con ésta tan afortunado como con la anterior; pero después de dos o tres ensayos más di con ella, y los dos caballos se mostraron muy admirados de mi capacidad.

Luego de cambiar nuevos discursos, que yo calculé referirse a mí, los dos amigos se despidieron con el mismo cumplimiento de chocar los cascos, y el rucio me hizo señas de que marchase delante de él, lo que juzgué prudente hacer en tanto que encontraba un más conveniente director. Se me ocurrió aflojar el paso, y él me gritó: *Hhuun, hhuun;* adiviné el sentido, y dile a entender como pude que estaba cansado y no podía andar más de prisa, con lo cual se paró un rato para dejarme descansar.

CAPITULO II

El autor, conducido por un houyhnhnm a su casa. —
Descripción de la casa. — Recibimiento al autor. —
La comida de los houyhnhnms. — El autor, apurado
por falta de alimento, es socorrido al fin. — Su régi-
men alimenticio en este país.

Al cabo de unas tres millas de marcha, llegamos a una
especie de gran edificio, hecho de troncos clavados en el
suelo y atravesados encima; el techo era bajo y estaba cubierto de paja. Empecé a sentir cierto alivio y saqué algunas chucherías de las que los viajeros suelen llevar como
regalos a los salvajes de las Indias de América y de otros
puntos, con la esperanza de que pudieran servir de acicate
a las gentes de aquella casa para recibirme amablemente.
El caballo me hizo seña de que pasara yo delante; entré
en una estancia grande con piso de arcilla lustrada y un
enrejado con heno y un pesebre, que se extendían a todo
lo largo de una de las paredes. Había tres jacas y dos yeguas no comiendo, algunas más sentadas sobre los corve-
jones, lo que me produjo gran asombro. Pero lo que me asombró más fue ver que las otras estaban dedicadas a trabajos
domésticos. Su aspecto era el de ganado corriente; sin embargo, lo que veía confirmó mi primer juicio de que un pueblo
que llegaba a civilizar hasta tal punto brutos irracionales,
por fuerza había de exceder en sabiduría a todas las naciones
del mundo. El rucio entró detrás de mí y evitó así cualquier
mal trato de que los otros hubieran podido hacerme víctima.

Les relinchó varias veces con tono autoritario y fue respondido.

Más allá de esta habitación había otras tres que comprendían todo el largo de la casa, a las cuales se pasaba por tres puertas, dispuestas una enfrente de otra, como en un rompimiento. Atravesamos la segunda con dirección a la tercera; aquí el rucio entró delante, haciéndome con la cabeza seña de que esperara. Aguardé en la segunda estancia y dispuse mis presentes para el dueño y la dueña de la casa; consistían en dos cuchillos, tres brazaletes de perlas falsas, un pequeño anteojo y un collar de cuentas. El caballo relinchó tres o cuatro veces, y yo esperaba oír en respuesta una voz humana; pero no advertí más que contestaciones en el mismo dialecto, diferentes sólo en ser, una o dos, algo más agudas y penetrantes. Comenzaba yo a pensar que aquella casa debía de pertenecer a alguna persona de mucha nota en el país, ya que tanta ceremonia había que usar antes de que se me concediese audiencia. Pero iba más allá de mis alcances, que un hombre de calidad estuviese servido solamente por caballos. Llegué a temer que se me hubiera turbado el juicio a fuerza de sufrimientos y desdichas; hice por serenarme y miré en torno mío por la estancia en que me habían dejado solo. Estaba amueblada como la primera, aunque de modo más elegante. Me froté los ojos, pero persistían los mismos objetos. Me pellizqué los brazos y los costados para despertarme, creyendo que todo era un sueño. Por fin deduje, sin lugar a duda, que todas aquellas apariencias no podían ser otra cosa que obra de magia y nigromancia. Pero no tuve tiempo de llevar más adelante mis reflexiones, porque el caballo rucio apareció en la puerta y me hizo seña de que le siguiese al tercer aposento, donde vi una muy hermosa yegua en compañía de un potro y de una cría pequeña, sentados todos sobre las ancas en esteras de paja, no desmañadamente hechas y perfectamente limpias y aseadas.

A poco de entrar yo, se levantó la yegua de su estera, acercose a mí y, luego de haberme examinado muy cuidadosamente las manos y la cara, me dirigió una mirada de desprecio; volviose al caballo y oí que entrambos repetían la palabra *yahoo* frecuentemente, palabra cuyo significado no comprendía yo aún, a pesar de ser la primera que había aprendido a pronunciar. Pero pronto quedé mejor enterado, para eterna mortificación mía; pues el caballo, haciéndome signo con la cabeza y repitiendo la palabra *hhuun*, *hhuun*, como había hecho en el camino, y yo comprendía significar que le acompañase, me sacó a una especie de patio, donde se levantaba otro edificio, a alguna distancia de la casa. En él entramos, y vi tres de aquellos detestables animales que habían sido mi primer encuentro después de tomar tierra, comiendo raíces y carne de algunos animales; asno y perros, según supe después, y a la vez una vaca muerta por accidente o enfermedad. Estaban atados por el cuello a una viga con fuertes mimbres; sujetaban la comida entre las garras de las patas delanteras y la destrozaban con los dientes.

El caballo amo mandó a una jaca alazana, que era uno de los criados, que desatase al mayor de aquellos animales y lo sacase al patio. Nos pusieron juntos a la bestia y a mí, y amo y criado compararon diligentemente nuestra fisonomía, repitiendo muchas veces, conforme lo hacían, la palabra *yahoo*. Es imposible pintar el horror y el asombro que sentí cuando aprecié en aquel animal abominable una perfecta figura humana. Cierto que el rostro era ancho y achatado, la nariz hundida, los labios gruesos y la boca grande; pero estas diferencias son comunes a todas las naciones salvajes, donde las facciones de la cara se desfiguran por dejar los naturales a sus hijos que se arrastren contra el suelo o por llevarlos a la espalda con las caras aplastadas contra los hombros de la madre. Las patas delanteras del yahoo no se diferenciaban de mis manos sino en la longitud de las uñas, la aspereza y oscuridad de las palmas y lo peludo de los dorsos. Las mismas semejanzas con las mismas diferencias había entre nuestros pies, cosa que yo sabía perfectamente, pero no los caballos, a causa de mis zapatos y medias; las mismas entre todas las partes de nuestros cuerpos, excepto por lo que toca al pelambre y el color que ya he descrito anteriormente.

Lo que parecía causar gran perplejidad a los dos caballos era ver el resto de mi cuerpo tan diferente del de un yahoo, lo que yo tenía que agradecer a mi vestido, aunque ellos no tuviesen del hecho la menor idea. El potro alazán me ofreció una raíz, sujetándola, según su modo y conforme a lo descrito en el lugar oportuno, entre el casco y la cuartilla; yo la tomé en la mano, y después de olerla se la devolví con toda la corrección que pude. Sacó de la covacha del yahoo un trozo de carne de burro, tan maloliente que me hizo apartar la cara con repugnancia; se la arrojó entonces al yahoo, que la devoró ansiosamente. Me presentó luego un manojo de heno y una cerneja llena de avena; pero yo moví la cabeza en señal de que ninguna de las dos cosas era comida propia para mí. Y muy de veras me saltó el temor de morirme de hambre si no acertaba a encontrar algún ser de mi misma especie, pues por lo que hacía a aquellos inmundos yahoos, aunque por aquel tiempo había pocos amantes de la Humanidad más ardientes que yo, confieso que no vi nunca un ser sensible tan detestable en todos los aspectos; y durante toda mi estancia en aquel país, cuanto más me acercaba a ellos, más aborrecibles se me hacían. Deduciéndolo así el caballo amo de mi comportamiento, envió nuevamente al yahoo a su covacha. Luego se llevó el casco delantero a la boca, lo cual me sorprendió mucho, aunque lo hizo fácilmente y con movimiento que parecía perfectamente natural, e hizo asimismo otras señas encaminadas a que yo dijese qué comería. Pero yo no podía responderle de modo que me entendiera, ni aunque me hubiese entendido veía la posibilidad de que allá se encontrase alimento para mí. Cuando estábamos en éstas, vi pasar cerca una vaca; apunté hacia ella y expresé el deseo de que me permitiese ir a ordeñarla. La cosa surtió su efecto, pues el caballo me llevó otra vez a la casa y mandó a una yegua criada que abriese una pieza, donde había buen repuesto de leche en vasijas de barro y de madera, dispuestas muy ordenada y limpiamente. La yegua me dio un gran bol lleno, del que yo bebí con muy buena gana, y me sentí muy restaurado.

A eso de las doce del día vi venir hacia la casa una especie de vehículo arrastrado, como un trineo, por cuatro yahoos. Iba en él un hermoso caballo viejo, que parecía de calidad; se apeó apoyándose en los cuartos traseros, pues un accidente le tenía herida una pata delantera. Venía a comer con nuestro caballo, que le recibió con gran cortesía. Comieron en la mejor estancia y tuvieron de segundo plato avena cocida con leche, que el caballo viejo comió caliente y los demás en frío. Habían dispuesto los pesebres circularmente en medio de la pieza y dividídolos en varios compartimientos, y alrededor se habían sentado sobre las ancas en montones de paja. En el centro había un enrejado de madera lleno de heno, con ángulos correspondientes a cada partición del pesebre; así, que cada caballo o yegua comía de su propio heno y su propia mezcla de avena y leche, con mucha limpieza y regularidad. Las jacas y las crías observaban conducta muy respetuosa, y el dueño y la dueña se deshacían en amables extremos con su huésped. El rucio me mandó que me pusiera a su lado, y él y su amigo tuvieron larga conversación referente a mí, según pude conocer en que el invitado me miraba con frecuencia y en la frecuente repetición de la palabra *yahoo*.

Se me ocurrió ponerme los guantes, lo que pareció sorprender grandemente al rucio amo, que mostraba con señales de asombro lo que yo me había hecho en las patas delanteras; llevó a ellas el casco tres o cuatro veces, como dándome a entender que las volviese a su forma primitiva, lo que hice quitándome los guantes y guardándomelos en el bolsillo. Esto determinó nueva charla, y pude apreciar que la compañía estaba contenta con mi conducta, de lo que no tardé en tocar los buenos efectos. Me mandaron decir las pocas palabras que sabía, y mientras comían, el amo me enseñó los nombres de la avena, la leche, el fuego, el agua y otras cosas. Pude pronunciarlos inmediatamente detrás de él, pues desde mi juventud tengo gran facilidad para aprender idiomas.

Cuando la comida terminó, el caballo amo me llevó aparte y con señas y palabras me dio a comprender el cuidado con que le tenía que yo no hubiese comido nada. Avena, en su lengua, se dice *hluunh*. Pronuncié esta palabra dos o tres veces; pues aunque al principio rechacé la avena, lo pensé mejor y calculé que podría discurrir modo de hacer con ella una especie de pan que, sumado a la leche, bastase para conservarme la vida hasta que pudiera escapar a otro país y unirme a individuos de mi especie. El caballo ordenó inmediatamente a una yegua blanca, criada de su propia familia, que me llevase una buena cantidad de avena en una especie de bandeja de madera. La calenté al fuego lo mejor que pude hasta que se desprendieron las cáscaras, que me ingenié para separar del grano; molí y majé éste entre dos piedras, y luego, echando agua, hice una especie de pasta o torta que tosté al fuego y comí caliente con leche. Al principio me pareció una comida muy insípida, aunque es bastante corriente en muchos puntos de Europa; pero con el tiempo fue haciéndose más tolerable; y como a menudo me había visto reducido en mi vida a alimentarme con dificultad, no era aquélla la primera vez que experimentaba cuán poco basta para satisfacer a la naturaleza. Y no puedo por menos de advertir que mientras estuve en aquella isla no sufrí una hora de enfermedad. Es verdad que algunas veces logré atrapar un conejo con lazos hechos de cabellos de yahoo, y con frecuencia cogía hierbas saludables, que hervía, o comía como ensaladas, con mi pan. Y aun a las veces, como excepción, hacía un poco de manteca y bebía el suero. Al principio sufría mucho por la falta de sal, pero pronto me hizo a ella la costumbre, y estoy seguro de que el uso frecuente de la sal entre nosotros es un efecto de la sensualidad, y se introdujo en un principio como excitante para beber, menos cuando es preciso para la preservación de carnes en largos viajes o en sitios apartadísimos de los grandes mercados. Porque yo no

he observado en animal ninguno, salvo en el hombre, tal
afición; y por lo que a mí se refiere, cuando salí de aquel país,
pasó bastante tiempo primero que pudiese sufrir el gusto de la
sal en nada de lo que comía.

Cuando fue anocheciendo, el caballo amo mandó que se
dispusiera un sitio para albergarme; estaba a sólo seis yardas de la casa y separado del establo de los yahoos. Llevé
allí un poco de paja, me tapé con mis ropas y dormí profundamente. Pero al poco tiempo me acomodé mejor, como
el lector verá más adelante, al tratar circunstancialmente
mi modo de vivir.

CAPITULO III

Aplicación del autor para aprender el idioma. — El houyhnhnm, su amo, le ayuda a enseñarle. — Cómo es el lenguaje. — Varios houyhnhnms de calidad acuden, movidos por la curiosidad, a ver al autor. — Este hace a su amo un corto relato de su viaje.

Mi principal tarea consistía en aprender el idioma, que mi amo —pues así le llamaré de aquí en adelante— y sus hijos y todos los criados de la casa tenían gran interés en enseñarme, pues consideraban un prodigio que una bestia descubriese tales disposiciones de criatura racional. Yo apuntaba a las cosas y preguntaba los nombres, que escribía en mi libro de notas cuando estaba solo, y corregía mi mal acento pidiendo a los de la familia que los pronunciasen a menudo. En esta ocupación se mostraba siempre solícito conmigo un potro alazán perteneciente a la categoría de los más humildes criados.

Pronuncian, al hablar, con la nariz y con la garganta, y su lenguaje se parece más al alto holandés o alemán que a ningún otro de los europeos que conozco, aunque es mucho más gracioso y expresivo. El emperador Carlos V hizo casi la misma observación, cuando dijo que si tuviese que hablar a su caballo, lo haría en alto holandés.

La curiosidad y la impaciencia de mi amo eran tales, que dedicaba muchas de sus horas de ocio a instruirme. Estaba convencido, según más tarde me dijo, de que yo era un yahoo; pero mi facilidad de aprender, mi cortesía y mi limpieza le asombraban, como cualidades opuestas por entero a la condición de aquellos animales. Mis ropas le sumían en la mayor perplejidad, y muchas veces se preguntaba a sí mismo si serían parte de mi cuerpo; mas yo no me las quitaba nunca hasta que la familia se había dormido, y me las ponía antes de que se despertase por la mañana. Mi amo tenía vehementes deseos de saber de dónde procedía yo, cómo había adquirido aquellas apariencias de razón que descubría en todas mis acciones, y, en fin, de oír mi historia de mis propios labios, lo que él esperaba que podría hacer pronto, gracias a mis grandes progresos en la pronunciación de sus palabras y frases. Para ayudar a mi memoria, buscaba la equivalencia de lo que aprendía en el alfabeto inglés, y escribía las palabras con sus traducciones. Después de algún tiempo me atreví a hacer esto en presencia de mi amo. Me costó gran trabajo explicarle lo que hacía, pues los habitantes de aquel país no tienen la menor idea de libros ni literaturas.

Al cabo de unas diez semanas, podía entender la mayor parte de las preguntas, y en tres meses darle pasaderas respuestas. Mi amo tenía curiosidad extrema por saber de qué parte del país había llegado y cómo me habían enseñado a imitar a un ser racional, pues se había observado que los yahoos —a quienes veía que me asemejaba exactamente en la cabeza, las manos y la cara, que eran lo sólo visible—, que presentaban alguna apariencia de astucia y la más decidida inclinación al mal, eran los animales más difíciles de educar. Le contesté que había llegado, a través de los mares, de un sitio lejano, con muchos otros de mi misma especie, en una como gran artesa, hecha de troncos de árboles; que mis compañeros me habían forzado a desembarcar en aquella costa y luego abandonádome a mi suerte. No sin dificultad, y ayudándome con señas, pude lograr que me entendiese. Me contestó que por fuerza estaba equivocado, o decía la cosa que no era —pues en su idioma no tiene palabra para expresar la mentira o la falsedad—. Sabía muy bien él que era imposible que hubiese un país más allá del mar, así como que un grupo de animales pudiese mover una artesa de madera sobre el mar según les viniese en gana. Tenía la seguridad de que ningún houyhnhnm existente podría hacer tal artesa ni confiar en que yahoos lo hiciesen.

La palabra *houyhnhnm*, en su lengua, significa caballo, y por su etimología, la perfección de la Naturaleza. Dije a mi amo que me encontraba en gran apuro para expresarme; pero adelantaría lo más de prisa que pudiese, y esperaba poder decirle maravillas en breve plazo. Se dignó encargar a su propia yegua, sus potros, sus crías y los criados de la casa que aprovecharan todas las ocasiones de enseñarme, y todos los días se imponía él igual trabajo durante dos o tres horas. Varios caballos y yeguas de calidad del vecindario venían con frecuencia a nuestra casa, atraídos por la fama de un yahoo maravilloso que hablaba como un houyhnhnm y parecía descubrir en sus palabras y actos ciertos destellos de razón. Se encantaban de hablar conmigo; me hacían preguntas, a las que yo daba las respuestas que me era posible. Con circunstancias tan favorables, hice tales progresos, que a los cinco meses de mi llegada entendía todo lo que decían y me expresaba bastante bien.

Los houyhnhnms que acudieron a visitar a mi amo, llevados de la intención de averiguar y de hablar conmigo, apenas se determinaban a creer que yo fuese un yahoo verdadero, porque veían cubierto mi cuerpo de manera distinta que el de los demás de mi clase. Se asombraban de verme sin los pelos y la piel que eran naturales, salvo en la cabeza, la cara y las manos; pero un accidente ocurrido quince días antes, me había obligado a descubrir a mi amo este secreto.

Ya he dicho al lector que por las noches, cuando la familia se había ido a la cama, era mi costumbre desnudarme y taparme con las ropas. Ocurrió que una mañana temprano mi amo envió a buscarme al potro alazán que era su ayuda de cámara; cuando entró, yo dormía profundamente, con las ropas caídas por un lado y la camisa más arriba de la cintura.

Me desperté al ruido que produjo y observé que me daba el recado con alguna turbación, después de lo cual se volvió con mi amo, a quien, con gran susto, dio confusa cuenta de lo que había visto. Así lo comprendí, pues al acudir tan pronto como estuve vestido a ponerme al servicio de su señoría, me preguntó qué significaba lo que su criado acababa de decirle, y añadió que yo no era cuando dormía la misma cosa que parecía en las demás ocasiones, y que su ayuda de cámara le aseguraba que yo era en parte blanco, en parte amarillo, o al menos no tan blanco, y en parte moreno.

Hasta entonces yo había guardado el secreto de mi vestido, para distinguirme todo lo posible de la maldita raza de los yahoos; pero en adelante era inútil querer hacerlo. Además, pensaba yo que mis zapatos y mis ropas, que estaban ya en mediano uso, quedarían pronto inservibles y tendrían que ser sustituidos por algún invento a base de piel de yahoo o de otros animales, por donde el secreto vendría a ser conocido. Dije a mi amo, en consecuencia, que en el país de donde yo procedía, los de mi especie llevaban siempre cubierto el cuerpo con el pelo de ciertos animales, preparado con arreglo a determinado arte, así por decencia como por guardarse de las inclemencias del aire caliente o frío, de lo cual podría convencerle inmediatamente por lo que a mí tocaba si tenía a bien mandármelo. Con esto, me desabotoné la casaca y me la quité. Lo mismo hice con el chaleco, y también con los zapatos, las medias y los calzones.

Mi amo observó toda la acción con muestras de gran curiosidad y asombro. Tomó todas mis prendas, una por una, en la cuartilla, y las examinó muy diligente. Me tentó el cuerpo con gran dulzura y me miró todo alrededor varias veces, después de lo cual dijo que estaba claro que yo era un yahoo perfecto, pero que me diferenciaba mucho del resto de la especie en la suavidad y blancura de la piel, la falta de pelo y en varias partes del cuerpo, la forma y cortedad de mis garras traseras y delanteras y mi empeño en andar siempre sobre las patas de atrás. No quiso ver más, y me dio licencia para volver a vestirme, pues ya estaba yo tiritando de frío.

Le expresé el disgusto que me causaba oírle designarme tan a menudo con el nombre de yahoo, repugnante animal, por el que sentía el odio y el desprecio más absoluto. Le supliqué que se abstuviera de aplicarme aquella palabra y diese la misma orden a su familia y a los amigos a quienes permitía visitarme. Igualmente le encarecí que guardase para sí y no comunicase a nadie más el secreto de llevar yo tapado el cuerpo con una cubierta postiza, al menos mientras me durasen las ropas que tenía; pues en cuanto al potro alazán, su ayuda de cámara, podía su señoría ordenarle que no descubriera lo que había visto.

Mi amo consintió en todo muy graciosamente, y así el secreto se mantuvo hasta que comenzaron a inutilizarse mis ropas, las cuales hube de sustituir con invenciones diversas de que más tarde hablaré. Mientras esto sucedía, mi amo me excitaba a que siguiera aprendiendo el idioma a toda prisa, pues estaba más asombrado de ver mi capacidad para el habla y el razonamiento, que no la figura de mi cuerpo, estuviese cubierto o no, añadiendo que esperaba con bastante impaciencia oír las maravillas que le había ofrecido contarle.

En adelante duplicó el trabajo que se tomaba para instruirme; me hacía estar presente en todas las reuniones, y exigía que los reunidos me tratasen con amabilidad; pues, según les dijo privadamente, eso me pondría de buen humor y me haría aún más divertido.

Todos los días, cuando yo le visitaba, además de las molestias que se tomaba para enseñarme, me hacía varias preguntas referentes a mi persona, a las cuales contestaba yo lo mejor que sabía, y gracias a esto tenía ya algunas ideas generales, aunque muy imperfectas. Sería cansado exponer por qué pasos llegué a mantener una conversación más regular; baste saber que la primera referencia de mí que pude dar con algún orden y extensión vino a ser como sigue:

Dije que había llegado de un muy lejano país, como ya

había intentado decirle, con unos cincuenta de mi misma especie; que viajábamos sobre los mares en un gran cacharro hueco hecho de madera y mayor que la casa de su señoría; y aquí le describí el barco en los términos más precisos que pude, y le expliqué, ayudándome con el pañuelo extendido, cómo el viento le hacía andar. Continué que, a consecuencia de una riña que habíamos tenido, me desembarcaron en aquella costa, por donde avancé, sin saber hacia dónde, hasta que él vino a librarme de la persecución de aquellos execrables yahoos. Me preguntó quién había hecho el barco y cómo era posible que los houyhnhnms de mi país encomendaran su manejo a animales. Mi respuesta fue que no me aventuraría a seguir adelante en mi relación si antes no me daba palabra de honor de que no se ofendería, y en este caso le contaría las maravillas que tantas vèces le había prometido. Consintió, y yo continué asegurándole que el barco lo habían hecho seres como yo, los cuales, en todos los países que había recorrido, eran los únicos animales racionales y dominadores, y que al llegar a la tierra en que nos hallábamos, me había asombrado tanto que los houyhnhnms se condujesen como seres racionales, cuanto podría haberles asombrado a él y a sus amigos descubrir señales de razón en una criatura que ellos tenían a bien llamar un yahoo; animal éste al que me reconocía parecido en todas mis partes, pero en cuya naturaleza degenerada y brutal no sabía hallar explicación. Añadí que si la buena fortuna era servida de restituirme alguna vez a mi país natal, y en él relatar mis viajes, como tenía resuelto hacer, todo el mundo creería que decía la cosa que no era, que me sacaba del magín la historia; pues, con todos los respetos para él, su familia y sus amigos, y bajo la promesa de que no se ofendería, en nuestra nación difícilmente creería nadie en la existencia de un país donde el houyhnhnm fuera el ser superior y el yahoo la bestia.

CAPITULO IV

La noción de los houyhnhnms acerca de la mentira. —
El discurso del autor, desaprobado por su amo. — El
autor da una más detallada cuenta de sí mismo y de
los incidentes de su viaje.

Me oyó mi amo con grandes muestras de inquietud en
el semblante, pues dudar o no creer son cosas tan poco co-
nocidas en aquel país, que los habitantes no saben cómo
conducirse en tales circunstancias. Y recuerdo que en frecuentes conversaciones que tuve con mi amo respecto de
la naturaleza humana en otras partes del mundo, como se
me ofreciese hablar de la mentira y el falso testimonio, no
comprendió sino con gran dificultad lo que quería decirle,
aunque fuera de esto mostraba grandísima agudeza de juicio. Me argüía que si el uso de la palabra tenía por fin hacer
que nos comprendiésemos unos a otros, este fin fracasaba
desde el instante en que alguno decía la cosa que no era;
porque entonces ya no podía decir que nadie le comprendiese, y estaba tanto más lejos de quedar informado, cuanto
que le dejaba peor que en la ignorancia, ya que le llevaba
a creer que una cosa era negra cuando era blanca, o larga
cuando era corta. Estas eran todas las nociones que tenía acerca
de la facultad de mentir, tan perfectamente bien comprendida
y tan universalmente practicada entre los humanos.

Pero dejemos esta digresión. Cuando aseguré a mi amo
que los yahoos eran los únicos animales dominadores de
mi país —lo que declaró que iba más allá de su compren-
sión—, quiso saber si había houyhnhnms entre nosotros y

a qué se dedicaban. Díjele que los teníamos en gran número y que en verano pacían en los campos y en invierno se los mantenía con heno y avena, encerrados en casas donde sirvientes yahoos se dedicaban a lustrarles la piel, peinarles las crines, limpiarles las patas, darles la comida y hacerles la cama.

«Te comprendo perfectamente —dijo mi amo—; y de todo lo que has hablado se desprende con toda claridad que, cualquiera que sea el grado de razón que los yahoos se atribuyen, los houyhnhnms son vuestros amos. Bien quisiera yo que nuestros yahoos fuesen tan tratables.»

Rogué a su señoría que se dignase excusarme de continuar, porque estaba cierto de que los informes que esperaba de mí habían de serle sumamente desagradables. Pero él insistió en exigirme que le enterase de todo, bueno y malo, y yo le dije que sería obedecido. Reconocí que nuestros houyhnhnms, que nosotros llamábamos caballos, eran los más generosos y bellos animales que teníamos, y que se distinguían por su fuerza y su ligereza; y cuando pertenecían a personas de calidad que los empleaban para viajar, correr en concursos o arrastrar carruajes, eran tratados con gran regalo y atención, hasta que contraían alguna enfermedad o se despeaban. Llegado este caso, eran vendidos y dedicados a las más ingratas faenas hasta su muerte, y después de ella se les arrancaba la piel, que era vendida para varios usos, y se dejaba el cuerpo para que lo devorasen perros y aves de rapiña. Mas los caballos de raza corriente, no tenían tan buena fortuna, pues estaban en manos de labradores y carreteros, que les hacían trabajar más y les daban de comer peor. Describí lo mejor que pude cómo montamos a caballo, la forma y el uso de la brida, la silla, la espuela y el látigo, el arnés y las ruedas. Añadí que les fijábamos planchas de cierta materia dura, llamada hierro, en los extremos de las patas, para evitar que se les rompiesen los cascos contra los caminos empedrados, por donde caminábamos con frecuencia.

Mi amo, después de algunas expresiones de gran indignación, se asombró de que nos arriesgásemos a subirnos en el lomo de un houyhnhnm, pues estaba seguro de que el más débil criado de su casa era capaz de sacudirse al yahoo más fuerte, o de aplastarle echándose al suelo y revolcándose sobre el lomo. Le contesté que nuestros caballos eran amaestrados desde que tenían tres o cuatro años, según el uso a que se destinaba a cada cual; que si alguno resultaba extremadamente indócil, se le dedicaba al tiro; que se les pegaba duramente cuando eran jóvenes, por cualquier travesura, y que, indudablemente, eran sensibles a la recompensa y al castigo. Pero su señoría se sirvió considerar que tales houyhnhnms no tenían el menor rastro de entendimiento, ni más ni menos que los yahoos de su país.

Me costó recurrir a numerosas circunlocuciones el dar a mi amo idea exacta de lo que decía, pues su idioma no es abundante en variedad de palabras, porque las necesidades y pasiones de ellos son menos que las nuestras. Pero es imposible pintar su noble resentimiento por el trato salvaje que dábamos a la raza houyhnhnm. Dijo que si era posible que hubiese un país donde solamente los yahoos estuvieran dotados de razón, sin duda deberían ser el animal dominador, porque, a la larga, siempre la razón prevalecerá sobre la fuerza bruta. Pero considerando la hechura de nuestro cuerpo, y particularmente del mío, pensaba que no existía un ser de parecida corpulencia tan mal conformado, para emplear el tal raciocinio en los fines corrientes de la vida; por lo cual me preguntó si aquellos entre quienes yo vivía se parecían a mí o a los yahoos de su tierra. Le aseguré que yo estaba formado como la mayor parte de los de mi edad, pero que los jóvenes y las hembras eran mucho más tiernos y delicados, y la piel de las últimas tan blanca como la leche, por regla general. Díjome que, sin duda, yo me diferenciaba de los otros yahoos en ser mucho más limpio y no tan extremadamente feo; pero en punto a ventajas positivas, pensaba que las diferencias iban en perjuicio mío. Ni las uñas de las patas delanteras ni las de las traseras me servían para nada. En cuanto a las patas delanteras, no podía darles en realidad tal nombre, ya que nunca había visto que anduviese con ellas; eran demasiado blandas para apoyarse en el suelo; generalmente, las llevaba descubiertas, y las cubiertas que a veces les ponía no eran de la misma forma ni resistencia que las que llevaba en las patas de atrás. No podía marchar con seguridad, pues si se me escurría una de las patas traseras, daría en tierra con mi cuerpo, inevitablemente. Comenzó luego a poner faltas a otras partes de mi cuerpo: lo plano de mi cara, lo prominente de mi nariz, la colocación delantera de mis ojos, de modo que no podía mirar a los lados sin volver la cabeza, que no podía comer sin levantar hasta la boca una de las patas delanteras, remos éstos que la Naturaleza me había dado, por consiguiente, respondiendo a tal necesidad. No sabía para qué podrían servirme aquellas rajas y divisiones de las patas de delante; éstas eran demasiado blandas para soportar la dureza y los filos de las piedras sin una cubierta hecha de la piel de algún otro animal; todo mi cuerpo necesitaba, contra el calor y el frío, una defensa, que tenía que ponerme y quitarme todos los días, con el fastidio y la molestia consiguientes. Y, por último, él había observado que en su país todos los animales aborrecían naturalmente a los yahoos, que eran evitados por los más débiles, y apartados por los más fuertes; así que, aun suponiendo que estuviésemos dotados de razón, no podía comprender cómo era posible curar esa natural antipatía que todos los seres demostraban por nosotros, ni, por lo tanto, cómo podíamos amansarlos y servirnos de ellos. No obstante, dijo que no discutiría más la cuestión, porque tenía los mayores deseos de conocer mi historia, en qué país había nacido, y los diversos actos y acontecimientos de mi vida hasta que había llegado allí.

Le aseguré que tendría grandísimo gusto en darle en todos los puntos entera satisfacción; pero dudaba mucho de que me fuese posible explicarme en algunas materias de que su señoría no tendría seguramente la más pequeña idea, pues no veía yo en su país con qué poder compararlas. Sin embargo, haría cuanto estuviese en mi mano y me esforzaría por expresarme con símiles, y le suplicaba humildemente su ayuda para cuando me faltase la palabra propia, asistencia que se dignó prometerme.

Le dije que había nacido de padres honrados, en una isla llamada Inglaterra, muy apartada de su país, a tantas jornadas como el criado más robusto de su señoría pudiese hacer durante el curso anual del Sol. Que me hicieron cirujano, oficio que consistía en curar heridas y daños del cuerpo, recibidos por azar o por violencia. Que mi país estaba gobernado por una hembra del hombre, llamada reina. Que yo salí de él para obtener riquezas con qué mantenerme y mantener a mi familia cuando regresara. Que en mi último viaje yo era capitán del barco y llevaba cincuenta yahoos a mis órdenes, muchos de los cuales murieron en el mar, por lo que tuve que sustituirlos con otros recogidos en diferentes naciones. Que nuestro barco estuvo dos veces en riesgo de irse a pique: la primera, a causa de una tempestad, y la segunda, por haber embestido contra una roca. Al llegar aquí, me interrumpió mi amo preguntándome cómo había podido persuadir a extranjeros de otras naciones a aventurarse conmigo, después de las pérdidas que ya había sufrido y los peligros en que me había encontrado. Le dije que eran gentes de suerte desesperada, forzada a huir de los lugares en que habían nacido, a causa de su pobreza o de sus crímenes. Unos estaban arruinados por pleitos; a otros fuéseles cuanto tenían tras la bebida, el lupanar y el juego; otros escapaban por traición; muchos, por asesinato, hurto, envenenamiento, robo, perjurio, falsedad, acuñación de moneda falsa, prófugos de su bandera o desertores al campo enemigo, y la mayor parte habían quebrantado prisión. Ninguno de los tales se atrevía a volver a su país natal, por miedo de morir ahorcado o de hambre en una cárcel; y de consiguiente, se veían en la necesidad de buscar medio de vida en otros sitios.

Durante este discurso mi amo se dignó interrumpirme varias veces. Había yo empleado muchas circunlocuciones para pintarle la naturaleza de los diferentes crímenes que

283

habían forzado a la mayor parte de los que formaban la tripulación a huir de su país. Consumí en esta tarea varios días de conversación, primero que pudiese comprenderme. No le cabía en la cabeza cuál podría ser la conveniencia o la necesidad de practicar aquellos vicios, lo que yo intenté aclararle dándole alguna idea de los deseos de pobres y ricos, de los efectos terribles de la lujuria, la intemperancia, la maldad y la envidia. Tuve que definirlo y escribirlo todo poniendo ejemplos y haciendo suposiciones; después de lo cual, como si su imaginación hubiera recibido el choque de algo jamás visto ni oído, alzó los ojos con asombro e indignación. El poder, el gobierno, la guerra, la ley, el castigo de mil cosas más no tenían en aquel idioma palabra que los expresara, por lo que encontré dificultades casi insuperables para dar a mi amo idea de lo que quería decirle. Pero como tenía excelente entendimiento, desarrollado por la observación y la plática, llegó, por fin, a un conocimiento suficiente de lo que es capaz de hacer la naturaleza humana en las partes del mundo que habitamos nosotros, y me pidió que le diese cuenta en particular de esa tierra que llamamos Europa, y especialmente de mi país.

CAPITULO V

*El autor, obedeciendo órdenes de su amo, informa a
éste del estado de Inglaterra. — Las causas de guerra
entre los príncipes de Europa. — El autor comienza
a exponer la Constitución inglesa.*

Me permito advertir al lector que el siguiente extracto
de muchas conversaciones que con mi amo sostuve, contiene un sumario de los extremos de más consecuencia, sobre
los cuales discurrimos en varias veces durante el transcur-
so de más de dos años, pues su señoría me iba pidiendo nuevas explicaciones conforme yo iba progresando en la lengua houyhnhnm. Le expuse lo mejor que pude el completo
estado de Europa; diserté sobre comercio e industria, sobre artes y ciencias; y las respuestas que yo daba a todas
sus preguntas sobre las diversas materias venían a ser un
fondo inagotable de conversación. Pero sólo voy a trasladar
la sustancia de lo que tratamos respecto de mi país, ordenán-
dolo como pueda, sin atención al tiempo ni a otras circunstancias, con tal de no apartarme un punto de la verdad. Mi
único temor es que no sé si podré hacer justicia a los argumentos y expresiones de mi amo, los cuales habrán de re-
sentirse necesariamente de mi falta de capacidad, así como
de la traducción a nuestro bárbaro inglés.

Obedeciendo los mandatos de su señoría, le relaté la revolución bajo el reinado del príncipe de Orange; la larga
guerra con Francia a que dicho príncipe se lanzó, y que fue
renovada por su sucesora, la actual reina, y en la cual, que

todavía continuaba, aparecían comprometidas las más grandes potencias de la cristiandad. A instancia suya, calculé que en el curso de ella habría muerto como medio millón de yahoos, y tal vez sido tomadas un ciento o más de ciudades e incendiados o hundidos barcos por cinco veces ese número.

Me preguntó cuáles eran las causas o motivos que, generalmente, conducían a un país a guerrear con otro. Le contesté que eran innumerables y que iba a mencionarle solamente algunas de las más importantes. Unas veces, la ambición de príncipes que nunca creen tener bastantes tierras y gentes sobre qué mandar; otras, la corrupción de ministros que comprometen a su señor en una guerra para ahogar o desviar el clamor de los súbditos contra su mala administración. La diferencia de opiniones ha costado muchos miles de vidas. Por ejemplo: si la carne era pan o el pan carne; si el jugo de cierto grano era sangre o vino; si silbar era un vicio o una virtud; si era mejor besar un poste o arrojarlo al fuego; qué color era mejor para una chaqueta, si negro, blanco, rojo o gris, y si debía ser larga o corta, ancha o estrecha, sucia o limpia, con otras muchas cosas más. Y no ha habido guerras tan sangrientas y furiosas, ni que se prolongasen tanto tiempo, como las ocasionadas por diferencias de opinión, en particular si era sobre cosas indiferentes.

A veces, la contienda entre dos príncipes es para decidir cuál de ellos despojará a un tercero de sus dominios, sobre los cuales ninguno de los dos exhibe derecho alguno. A veces, un príncipe riñe con otro por miedo de que el otro riña con él. A veces, se entra en una guerra porque el enemigo es demasiado fuerte, y a veces, porque es demasiado débil. A veces, nuestros vecinos carecen de las cosas que tenemos nosotros o tienen las cosas de que nosotros carecemos, y contendemos hasta que ellos se llevan las nuestras o nos dan las suyas. Es causa muy justificable para una guerra el propósito de invadir un país cuyos habitantes acaban de ser diezmados por el hambre, o destruidos por la peste, o desunidos por las banderías. Es justificable mover guerra a nuestro más íntimo aliado cuando una de sus ciudades está enclavada en punto conveniente para nosotros, o una región o territorio suyo haría nuestros dominios más redondos y completos. Si un príncipe envía fuerzas a una nación donde las gentes son pobres e ignorantes, puede legítimamente matar a la mitad de ellas y esclavizar a las restantes para civilizarlas y redimirlas de su bárbaro sistema de vida. Es muy regia, honorable y frecuente práctica cuando un príncipe pide la asistencia de otro para defenderse de una invasión, que el favorecedor, cuando ha expulsado a los invasores, se apodere de los dominios por su cuenta, y mate, encarcele o destierre al príncipe a quien fue a remediar. Los vínculos de sangre o matrimoniales son una frecuente causa de guerra entre príncipes, y cuanto más próximo es el parentesco, más firme es la disposición para reñir. Las naciones pobres están hambrientas, y las naciones ricas son orgullosas, y el orgullo y el hambre estarán en discordia siempre. Por estas razones, el oficio de soldado se considera como el más honroso de todos; pues un soldado es un yahoo asalariado para matar a sangre fría, en el mayor número que le sea posible, individuos de su propia especie que no le han ofendido nunca.

Asimismo, existe en Europa una especie de miserables príncipes, incapaces de hacer la guerra por su cuenta, que alquilan sus tropas a las naciones más ricas por un tanto al día cada hombre; de esto guardan para sí los tres cuartos y sacan la parte mejor de su sustento. Tales son los príncipes de Alemania y otras regiones del norte de Europa.

«Lo que me has contado —dijo mi amo— sobre la cuestión de las guerras, sin duda revela muy admirablemente los efectos de esa razón que os atribuís; sin embargo, es fortuna que resulte mayor la vergüenza que el peligro, ya que la Naturaleza os ha hecho incapaces de causar gran daño. Con vuestras bocas, al nivel mismo de la cara, no podéis morderos uno a otro con resultado, a menos que os dejéis; y en cuando a las garras de las patas delanteras y traseras, son tan cortas y blandas, que uno sólo de nuestros hayoos se llevaría por delante a una docena de los vuestros. Por lo tanto, no puedo por menos de pensar que al referirte al número de los muertos en batalla, has dicho la cosa que no es.»

No pude contener un movimiento de cabeza y una ligera sonrisa ante su ignorancia. Y, como no me era ajeno el arte de la guerra, le hablé de cañones, culebrinas, mosquetes, carabinas, pistolas, balas, pólvoras, espadas, bayonetas, batallas, sitios, retiradas, ataques, minas, contraminas, bombardeos, combates navales, buques hundidos con un millar de hombres, veinte mil muertos en cada parte, gemidos de moribundos, miembros volando por el aire, humo, ruido, confusión, muertes por aplastamiento bajo las patas de los caballos, huídas, persecución, victoria, campos cubiertos de cadáveres que sirven de alimento a perros, lobos y aves de rapiña; pillajes, despojos, estupros, incendios y destrucciones. Y para enaltecer el valor de mis queridos compatriotas, le aseguré que yo les había visto volar cien enemigos de una vez en un sitio y otros tantos en un buque, y había contemplado cómo caían de las nubes hechos trizas los cuerpos muertos, con gran diversión de los espectadores.

Iba a pasar a nuevos detalles, cuando mi amo me ordenó silencio. Díjome que cualquiera que conociese el natural de los yahoos, podía fácilmente creer posible en un animal tan vil, todas las acciones a que yo me había referido, si su fuerza y su astucia igualaran a su maldad. Pero advertía que mi discurso, al tiempo que aumentaba su aborrecimiento por la especie entera, había llevado a su inteligencia una confusión que hasta allí le era desconocida totalmente. Pensaba que sus oídos, hechos a tan abominables palabras, pudieran, por grados, recibirlas con menos execración. Añadió que, aunque él odiaba a los yahoos de su país, nunca los había culpado de sus detestables cualidades, de modo distinto que culpaba a una *gnnayh* (ave de rapiña) de su crueldad, o a una piedra afilada de cortarle el casco; pero cuando un ser que se atribuía razón se sentía capaz de tales enormidades, le asaltaba el temor de que la corrupción de esta facultad fuese peor que la brutalidad misma. Con todo, confiaba en que no era razón lo que poseíamos, sino solamente alguna cierta cualidad apropiada para aumentar nuestros defectos naturales; de igual modo que en un río de agitada corriente se refleja la imagen de un cuerpo disforme, no sólo mayor, sino también mucho más desfigurada.

Añadió que ya había oído hablar demasiado de guerras, tanto en aquella como en anteriores pláticas, y había otro extremo que le tenía en la actualidad un poco perplejo. Le había dicho yo que algunos hombres de nuestra tripulación habían salido de su país a causa de haberles arruinado la ley, palabra ésta cuyo significado le había explicado ya; pero no podía comprender cómo era posible que la ley, creada para la protección de todos los hombres, pudiera ser la ruina de ninguno. Por consiguiente, me rogaba que le enterase mejor de lo que quería decirle cuando le hablaba de ley y de los dispensadores de ella, con arreglo a la práctica de mi país, pues él suponía que la Naturaleza y la razón eran guías suficientes para indicar a un animal razonable, como nosotros imaginábamos ser, qué debía hacer y qué debía evitar.

Aseguré a su señoría que la ley no era ciencia en que yo fuese muy perito, pues no había ido más allá de emplear abogados inútiles con ocasión de algunas injusticias que se me habían hecho; sin embargo, le informaría hasta donde mis alcances llegaran.

Díjele que entre nosotros existía una sociedad de hombres educados desde su juventud en el arte de probar con palabras multiplicadas al efecto que lo blanco es negro y lo negro es blanco, según para lo que se les paga. «El resto de las gentes son esclavas de esta sociedad. Por ejemplo: si mi vecino quiere mi vaca, asalaria a un abogado que pruebe que debe quitarme la vaca. Entonces yo tengo que asalariar a otro para que defienda mi derecho, pues va contra todas las reglas de la ley que se permita a nadie hablar por sí mismo. Ahora bien; en este caso, yo, que soy el propietario legítimo, tengo dos desventajas. La primera es que como

mi abogado se ha ejercitado casi desde su cuna en defender
la falsedad, cuando quiere abogar por la justicia —oficio que
no le es natural—, lo hace siempre con gran torpeza, si no
con mala fe. La segunda desventaja es que mi abogado debe
proceder con gran precaución, pues de otro modo le repren-
derán los jueces y le aborrecerán sus colegas, como a quien
degrada el ejercicio de la ley. No tengo, pues, sino dos medios
para defender mi vaca. El primero es ganarme el abogado de
mi adversario con un estipendio doble, que le haga traicionar
a su cliente, insinuando que la justicia está de su parte. El
segundo procedimiento es que mi abogado dé a mi causa
tanta apariencia de injusticia como le sea posible, recono-
ciendo que la vaca pertenece a mi adversario; y esto, si se
hace diestramente, conquistará, sin duda, el favor del tribunal.
Ahora debe saber su señoría que estos jueces son las personas
designadas para decidir en todos los litigios sobre propiedad,
así como para entender en todas las acusaciones contra criminales, y que se los saca de entre los abogados más hábiles
cuando se han hecho viejos o perezosos; y como durante toda
su vida se han inclinado en contra de la verdad y de la equidad,
es para ellos tan necesario favorecer el fraude, el perjurio y
la vejación, que yo he sabido de varios que prefirieron rechazar
un pingüe soborno de la parte a que asistía la justicia, a in-
juriar a la Facultad, haciendo cosa impropia de la naturaleza
de su oficio.

»Es máxima entre estos abogados que cualquier cosa que
se haya hecho ya antes puede volver a hacerse legalmente,
y, por lo tanto, tienen cuidado especial en guardar memoria
de todas las determinaciones anteriormente tomadas contra la justicia común y contra la razón corriente de la Humanidad. Las exhiben, bajo el nombre de precedentes, como
autoridades para justificar las opiniones más inicuas, y los
jueces no dejan nunca de fallar de conformidad con
ellas.

»Cuando defienden una causa evitan diligentemente todo

lo que sea entrar en los fundamentos de ella; pero se detienen, alborotadores, violentos y fatigosos, sobre todas las circunstancias que no hacen al caso. En el antes mencionado, por ejemplo, no procurarán nunca averiguar qué derechos o títulos tiene mi adversario sobre mi vaca; pero discutirán si dicha vaca es colorada o negra, si tiene los cuernos largos o cortos, si el campo donde la llevo a pastar es redondo o cuadrado, si se la ordeña dentro o fuera de casa, a qué enfermedades está sujeta y otros puntos análogos. Después de lo cual consultarán precedentes, aplazarán la causa una vez y otra, y a los diez, o los veinte, o los treinta años, se llegará a la conclusión.

»Asimismo, debe consignarse que esta sociedad tiene una jerigonza y jerga particular para su uso, que ninguno de los demás mortales puede entender, y en la cual están escritas todas las leyes, que los abogados se cuidan muy especialmente de multiplicar. Con lo que han conseguido confundir totalmente la csencia misma de la verdad y la mentira, la razón y la sinrazón, de tal modo, que se tardará treinta años en decidir si el campo que me han dejado mis antecesores de seis generaciones me pertenece a mí o pertenece a un extraño que está a trescientas millas de distancia.

»En los procesos de personas acusadas de crímenes contra el Estado, el método es mucho más corto y recomendable: el juez manda primero a sondear la disposición de quienes disfrutan el poder, y luego puede, con toda comodidad, ahorcar o absolver al criminal, cumpliendo rigurosamente todas las debidas formas legales.»

Aquí mi amo interrumpió diciendo que era una lástima que seres dotados de tan prodigiosas habilidades de entendimiento como estos abogados habían de ser, según el retrato que yo de ellos hacía, no se dedicasen más bien a instruir a los demás en sabiduría y ciencia. En respuesta a lo cual, aseguré a su señoría que en todas las materias ajenas a su oficio eran ordinariamente el linaje más ignorante y estúpido; los más despreciables en las conversaciones corrientes, enemigos declarados de la ciencia y el estudio, e inducidos a pervertir la razón general de la Humanidad en todos los sujetos de razonamiento, igual que en los que caen dentro de su profesión.

CAPITULO VI

Continuación del estado de Inglaterra. — Carácter de un primer ministro de Estado en las cortes europeas.

Mi amo seguía sin explicarse de ningún modo qué motivos podían excitar a esta raza de abogados a atormentarse, inquietarse, molestarse y constituirse en una confederación de injusticia, sencillamente con el propósito de hacer mala obra a sus compañeros de especie; y tampoco entendía lo que yo quería decirle cuando le hablaba de que lo hacían por salario. Me vi y me deseé para explicarle el uso de la moneda, las materias de que se hace y el valor de los metales; que cuando un yahoo lograba reunir buen repuesto de esta materia preciosa, podía comprar lo que le viniera en gana: los más lindos vestidos, las casas mejores, grandes extensiones de tierra, las viandas y bebidas más costosas, y podía elegir las hembras más bellas. En consecuencia, como sólo con dinero podían lograrse estos prodigios, nuestros yahoos creían no tener nunca bastante para gastar o para guardar, según que una propensión natural en ellos los inclinase al despilfarro o a la avaricia. Le expliqué que los ricos gozaban el fruto del trabajo de los pobres, y los últimos eran como mil a uno en proporción a los primeros, y que la gran mayoría de nuestras gentes se veían obligadas a vivir de manera miserable, trabajando todos los días por pequeños salarios, para que unos pocos viviesen en la opulencia. Me extendí en estos y otros muchos detalles encaminados al mismo fin; pero su señoría seguía sin entenderme, pues partía del supuesto de que todos los animales tienen derecho a los productos de la tierra, y mucho más aquellos que dominan sobre todos los otros. De consiguiente, me pidió que le diese a conocer cuáles eran aquellas costosas viandas y cómo se nos ocurría desearlas a ninguno. Le enumeré cuantas se me vinieron a la memoria, con los diversos métodos para aderezarlas, cosa ésta que no podía hacerse sin enviar embarcaciones por mar a todas las partes de la tierra, así como para buscar licores que beber y salsas y otros innumerables ingredientes. Le aseguré que había que dar tres vueltas, por lo menos, a toda la redondez del mundo, para que uno de nuestros yahoos hembras escogidos pudiese tomar el desayuno o tener una taza en que verterlo. Díjome que había de ser aquel un país bien pobre, cuando no producía alimento para sus habitantes; pero lo que le asombraba principalmente era que en aquellas vastas extensiones de terreno que yo pintaba, faltase tan por completo el agua dulce, que la gente tuviese precisión de ir a buscar que beber más allá del mar. Le repliqué que Inglaterra —el lugar amado en que yo había nacido— se calculaba que producía tres veces la cantidad de alimento que podrían consumir sus habitantes, así como licores extraídos de semillas o sacados, por presión, de los frutos de ciertos árboles, que son excelentes bebidas, y que la misma proporción existe por lo que hace a las demás necesidades de la vida. Mas para alimentar la lascivia y la intemperancia de los machos y la vanidad de las hembras, enviábamos a otros países la mayor parte de nuestras cosas precisas, y recibíamos a cambio los elementos de enfermedades, extravagancias y vicios para consumirlos nosotros. De aquí se sigue necesariamente que nuestras gentes, en gran número, se ven empujadas a buscar su medio de vida en la mendicidad, el robo, la estafa, el fraude, el perjurio, la adulación, el soborno, la falsificación, el juego, la mentira, la bajeza, la baladronada, el voto, el garrapateo, la vista gorda, el envenenamiento, la hipocresía, el libelo, el filosofismo y otras ocupaciones análogas; términos todos éstos que me costó grandes trabajos hacerle comprender.

Añadí que el vino no lo importábamos de países extranjeros para suplir la falta de agua y otras bebidas, sino porque era una clase de licor que nos ponía alegres por el sistema de hacernos perder el juicio; divertía los pensamientos melancólicos, engendraba en nuestro cerebro disparatadas y extravagantes ideas, realzaba nuestras esperanzas y desterraba nuestros temores; durante algún tiempo suspendía todas las funciones de la razón y nos privaba del uso de nuestros miembros, hasta que caíamos en un sueño profundo. Aunque debía reconocerse que nos despertábamos siempre indispuestos y abatidos, y que el uso de este licor nos llenaba de enfermedades que nos hacían la vida desagradable y corta.

«Pero, además de todo esto —agregué—, la mayoría de las personas se mantienen en nuestra tierra satisfaciendo las necesidades o los caprichos de los ricos y viendo los suyos satisfechos mutuamente Por ejemplo: cuando yo estoy en mi casa y vestido como tengo que estar, llevo sobre mi cuerpo el trabajo de cien menestrales; la edificación y el moblaje de mi casa suponen el empleo de otros tantos, y cinco veces ese número el adorno de mi mujer.»

En varias ocasiones había contado a su señoría que muchos hombres de mi tripulación habían muerto de enfermedad, y así, pasé a hablarle de otra clase de gente que gana su vida asistiendo a los enfermos. Pero aquí sí que tropecé con las mayores dificultades para llevarle a comprender lo que decía. El podía concebir fácilmente que un houyhnhnm se sintiera débil y pesado unos días antes de morir, o que, por un accidente, se rompiese un miembro; pero que la Naturaleza, que lo hace todo a la perfección, consintiese que en nuestros cuerpos se produjera dolor ninguno, le parecía de todo punto imposible, y quería saber la causa de mal tan inexplicable. Yo le dije que nos alimentábamos con mil cosas que operaban opuestamente; que comíamos sin tener hambre y bebíamos sin que nos excitara la sed; que pasábamos noches enteras bebiendo licores fuertes, sin comer un bocado, lo que nos disponía a la pereza, nos inflamaba el cuerpo y precipitaba o retardaba la digestión. Añadí que no acabaríamos nunca si fuese a darle un catálogo de todas las enfermedades a que está sujeto el cuerpo humano, pues no serían menos de quinientas o seiscientas, repartidas por todos los miembros y articulaciones; en suma, cada parte externa o interna tenía sus enfermedades propias. Para remediarlas, existía entre nosotros una clase de gentes instruidas en la profesión o en la pretensión de curar a los enfermos. Y como yo era bastante entendido en el oficio, por gratitud hacia su señoría iba a darle a conocer el misterio y el método con que procedíamos. Pero, además de las enfermedades verdaderas, estamos sujetos a muchas que son nada más que imaginarias, y para las cuales los médicos han inventado curas imaginarias también. Las tales tienen sus diversos nombres, así como las · drogas apropiadas a cada cual, y con las tales hállanse siempre inficionados nuestros yahoos hembras.

Una gran excelencia de esta casta es su habilidad para los pronósticos, en los que rara vez se equivocan. Sus predicciones en las enfermedades reales que han alcanzado cierto grado de malignidad, anuncian generalmente la muerte, lo que siempre está en su mano, mientras el restablecimiento no lo está; y, por lo tanto, cuando, después de haber pronunciado su sentencia, aparece algún inesperado signo de mejoría, antes que ser acusados de falsos profetas, saben cómo certificar su sagacidad al mundo con una dosis oportuna. Asimismo, resulta de especial utilidad para maridos y mujeres que están aburridos de su pareja, para los hijos mayores, para los grandes ministros de Estado, y a menudo para los príncipes.

Había yo tenido ya ocasión de discurrir con mi amo sobre la naturaleza del gobierno en general, y particularmente sobre nuestra magnífica Constitución, legítima maravilla y envidia del mundo entero Pero como acabase de nombrar incidentalmente a un ministro de Estado, me mandó al poco tiempo que le informase de qué especie de yahoos era lo que yo designaba con tal nombre en particular.

Le dije que un primer ministro, o ministro presidente, que era la persona que iba a pintarle, era un ser exento de alegría y dolor, amor y odio, piedad y cólera, o, por lo menos, que no hace uso de otra pasión que un violento deseo de riquezas, poder y títulos. Emplea sus palabras para todos los usos, menos para indicar cuál es su opinión; nunca dice la verdad sino con la intención de que se tome por una mentira, ni una mentira sino con el propósito de que se tome por una verdad. Aquellos de quienes peor habla en su ausencia son los que están en camino seguro de predicamento, y si empieza a hacer vuestra alabanza a otros o a vosotros mismos, podéis consideraros en el abandono desde aquel instante. Lo peor que de él se puede recibir es una promesa, especialmente cuando va confirmada por un juramento; después de esta prueba, todo hombre prudente se retira y renuncia a todas las esperanzas.

Tres son los métodos por que un hombre puede elevarse a primer ministro: el primero es saber usar con prudencia de una esposa, una hija o una hermana; el segundo, traicionar y minar el terreno al predecesor, y el tercero, mostrar en asambleas públicas furioso celo contra las corrupciones de la corte. Pero un príncipe preferirá siempre a los que practican el último de estos métodos; porque tales celosos resultan siempre los más rendidos y subordinados a la voluntad y a las pasiones de su señor. Estos ministros, como tienen todos los empleos a su disposición, se mantienen en el poder corrompiendo a la mayoría de un Senado o un gran Consejo; y, por último, por medio de un expediente llamado Acta de Indemnidad —cuya naturaleza expliqué a mi amo— se aseguran contra cualquier ajuste de cuentas que pudiera sobrevenir, y se retiran de la vida pública cargados con los despojos de la nación.

El palacio de un primer ministro es un seminario donde otros se educan en el mismo oficio. Pajes, lacayos y porteros, por imitación de su señor, se convierten en ministros de Estado de sus jurisdicciones respectivas, y cuidan de sobresalir en los tres principales componentes de insolencia, embuste y soborno. De este modo tienen cortes subalternas que les pagan personas del más alto rango, y, a veces, por la fuerza de la habilidad y de la desvergüenza, llegan, después de diversas gradaciones, a sucesores del señor.

El primer ministro está gobernado ordinariamente por una mujerzuela degenerada o por un lacayo favorito, que son los túneles por donde se conduce toda gracia y que, a fin de cuentas, pueden ser propiamente los calificados de verdaderos gobernadores del reino.

Conversando un día, mi amo, que me había oído hablar de la nobleza de mi país, se dignó tener conmigo una galantería que yo no hubiera soñado merecer; consistió en decirme que estaba seguro de que yo había de proceder de alguna familia, pues aventajaba con mucho a todos los yahoos de una nación en forma, color y limpieza, aunque pareciera cederles en fuerza y agilidad, lo que debía achacarse a mi modo de vivir, diferente del de aquellos otros animales; y, además, no sólo estaba yo dotado del uso de la palabra, sino también con algunos rudimentos de razón; a tal grado, que pasaba por un prodigio entre todos sus conocimientos. Hízome observar que, entre los houyhnhnms, el blanco, el alazán y el rucio oscuro no estaban tan bien formados como el bayo, el rucio rodado y el negro; ni tampoco nacían con iguales talentos ni capacidad de cultivarlos. De consiguiente, vivían siempre como criados, sin aspirar nunca a salirse de su casta, lo que se consideraría monstruoso y absurdo en el país.

Di a su señoría las gracias más rendidas por la buena opinión que se había dignado formar de mí; pero le dije al mismo tiempo que mi extracción era modestísima, pues mis padres eran honradas gentes, sencillas, que gracias que hubiesen podido darme una mediana educación. Añadí que la nobleza entre nosotros era cosa por completo diferente de la que él entendía como tal; que nuestros jóvenes nobles se educan en la pereza y en el lujo, y cuando casi han arruinado su fortuna, se casan por el dinero con alguna mujer de principal nacimiento, desagradable y enfermiza, a quien odian y desprecian. Los frutos de tales matrimonios son, por regla general, niños escrofulosos, raquíticos o deformados; y en virtud de esto, la familia casi nunca pasa de tres generaciones, a menos que la esposa se cuide de buscar un padre saludable entre sus vecinos o sus criados para mejorar y perpetuar la estirpe. Un cuerpo enfermo y flojo, un rostro delgado y un cutis descolorido son las señales verdaderas de sangre noble; y una apariencia sana y robusta es una desgracia enorme en una persona de calidad, porque la gente deduce en seguida que el verdadero padre debió de ser un mozo de cuadra o un cochero. Las imperfecciones de la inteligencia corren parejas con las del cuerpo, y se concretan en una composición de melancolía, estupidez, ignorancia, capricho, sensualidad y orgullo.

Sin el consentimiento de esta ilustre clase no puede hacerse, rechazarse ni alterarse ninguna ley; y de estas leyes dependen los fallos sobre todas nuestras propiedades, sin apelación.

CAPITULO VII

El gran cariño del autor hacia su país natal. — Observaciones de su amo sobre la constitución y administración de Inglaterra, según las pinta el autor, en casos paralelos y comparaciones. — Observaciones de su amo sobre la naturaleza humana.

Quizá el lector está a punto de maravillarse de cómo podía yo decidirme a hacer una tan franca pintura de mi propia especie, entre una raza de mortales ya demasiado puesta a concebir la más baja opinión del género humano, dada la completa identidad entre sus yahoos y yo. Pero debo confesar sinceramente que las muchas virtudes de aquellos excelentes cuadrúpedos, puestas en parangón con las corrupciones humanas, de tal manera me habían abierto los ojos y avivado el entendimiento, que comenzaba a considerar las acciones y las pasiones del hombre con criterio muy distinto y a creer que el honor de mi raza no merece la pena de que se discurran arbitrios en su apoyo; lo que, además, no me hubiera servido de nada, ante personas de tan agudo entendimiento como mi amo, que a diario me llamaba la atención sobre mil faltas mías de que yo jamás me había dado la menor cuenta, y que entre nosotros nunca se hubiesen considerado en el número de las flaquezas humanas. Asimismo había aprendido en su ejemplo la enemiga más absoluta de la mentira y el disimulo; y la verdad me parecía tan digna de ser amada, que resolví sacrificarlo todo a ella.

Voy a tener con el lector la ingenuidad de confesar que

aún había un motivo mucho más poderoso para la franqueza que puse en mi descripción de las cosas. Todavía no llevaba un año en aquel país, y ya había concebido tal amor y veneración por los habitantes, que tomé la resolución firme de no volver jamás a sumarme a la especie humana, y de pasar el resto de mi vida entre aquellos admirables houyhnhnms, en la contemplación y la práctica de todas las virtudes, donde no se me ofreciera ejemplo ni excitación para el vicio. Pero había previsto la fortuna, mi constante enemiga, que no fuera para mí tan gran felicidad. Sin embargo, me sirve ahora de consuelo pensar que, en lo que dije de mis compatriotas, atenué sus faltas todo lo que me atreví ante examinador tan riguroso, y di a todos los asuntos el giro más favorable que permitían. Porque ¿habrá en el mundo quien no se deje llevar de la parcialidad y la inclinación por el sitio de su nacimiento?

He referido la esencia de las varias conversaciones que tuve con mi amo durante la mayor parte del tiempo que me cupo el honor de estar a su servicio; pero, en gracia a la brevedad, he omitido mucho más de lo que he consignado. Cuando ya hube contestado a todas sus preguntas y su curiosidad parecía totalmente satisfecha, mandó a buscarme una mañana temprano, y, mandándome sentar a cierta distancia —honor que nunca hasta allí me había dispensado—, díjome que había considerado seriamente toda mi historia, así en el punto que se refería a mi persona como en el que tocaba a mi país, y que nos miraba como una especie de animales a quienes había correspondido, por accidente que no podía imaginar, una pequeña porcioncilla de razón, de la cual no usábamos sino tomándola de ayuda para agravar nuestras naturales corrupciones y adquirir otras que no nos había dado la Naturaleza. Agregó que las pocas aptitudes que ésta nos había otorgado, las habíamos perdido por nuestra propia culpa; habíamos logrado muy cumplidamente aumentar nuestras necesidades primitivas, y parecíamos emplear la vida entera en vanos esfuerzos para satisfacerlas con nuestras invenciones. Por lo que a mí tocaba, era manifiesto que yo no tenía la fuerza ni la agilidad de un yahoo corriente; andaba débilmente sobre las patas traseras, y había descubierto un arbitrio para hacer mis garras inútiles e inservibles para mi defensa, y para quitarme el pelo de la cara, que indudablemente tenía por fin protegerla del sol y de las inclemencias del tiempo. En suma: que no podía correr con velocidad, ni trepar a los árboles con mis hermanos —así los llamaba él— los yahoos de su país.

Añadió que nuestra institución de gobierno y de ley obedecía, sencillamente, a los grandes defectos de nuestra razón y, por consiguiente, de nuestra virtud, ya que la razón por sí sola es suficiente para dirigir un ser racional. Entendía, sin embargo, que ésta era una característica que no teníamos la pretensión de atribuirnos, como se desprendía, incluso, de la pintura que yo había hecho de mi pueblo, aunque percibía manifiestamente que para favorecer a mis compatriotas, había ocultado muchos detalles y dicho muchas veces la cosa que no era.

Tanto más se confirmaba en esta opinión cuanto que observaba que, así como mi cuerpo se correspondía en todas sus partes con el de los otros yahoos, salvo aquello que iba en notoria desventaja mía, cual lo relativo a fuerza, rapidez, actividad, cortedad de mis garras y algún otro punto en que la Naturaleza no tenía parte, del mismo modo descubría en la descripción que yo le había hecho de nuestra vida, nuestras costumbres y nuestros actos, una muy estrecha semejanza en la disposición de nuestros entendimientos. Díjome que era sabido que los yahoos se odiaban entre sí mucho más que a especie diferente ninguna; y se daba ordinariamente como razón para esto lo abominable de su figura, que cada cual podía apreciar en los demás, pero no en sí mismo. Empezaba a pensar que no procedíamos torpemente al cubrirnos el cuerpo y, con este arbitrio, ocultábamos unos a otros muchas de nuestras fealdades, que de otro modo difícilmente podríamos soportar. Pero ya reconocía que había andado equivocado y que las disensiones que se veían en su país entre esta clase de animales se debían a la misma causa que las nuestras, según yo se las había referido. «Pues —dijo— si se echa entre cinco yahoos comida que bastaría para cincuenta, en vez de comerla pacíficamente, se engancharán de las orejas y rodarán por los suelos, ansioso cada uno de quedarse con todo para él solo.» Por tanto, solía ponerse a un criado cerca cuando comían en el campo, y los que se tenían en casa estaban atados a cierta distancia unos de otros. Tanto era así, que si moría una vaca de vieja o por accidente, y no iba en seguida un houyhnhnm a guardarla para sus propios yahoos, acudían todos los del vecindario en manada a apoderarse de ella y libraban batallas como las descritas por mí, de que resultaban con terribles heridas en los costados, abiertas con las garras, aunque rara vez llegaran a matarse, por falta de instrumentos de muerte análogos a los que habíamos inventado nosotros. En otras ocasiones se habían reñido análogas batallas entre los yahoos de vecindarios distintos, sin causa alguna aparente. Los de una región acechaban la oportunidad de sorprender a los de la inmediata, sin que pudieran apercibirse; pero si el proyecto les fracasaba, se volvían a sus casas, y, a falta de enemigos, ellos mismos se empeñaban en lo que yo llamaba una guerra civil.

Añadió que en ciertos campos de su país había unas piedras brillantes de varios colores, que gustaban a los yahoos con pasión; y cuando piedras de éstas, en cierta cantidad, como acontecía a menudo, estaban adheridas a la tierra, cavaban los yahoos con las garras días enteros hasta lograr sacarlas, y luego se las llevaban y las ocultaban en sus covachas formando montón; todo ello mirado con grandes precauciones para impedir que los compañeros descubriesen el tesoro. Dijo mi amo que nunca había podido comprender la razón de este apetito, contrario a las leyes naturales, ni para qué podían servir a un yahoo aquellas piedras; pero ahora suponía que se derivaba del mismo principio de avaricia que yo había atribuido a la Humanidad. Contome que una vez, como experimento, había quitado secretamente un montón de estas piedras del lugar en que lo había enterrado uno de los yahoos. El sórdido animal, al echar de menos su tesoro, había atraído a toda la manada al lugar donde él aullaba tristemente, y después se había precipitado a morder y arañar a los demás. Empezó a languidecer, y no quiso comer, dormir, ni trabajar hasta que él mandó a su criado trasladar secretamente las piedras al mismo hoyo y esconderlas como estaban antes, con lo cual el yahoo, cuando lo hubo descubierto, recobró sus energías y su buen humor —aunque tuvo cuidado de llevar las piedras a un mejor escondrijo—, y fue desde entonces una bestia muy dócil.

Mi amo me aseguró, y yo pude observarlo personalmente, que en los campos donde abundaban estas piedras brillantes se reñían combates y frecuentísimas batallas, ocasionadas por incesantes incursiones de los yahoos vecinos. Dijo que era frecuente, cuando dos yahoos que habían encontrado una piedra de éstas en un campo, reñían por su propiedad, que un tercero se aprovechase del momento y escapara, dejando sin ella a los dos; lo que mi amo afirmaba que era en cierto modo semejante a nuestros procesos judiciales. Yo, por favorecer nuestro buen nombre, no quise desengañarle de ello, ya que la solución que él mencionaba era notablemente más equitativa que muchas de nuestras sentencias; pues allí el demandante y el demandado no pierden más que la piedra por que pleitean, al tiempo que nuestros tribunales de justicia jamás abandonan una causa mientras les queda algo a alguno de los dos.

Continuando su discurso, dijo mi amo que nada se le hacía tan repugnante en los yahoos como su inconfundible apetito a devorar todo lo que hallaban en su camino, lo mismo si eran hierbas, que raíces, que granos, que carne de animales corrompida, que todas estas cosas revueltas; y era peculiar condición de su carácter gustar más de lo que adquirían por rapiña o hurto, o a una gran distancia, que de la comida que en casa se disponía para ellos, Si el botín daba de sí lo bastante, comían hasta reventar, y, para después, la Naturaleza les había indicado una cierta raíz que les producía una evacuación general.

Había otra clase de raíces muy jugosas, pero algo raras y difíciles de encontrar, por las cuales los yahoos reñían con gran empeño, y que chupaban con gran deleite; les producía los mismos efectos que el vino a nosotros Unas veces les hacía acariciarse; otras, arañarse unos a otros: aullaban, gesticulaban, parloteaban, hacían eses y daban tumbos, y luego caían dormidos en el lodo.

Yo observé, ciertamente, que los yahoos eran los únicos animales de aquel país sujetos a enfermedades; las cuales, sin embargo, eran en mucho menor número que las que sufren los caballos entre nosotros, y no contraídas por ningún mal trato, sino por la suciedad y el ansia de aquellos sórdidos animales. Ni tampoco tienen en el idioma más que una denominación general para aquellas enfermedades, derivada del nombre de la bestia, que es *hnea-yahoo*, o sea, el mal del yahoo.

En cuanto a las ciencias, el gobierno, las artes, las manufacturas y cosas parecidas, confesó mi amo que encontraba poca o ninguna semejanza entre los yahoos de nuestro país y los del suyo; pues, por otra parte, sólo se había propuesto indicar la paridad de nuestras naturalezas. Cierto que había oído decir a algunos houyhnhnms curiosos que en la mayor parte de las manadas había una especie de yahoo director —igual que en nuestros parques suele haber un ciervo que es como el jefe o conductor de los otros—, que siempre era más feo de cuerpo y más perverso de condición que todos los demás. Este director solía tener un favorito, lo más parecido a él que pudiese encontrar, y que era siempre odiado por la manada; así que, para protegerse, se mantenía siempre cerca del individuo director. Por regla general, continúa en su oficio hasta que se encuentra otro peor; pero en el momento en que queda descartado, su sucesor, a la cabeza de todos lo yahoos de la región, jóvenes y viejos, machos y hembras, formando un solo cuerpo, acude a atacarle. Mi amo dijo que yo podía juzgar mejor que él hasta qué punto esto podía ser comparable a nuestras cortes y nuestros favoritos. No me atreví a replicar a esta malévola insinuación, que colocaba el entendimiento humano por bajo de la sagacidad de un simple sabueso, que tiene criterio suficiente para distinguir y obedecer el ladrido del perro más experimentado de la jauría, sin equivocarse nunca. Díjome mi amo, que una de las cosas que le asombraban más en los yahoos era una extraña inclinación a la porquería y a la basura, mientras en todos los demás animales parecía existir un amor natural a la limpieza. En cuanto a las dos primeras acusaciones, tuve a bien dejarlas pasar sin réplica, porque no tenía una palabra que oponer en defensa de mi especie; que, de tenerla, la hubiese opuesto dejándome llevar de mi inclinación. Pero hubiese podido fácilmente vindicar al género humano de singularidad, respecto del último punto, sólo con que hubiese habido un puerco en aquel país —que, por mi desgracia, no lo había—; animal que, si bien puede pasar por un cuadrúpedo más suculento que un yahoo, no puede aspirar en justicia, según mi humilde opinión, a que se le tenga por más limpio. Y así hubiese tenido que reconocerlo su señoría mismo, viendo su modo de comer y su costumbre de hozar y de dormir en el lodo.

Asimismo mencionó mi amo otra cualidad que sus criados habían descubierto en muchos yahoos y que a él le parecía inexplicable. Dijo que a veces le entraba a un yahoo la manía de meterse en un rincón, tumbarse y aullar y gruñir y apartar a coces todo lo que se le acercaba, sin pedir comida ni agua, aunque era joven y estaba gordo. Los criados no podían imaginar qué mal le atormentaba, y el único remedio que habían encontrado era hacerle trabajar duramente, con lo cual se restablecía de manera infalible. A esto guardé silencio, llevado de mi parcialidad por mi especie; no obstante, pude descubrir en aquellos las verdaderas semillas del *spleen*, que sólo hace presa en los holgazanes, los regalones y los ricos, cuya cura yo tomaría con gusto a mi cargo si se los obligase a seguir el antedicho régimen.

CAPITULO VIII

*El autor refiere algunos detalles de los yahoos. — Las
grandes virtudes de los houyhnhnms. — La educación
y el ejercicio en su juventud. — Su asamblea general.*

Como yo conozco la humana naturaleza mucho mejor de
lo que supongo que pudiera conocerla mi amo, me era fácil
aplicar las referencias que él me daba de los yahoos a mí
mismo y a mis compatriotas, y pensaba que podría hacer
ulteriores descubrimientos por mi cuenta. A este fin, le pedía frecuentemente el favor de que me dejase ir con las manadas de yahoos del vecindario, a lo que amablemente siempre accedía, en la seguridad de que la repugnancia que yo
sentía hacia aquellos animales no permitiría nunca que me
corrompiesen; su señoría mandaba a uno de sus criados —un
fuerte potro alazán, muy honrado y complaciente— que me
guardase, sin cuya protección no me hubiese atrevido a tales
aventuras. Porque ya he dicho al lector en qué modo fui atacado por aquellos animales odiosos, a raíz de mi llegada;
y después, dos o tres veces estuve a punto de caer entre sus
garras, con ocasión de andar vagando a alguna distancia sin
mi alfanje. Tenía, además, razones para creer que ellos sospe-
chaban que yo era de su misma especie, lo que confirmaba a
menudo subiéndome las mangas y mostrando a su vista los
brazos y el pecho desnudo, cuando mi protector estaba conmigo. En tales ocasiones se acercaban todo lo que se atrevían
y remedaban mis acciones a la manera de los monos, pero
siempre con signos de odio profundo, como un grajo domesti-

cado y ataviado con gorro y calzas es perseguido siempre por los bravíos, cuando le echan entre ellos.

Desde su infancia son los yahoos asombrosamente ágiles; sin embargo, pude coger a un muchacho pequeño de tres años e intenté aquietarle haciéndole toda clase de caricias. Pero el endemoniado comenzó a gritar, a arañar y morder con tal violencia, que me vi precisado a soltarle; y lo hice muy a tiempo, porque al ruido había acudido, y ya nos rodeaba, un verdadero ejército de animales grandes, los cuales, viendo que la cría estaba en salvo —pues echó en seguida a correr—, y como mi potro alazán estaba al lado, no se atrevieron a arrimarse. Advertí que la carne del pequeño exhalaba un olor muy fuerte, como entre hedor de comadreja y zorro, pero mucho más desagradable.

Por lo que pude ver, los yahoos son los más indómitos de los animales; su capacidad no pasa nunca de la precisa para arrastrar o cargar pesos. Opino, sin embargo, que este defecto nace principalmente de su condición perversa y reacia, pues son astutos, malvados, traicioneros y vengativos. Son fuertes y duros, pero de ánimo cobarde, y, por consecuencia, insolentes, abyectos y crueles. Se ha observado que los de pelo rojo son más perversos que los demás y les exceden con mucho en actividad y en fuerzas.

Los houyhnhnms tienen los yahoos de que se están sirviendo, en cabañas no distantes de la casa; pero a los demás los envían a ciertos campos, donde desentierran raíces, comen diversas clases de hierbas y buscan carroña, o algunas veces cazan comadrejas y luhimuhs —una especie de rata silvestre—, que devoran con ansia. La Naturaleza les ha enseñado a cavar agujeros con las uñas en los lados de las elevaciones del terreno y allí se acuestan. Las cuevas de las hembras son más grandes, capaces para alojar dos o tres crías.

Desde la infancia nadan como ranas y resisten mucho rato bajo el agua, de donde con frecuencia salen con algún pescado, que las hembras llevan a sus pequeños.

Como viví tres años en aquel país, supongo que el lector

esperará que, a ejemplo de los demás viajeros, le dé alguna noticia de las maneras y costumbres de los habitantes, los cuales era natural que constituyesen el principal objeto de mi estudio.

Como estos nobles houyhnhnms están dotados por la Naturaleza con una disposición general para todas las virtudes, no tienen idea ni concepción de lo que es el mal en los seres racionales; así, su principal máxima es cultivar la razón y dejarse gobernar enteramente por ella. Pero tampoco la razón constituye para ellos una cuestión problemática, como entre nosotros, que permite argüir acertadamente en pro o en contra de un asunto, sino que los fuerza a inmediato convencimiento, como necesariamente ha de suceder, siempre que no se encuentre mezclada con la pasión y el interés u oscurecida o descolorida por ellos. Recuerdo que tropecé con gran dificultad para hacer que mi amo comprendiese el sentido de la palabra «opinión», y cómo un punto podía ser disputable; pues decía él que la razón nos lleva exclusivamente a afirmar o negar cuando estamos ciertos, y más allá de nuestro conocimiento no podemos hacer lo uno ni lo otro. De este modo, las controversias, las pendencias, las disputas y la terquedad sobre proposiciones falsas o dudosas, son males desconocidos para los houyhnhnms. Igualmente, cuando le explicaba yo nuestros varios sistemas de filosofía natural, solía burlarse de que una criatura que se atribuía uso de razón, se evaluase a sí misma por el conocimiento de las suposiciones de otros pueblos a propósito de cosas en las cuales este conocimiento, caso de existir, no servía para nada; por donde resultaba enteramente conforme con los juicios de Sócrates, según Platón lo refiere; comparación que hago como el más alto honor que puedo rendir a aquel príncipe de los filósofos; a menudo he reflexionado en la destrucción que semejante doctrina causaría en las bibliotecas de Europa, y cuántas de las sendas que conducen a la fama quedarían entonces cortadas en el mundo erudito.

La amistad y la benevolencia son las dos principales virtudes de los houyhnhnms, y no limitadas a sujetos particulares, sino generales para la raza entera. Un extraño, procedente del lugar más remoto, recibe igual trato que el más próximo vecino, y donde quiera que va considera que está en su casa. Cuidan la cortesía y la afabilidad hasta el más alto grado, pero ignoran por completo la ceremonia. No tienen debilidades ni absurdas ternuras con sus crías y potros, pues sus cuidados al educarlos proceden enteramente de los dictados de la razón, y yo he visto a mi amo tratar con el mismo cariño a la cría de un vecino que a la suya propia. Proceden así porque la Naturaleza les enseña a amar a toda la especie, y sólamente es la razón la que distingue a las personas cuando ostentan un grado superior de virtud.

Al casarse tienen cuidado grandísimo en elegir colores que no produzcan una mezcla desagradable en la progenie. En el macho se estima principalmente la fuerza, y en la hembra la hermosura. Y no por exigencia del amor, sino para impedir que la raza degenere; pues cuando sucede que una hembra sobresale por su fuerza, se escoge un consorte con vistas a la belleza. El galanteo, el amor, los regalos, las viudedades, las dotes, no tienen lugar en su pensamiento ni términos para expresarlos en su idioma. La joven pareja se encuentra y se une, sencillamente, porque así lo quieren sus padres y sus amigos; así lo ven hacer todos los días, y lo miran como uno de los actos necesarios en un ser racional. Pero jamás se ha tenido noticia de violación de matrimonio ni de otra ninguna falta contra la castidad. La pareja casada pasa la vida en la misma mutua amistad y benevolencia que cada uno de ellos demuestra a todos los de la misma especie que encuentra en su camino: sin celos, locas pasiones, riñas ni disgustos.

Su método para educar a los jóvenes de ambos sexos es admirable, y merece muy de veras que lo imitemos. No se les permite comer un grano de avena, excepto en determinados días, hasta que tienen dieciocho años; ni leche, sino muy rara vez; y en verano pacen dos horas por la mañana y otras dos por la tarde, regla que sus padres observan también. Pero a los criados no se les permite por más de la mitad de este tiempo, y una gran parte de su hierba se lleva a casa, donde la comen a las horas más convenientes, cuando más descansados están de trabajo.

La templanza, la diligencia, el ejercicio y la limpieza son las lecciones que se prescriben por igual a los jóvenes de ambos sexos, y mi amo pensaba que era monstruoso que nosotros diésemos a las hembras educación diferente que a los machos, excepto en algunos puntos de organización doméstica. Razonaba él muy atinadamente que por este medio, una mitad de nuestra especie no servía sino para echar hijos al mundo, y que entregar el cuidado de nuestros pequeños a estos inútiles animales era un ejemplo más de brutalidad.

Los houyhnhnms adiestran a su juventud en la fuerza, la velocidad y la resistencia, haciéndola subir y bajar empinadas colinas, en pugna unos individuos con otros, y corren de igual modo sobre duros pedregales; y cuando están sudando mandan a los jóvenes tirarse de cabeza a un pantano o un río. Cuatro veces al año la juventud de cada distrito se reúne para mostrar cada cual sus progresos en la carrera, el salto y otros ejercicios de fuerza y agilidad, y el vencedor es recompensado con un canto en su alabanza. En esta fiesta los criados llevan al campo una manada de yahoos cargados de heno, avena y leche, para que los houyhnhnms tomen un refrigerio; después de lo cual se saca inmediatamente del recinto a aquellas bestias, por temor de que causen algún daño a la compañía.

Cada cuatro años, en el equinoccio de primavera, hay un consejo representativo de toda la nación, que celebra sus reuniones en una llanura situada a unas veinte millas de nuestra residencia, y dura cinco o seis días. Se averigua el estado y condición de los varios distritos, si tienen en abundancia o les faltan heno, avena, vacas o yahoos. Y donde quiera que se encuentra una necesidad —lo que muy rara vez acontece—, se remedia inmediatamente por unánime acuerdo y contribución. Allí se concierta la regulación de los hijos; por ejemplo: si un houyhnhnm tiene dos machos, cambia uno de ellos con otro que tiene dos hembras. Y cuando por una casualidad ha muerto alguna cría y no hay esperanza de que la madre quede embarazada, se acuerda qué familia del distrito deberá dar nacimiento a otra para reparar la pérdida.

CAPITULO IX

Gran debate en la asamblea general de los houyhnhnms
y cómo se decidió. — La cultura de los houyhnhnms. —
Sus edificios. — Cómo hacen sus entierros. — Lo
defectuoso de su idioma.

Una de estas grandes asambleas se celebró estando yo
allí, unos tres meses antes de mi partida, y a ella fue mi amo
como representante de nuestro distrito. En este consejo se
resumió el antiguo y, sin duda, el único debate que jamás
se suscitó en aquel país; y de él me dio mi amo cuenta detallada
a su regreso.

La cuestión debatida era si debía exterminarse a los
yahoos de la superficie de la tierra. Uno de los partidarios
de que se resolviera afirmativamente ofreció varios argumentos
de gran peso y solidez. Alegaba que los yahoos no sólo eran
los más sucios, dañinos y feos animales que la Naturaleza
había producido nunca, sino también los más indóciles, malvados y perversos; mamaban, a escondidas, de las vacas de los
houyhnhnms, mataban y devoraban sus gatos, pisoteaban la
avena y la hierba si no se les vigilaba continuamente, y causaban mil perjuicios más. Se hizo eco de una tradición popular,
según la cual no siempre había habido yahoos en el país, sino
que en tiempos muy lejanos aparecieron dos de estos animales
juntos en una montaña, no se sabía si producidos por la acción
del calor solar sobre el cieno y el lodo corrompido, o por el
légamo o la espuma del mar. Estos yahoos procrearon, y en
poco tiempo creció tanto la casta, que inundaron e infestaron

toda la nación. Los houyhnhnms, para librarse de esta plaga, dieron una batida general y lograron encerrar a toda la manada; y después de destruir a los viejos, cada houyhnhnm encerró dos de los jóvenes en una covacha y los domesticó hasta donde era posible hacerlo con un animal tan selvático por naturaleza. Añadió que debía de haber gran parte de verdad en esta tradición y que aquellos seres no podían ser *ylnhniamshy* —o sea, aborígenes de la tierra—, como lo indicaba muy bien el odio violentísimo que los houyhnhnms, así como todos los demás animales, sentían por ellos; odio que, aun cuando merecido por su mala condición, no habría llegado nunca a tal extremo si hubieran sido aborígenes o, al menos, llevasen mucho tiempo de arraigo en el país. Los habitantes, con la ocurrencia de servirse de los yahoos, habían descuidado imprudentemente el cultivo de la raza del asno, que era un bonito animal, fácil de tener, más manso y tranquilo, sin olor repugnante y suficientemente fuerte para el trabajo, aunque cediese al otro en la agilidad del cuerpo; y si su rebuzno no era un sonido agradable, era, con todo, muy preferible a los horribles aullidos de los yahoos.

Otros varios mostraron su conformidad con estas apreciaciones, y entonces mi amo propuso a la asamblea un expediente cuya idea inicial había encontrado, indudablemente, en su trato conmigo. Aprobó la tradición citada por el honorable miembro que había hablado y afirmó que los dos yahoos que se tenían por los dos primeros aparecidos en el país, habían llegado a él por la superficie del mar, y, una vez en tierra, y abandonados por sus compañeros, se habían retirado a las montañas, y gradualmente, en el curso del tiempo, habían degenerado, hasta hacerse mucho más salvajes que los de su misma especie, habitantes en el país de donde aquellos dos primitivos procedían. Daba como razón de este aserto que a la sazón él tenía en su poder cierto yahoo maravilloso —se refería a mí—, del que la mayor parte había oído hablar y que muchos habían visto. Les refirió luego cómo me habían encontrado; que mi cuerpo estaba cubierto totalmente con una hechura artificial de las pieles y el pelo de otros animales; cómo yo hablaba un idioma propio y había aprendido por completo el suyo; los relatos que yo le había hecho de los acontecimientos que me habían llevado hasta allí, y que cuando me vio sin cubierta apreció que era un yahoo exactamente en todos los detalles, aunque de color blanco, menos peludo y con garras más cortas. Añadió cómo yo había trabajado por persuadirle de que en mi país, y en otros, los yahoos procedían como el animal racional director y tenían a los houyhnhnms sometidos a servidumbre, y que descubría en mí todas las cualidades de un yahoo, sólo que un poco más civilizado por algún rudimento de razón. Sin embargo, era yo, según dijo, tan inferior a la raza houyhnhnm como lo eran a mí los yahoos de su tierra.

Esto fue todo lo que mi amo creyó conveniente decirme por entonces, de lo ocurrido en el gran consejo. Pero le cumplió ocultar un punto que se refería personalmente a mí, del cual había de tocar pronto los desdichados efectos, como el lector encontrará en el lugar correspondiente, y del que hago derivar todas las posteriores desdichas de mi vida.

Los houyhnhnms no tienen literatura, y toda su instrucción es, por tanto, puramente tradicional. Pero como se dan pocos acontecimientos de importancia en un pueblo tan bien unido, naturalmente dispuesto a la virtud, gobernado enteramente por la razón y apartado de todo comercio con las demás naciones, se conserva fácilmente la parte histórica sin cargar las memorias demasiado. Ya he consignado que no están sujetos a enfermedad ninguna, y no necesitan médicos, por consiguiente. No obstante, tienen excelentes medicamentos, compuestos de hierbas, para curar casuales contusiones y cortaduras en las cuartillas o las ranillas, producidas por piedras afiladas, así como otros daños y golpes en las varias partes del cuerpo.

Calculan el año por las revoluciones del Sol y de la Luna, pero no lo subdividen en semanas. Conocen bien los movimientos de esos dos luminares y comprenden la teoría de los eclipses. Esto es lo más a que alcanza su progreso en astronomía.

En poesía hay que reconocer que aventajan a todos los demás mortales; son ciertamente inimitables la justeza de sus símiles y la minuciosidad y exactitud de sus descripciones. Abundan sus versos en estas dos figuras, y por regla general consisten en algunas exaltadas nociones de amistad y benevolencia, o en alabanzas a los victoriosos en carreras y otros ejercicios corporales. Sus edificios, aunque muy rudos y sencillos, no son incómodos, sino, por lo contrario, bien imaginados para protegerse contra las injurias del frío y del calor. Hay allí una clase de árbol que a los cuarenta años se suelta por la raíz y cae a la primera tempestad; son muy derechos, y aguzados como estacas con una piedra de filo —porque los houyhnhnms desconocen el uso del hierro—, los clavan verticales en la tierra, con separación de unas diez pulgadas, y luego los entretejen con paja de avena o a veces con zarzo. El techo se hace del mismo modo, e igualmente las puertas.

Los houyhnhnms usan el hueco de sus patas delanteras, entre la cuartilla y el casco, como las manos nosotros, y con mucha mayor destreza de lo que en un principio pude suponer. He visto a una yegua blanca de la familia enhebrar con esta articulación una aguja, que yo le presté de propósito. Ordeñan las vacas, siegan la avena y hacen del mismo modo todos los trabajos en que nosotros empleamos las manos. Tienen una especie de pedernales duros, de los cuales, por el procedimiento de la frotación con otras piedras, fabrican instrumentos que hacen el oficio de cuñas, hachas y martillos. Con aperos hechos de estos pedernales cortan asimismo el heno y siegan la avena, que crece en aquellos campos naturalmente. Los yahoos llevan los haces en carros a la casa y los criados los pisan dentro de unas ciertas chozas cubiertas, para separar el grano, que se guarda en almacenes. Hacen una especie de toscas vasijas de barro y de madera, y las primeras las cuecen al sol.

Si aciertan a evitar los accidentes, mueren sólo de viejos, y son enterrados en los sitios más apartados y oscuros que pueden encontrarse. Los amigos y parientes no manifiestan alegría ni dolor por el fallecimiento, ni el individuo agonizante deja ver en el punto de dejar el mundo la más pequeña inquietud; no más que si estuviese para regresar a su casa después de visitar a uno de sus vecinos. Recuerdo que una vez, estando citado mi amo en su propia casa con un amigo y su familia, para tratar cierto asunto de importancia, llegaron el día señalado la señora y sus dos hijos con gran retraso. Presentó ella dos excusas: una, por la ausencia de su marido, a quien, según dijo, le había acontecido *lhnuwnh* aquella misma mañana. La palabra es enérgicamente expresiva en su idioma, pero difícilmente traducible al inglés; viene a significar retirarse a su primera madre. La excusa por no haber ido más temprano fue que su esposo había muerto avanzada la mañana, y ella había tenido que pasar un buen rato consultando con los criados acerca del sitio conveniente para depositar el cuerpo. Y pude observar que se condujo ella en nuestra casa tan alegremente como los demás. Murió unos tres meses después.

Por regla general, viven setenta o setenta y cinco años; rara vez, ochenta. Algunas semanas antes de la muerte experimentan un gradual decaimiento, pero sin dolor. Durante este plazo los visitan mucho sus amigos, pues no pueden salir con la acostumbrada facilidad y satisfacción. Sin embargo, unos diez días antes de morir, cálculo en que muy raras veces se equivocan, devuelven las visitas que les han hecho los vecinos más próximos, haciéndose transportar en un adecuado carretón, tirado por yahoos, vehículo que usan no sólo en esta ocasión, sino también en largos viajes, cuando son viejos y cuando quedan lisiados a consecuencia de un accidente. Y cuando el houyhnhnm que va a morir devuelve esas visitas, se despide solemnemente de sus amigos como si fuese a marchar a algún punto remoto del país, donde hubiera decidido pasar el resto de su vida.

No sé si merece la pena de consignar que los houyhnhnms

no tienen en su idioma palabra ninguna para expresar nada que represente el mal, con excepción de las que derivan de las fealdades y malas condiciones de los yahoos. Así, denotan la insensatez de un criado, la omisión de un pequeño, la piedra que les ha herido la pata, una racha de tiempo enredado o impropio de la época, añadiendo a la palabra el epíteto de *yahoo*.

Por ejemplo: *Hhnm yahoo, Whnaholm yahoo, Ynlhmndwihlma yahoo*, y una cosa mal discurrida, *Ynholmhnmtohlmnw yahoo*.

Con mucho gusto me extendería más hablando de las costumbres y las virtudes de este pueblo excelente; pero como intento publicar dentro de poco un volumen dedicado exclusivamente a esta materia, a él remito al lector. Y en tanto, procederé a referir mi lastimosa catástrofe.

CAPITULO X

La economía y la vida feliz del autor entre los houyhnhnms. — Sus grandes progresos en virtud, gracias a las conversaciones con ellos. — El autor recibe de su amo la noticia de que debe abandonar el país. — La pena le produce un desmayo, pero se somete. — Discurre y construye una canoa con ayuda de un compañero de servidumbre y se lanza al mar a la ventura.

Había yo ordenado mi pequeña economía a mi entera satisfacción. Mi amo había mandado que se me hiciera un aposento al uso del país a unas seis yardas de la casa. Yo revestí las paredes y el suelo con arcilla y los cubrí con una esterilla de junco de mi propia invención. Con cáñamo, que allí se cría silvestre, hice algo como un terliz; lo llené con plumas de varios pájaros, que había cazado con lazos hechos de cabellos de yahoo y que resultaban comida excelente. Hice dos sillas con mi cuchillo, ayudado en la parte más áspera y trabajosa por el potro alazán. Cuando mis ropas se vieron reducidas a jirones, me hice otras con pieles de conejo y de un lindo animal del mismo tamaño llamado *nnuhnoh*, que tiene la piel cubierta de una especie de fino plumón. Con estas últimas me hice también unas medias bastante buenas. Eché piso a mis zapatos con madera cortada de un árbol, uniéndola al cuero de la parte superior, y cuando se rompió el cuero lo sustituí con pieles de yahoo secas al sol. Frecuentemente encontraba en los huecos de los árboles miel, que mezclaba con

321

agua o comía con el pan. Nadie había podido confirmar mejor la verdad de aquellas dos máximas que enseñan que la Naturaleza se satisface con muy poco, y que la necesidad es madre de la invención. Gozaba perfecta salud del cuerpo y tranquilidad de espíritu; no experimentaba la traición o la inconstancia de amigo ninguno, ni los agravios de un enemigo disimulado o descubierto. No tenía ocasión de sobornar ni adular para conseguir el favor de personaje ninguno ni de su valido. No necesitaba defensa contra el fraude ni la opresión; no había allí médico que destruyese mi cuerpo, ni abogado que arruinase mi fortuna, ni espía que acechase mis palabras y mis actos o forjara cargos contra mí por un salario; no había allí escarnecedores, censuradores, murmuradores, rateros, salteadores, escaladores, procuradores, bufones, tahures, políticos, ingenieros, melancólicos, habladores importunos, discutidores, asesinos, ladrones, ni *virtuosi*, ni adalides, ni secuaces de partido, ni facciones, ni incitadores al vicio con la seducción o con el ejemplo, ni calabozos, hachas, horcas, columnas de azotar ni picotas, ni tenderos tramposos, ni maquinaria, ni orgullo, ni vanidad, ni afectación, ni petimetres, espadachines, borrachos, ni rameras trotacalles, ni mal gálico, ni esposas caras y despepitadas, ni estúpidos pedantes orgullosos, ni compañeros importunos, cansados, quimeristas, turbulentos, alborotadores, ignorantes, vanagloriosos, jugadores, ni pícaros elevados del polvo en pago de sus vicios, ni nobleza arrojada a él en pago de sus virtudes, ni lores, violinistas, jueces, ni maestros de baile.

Disfruté la merced de ser recibido por varios houyhnhnms que acudían a visitar a mi amo o a comer con él, y su señoría me permitía graciosamente estar en la habitación y escuchar las conversaciones. Tanto él como sus amigos descendían a hacerme preguntas y oír mis respuestas. Y algunas veces también tuve el honor de acompañar a mi amo en las visitas que hacía a los otros. Yo no me permitía hablar nunca si no era para responder a una pregunta, y aun entonces lo hacía con interior descontento, porque suponía para mí una pérdida de tiempo en mi adelanto, pues me complacía infinitamente asistiendo como humilde oyente a estas conversaciones, en que no se decía nada que no fuese útil en el menor número posible de muy expresivas palabras; en que —como ya he dicho— se guardaba la más extremada cortesía, sin el menor grado de ceremonia; en que nadie hablaba sin propio gusto ni sin dárselo a sus compañeros; en que no había interrupciones, cansancio, pasión, ni criterios diferentes. Tienen allí la idea de que, cuando se reúne gente, una corta pausa es de mucho provecho a la conversación, y yo descubrí ser cierto, pues durante estas pequeñas intermisiones nacían en sus cerebros nuevas ideas que animaban mucho el discurso. Los asuntos de sus pláticas son ordinariamente la amistad y la benevolencia, o el orden y la economía; a veces, las operaciones visibles de la Naturaleza, o las antiguas tradiciones, los linderos y límites de la virtud, las reglas infalibles de la razón o los acuerdos que deban tomarse en la próxima gran asamblea; y muy a menudo, las diversas excelencias de la poesía. Puedo añadir, sin vanidad, que mi presencia les proporcionaba frecuentemente asunto para sus conversaciones, pues daba ocasión a que mi amo hiciese conocer a sus amigos mi historia y la de mi país, sobre las cuales se complacían en discurrir de modo no muy favorable para la especie humana; y por esta razón no he de repetir lo que decían. Sólo me permitiré consignar que su señoría, con gran admiración por mi parte, parecía comprender la naturaleza de los yahoos mucho mejor que yo mismo. Pasaba revista a todos nuestros vicios y extravagancias, y descubría muchos que yo no le había mencionado nunca, sólo con suponer qué cualidades sería capaz de desarrollar un yahoo de su país con una pequeña dosis de razón, y deducía, con grandes probabilidades de acierto, cuán vil y miserable criatura tendría que ser.

Confieso francamente que todo el escaso saber de algún valor que poseo, lo adquirí en las lecciones que me dio mi amo y oyendo sus discursos y los de sus amigos, de haber escuchado los cuales estoy más orgulloso que estaría de dictarlos a la más sabia asamblea de Europa. Admirábame la fuerza, la hermosura y la velocidad de los habitantes, y tal constelación de virtudes en seres tan amables producía en mí la más alta veneración. Indudablemente, al principio no sentía yo el natural temeroso respeto que tienen por ellos los yahoos y los demás animales; pero fue ganándome poco a poco, mucho más de prisa de lo que imaginaba, mezclado con respetuoso amor y gratitud por su condescendencia en distinguirme del resto de mi especie.

Cuando pensaba en mi familia, mis amigos y mis compatriotas, o en la especie humana en general, los consideraba tales como realmente eran: yahoos, por su forma y condición; quizá un poco más civilizados y dotados con el uso de la palabra, pero incapaces de emplear su razón más que para agrandar y multiplicar aquellos vicios de que sus hermanos en aquel país sólo tenían la parte que la Naturaleza les había asignado. Cuando me acontecía ver la imagen de mi cuerpo en un lago o una fuente, apartaba la cara con horror y aborrecimiento de mí mismo, y mejor sufría la vista de un yahoo común que la de mi misma persona. Conversando con los houyhnhnms y mirándolos con deleite, llegué a imitar su porte y sus movimientos, lo que actualmente es en mí una costumbre; y mis amigos me dicen frecuentemente, con descortés intención, que troto como un caballo, lo que yo tomo, sin embargo, como un delicadísimo cumplido. Y tampoco negaré que cuando hablo suelo dar en la voz y la manera de los houyhnhnms, y verme con este motivo ridiculizado, sin la menor mortificación por mi parte.

En medio de mi felicidad, y cuando ya me consideraba absolutamente establecido para toda mi vida, mi amo envió a buscarme una mañana algo más temprano de lo que tenía por costumbre. Le noté en la cara que estaba algo indeciso y sin saber cómo empezar lo que tenía que hablarme. Después de un breve silencio díjome que no sabía cómo tomaría lo que iba a notificarme, y era que en la última asamblea general, al discutirse la cuestión de los yahoos, los re-

presentantes habían tomado a ofensa que él tuviese un yahoo
—por mí— en su familia, más como un houyhnhnm que como
una bestia; que se sabía que él conversaba frecuentemente
conmigo, como si recibiera con mi compañía alguna ventaja
o satisfacción, y que tal práctica no era conforme con la razón
ni la naturaleza, ni cosa que se hubiese oído hasta entonces en
el país. En consecuencia, la asamblea le había exhortado para
que me emplease como el resto de mi especie o me mandase
volverme a nado al lugar de donde hubiese ido. El primero de
estos expedientes fue rechazado abiertamente por todos los
houyhnhnms que me habían visto alguna vez en su casa o
en la de ellos, pues alegaban que, teniendo yo algunos rudimentos de razón junto con la perversidad de aquellos animales, era de temer que yo pudiese seducirlos para que se
internasen en los bosques y se huyeran a las montañas del
país y acudiesen de noche a destruir el ganado de los houyhnhnms, siendo, como eran por naturaleza, rapaces y contrarios
al trabajo.

Agregó mi amo que diariamente le estrechaban los houyhnhnms del vecindario para que ejecutase el mandato de la
asamblea, lo que no podía diferir por mucho más tiempo.
Sospechaba que me sería imposible nadar hasta otro país,
y, de consiguiente, quería que yo discurriera una especie de
vehículo semejante a los que yo le había pintado, para que
me condujese sobre el mar, trabajo para el cual podía contar
con la ayuda de sus criados y los de sus vecinos. Terminó
diciéndome que por su parte hubiera tenido gusto en conservarme a su servicio durante toda mi vida, porque había podido apreciar que me había curado de algunas malas costumbres
y disposiciones, en mi afán de imitar a los houyhnhnms en
cuanto le era posible a mi inferior naturaleza.

Debo informar al lector de que en aquel país un decreto
de la asamblea general se designa con la palabra *hnhloayn*,
que puede traducirse, aproximadamente, por exhortación,
pues no se concibe que una criatura racional pueda ser obligada, sino sólo aconsejada o exhortada, porque nadie puede

desobedecer la razón sin renunciar al derecho de ser considerado una criatura racional.

Este discurso me arrojó en la pena y la desesperación más extremadas; y no pudiendo soportar las angustias que me oprimían, caí desvanecido a los pies de mi amo. Cuando volví en mí díjome que creía que me había muerto, pues aquel pueblo no está sujeto a estas imbecilidades de naturaleza. Contesté con voz apagada que la muerte hubiera sido una felicidad demasiado grande; que, aunque no condenaba la exhortación de la asamblea ni las urgencias de sus amigos, pensaba yo, en mi débil y depravado entendimiento, que hubiera podido compadecerse con la razón un rigor menos extremado. Que yo no era capaz de nadar una legua, y que, probablemente, la tierra más próxima a la suya distaría arriba de un centenar; que faltaban por completo en aquel país muchos de los materiales precisos para hacer una pequeña embarcación en que marchar, lo que intentaría, sin embargo, por obediencia y gratitud a su señoría, aunque juzgaba la cosa imposible, y, de consiguiente, me consideraba ya como destinado a la perdición. Añadí que la segura perspectiva de una muerte cruel era el menor de mis males; pues suponiendo que escapase con vida por alguna extraña aventura, ¿cómo podía pensar con tranquilidad en acabar mis días entre yahoos y caer nuevamente en mis antiguas corrupciones por falta de ejemplos que me condujesen y guiasen por la senda de la virtud? Pero sabía yo demasiado bien que las sólidas razones en que se fundaba toda decisión de los sabios houyhnhnms no podían ser debilitadas por los argumentos de un miserable yahoo como yo; y, por lo tanto, después de darle las gracias más rendidas por el ofrecimiento de sus criados para ayudarme a hacer la embarcación, y rogarle un plazo razonable para trabajo tan difícil, le dije que procuraría salvar un ser miserable como era, con la esperanza de si alguna vez volvía a Inglaterra ser útil a mi especie cantando las alabanzas de los gloriosos houyhnhnms y ofreciendo sus virtudes a la imitación de la Humanidad.

Mi amo me dio en pocas palabras una amable respuesta; me otorgó un plazo de dos meses para terminar el bote, y ordenó al potro alazán, mi compañero de servidumbre —a esta distancia puedo atreverme a llamarle así—, que siguiese mis instrucciones, pues dije a mi amo que su ayuda sería suficiente y, además, sabía que me tenía cariño.

Mi primer paso fue ir en su compañía a la parte de la costa donde mi tripulación rebelde me había obligado a desembarcar. Me subí a una altura y, mirando hacia el mar en todas direcciones, me pareció ver una pequeña isla al Nordeste; saqué mi anteojo y pude claramente distinguirla a distancia como de cinco leguas, según mi cálculo. Pero al potro alazán le parecía sólo una nube azul; pues, como no tenía idea de que hubiese país ninguno fuera del suyo, no estaba tan diestro en distinguir objetos remotos en el mar, como yo, tan familiarizado con este elemento.

Una vez descubierta la isla, no pensé más, sino que resolví que ella fuese, de ser posible, el primer punto de mi destierro, abandonándome luego a la fortuna.

Volví a casa, y, previa consulta con el potro alazán, fuimos a un monte bajo situado a alguna distancia, donde yo con mi cuchillo, y él con su pedernal afilado, sujeto con gran arte, según el uso del país, a un mango de madera, cortamos numerosas varas de roble, del grueso aproximado de un bastón, y algunas ramas mayores. Pero no he de molestar al lector con la descripción detallada de mi obra. Bástele saber que en seis semanas, con la ayuda del potro alazán, que construyó las partes que requerían más trabajo, terminé una especie de canoa india, aunque mucho mayor, cubierta con pieles de yahoo, bien cosidas unas a otras con hilos de cáñamo que yo mismo hice. Me fabriqué la vela también con pieles del mismo animal, empleando las de ejemplares muy jóvenes en cuanto me fue posible, porque las de los viejos eran demasiado inflexibles y gruesas. Asimismo, me proveí de cuatro remos. Hice acopio de carnes cocidas, de conejo y de ave, y me preparé dos vasijas, una llena de leche y otra de agua.

Probé mi canoa en un gran pantano, próximo a la casa de mi amo, y corregí los defectos que le encontré; tapé las rajas con sebo de yahoo, hasta que la dejé firme y en condiciones de resistirnos a mí y a mi carga. Y cuando estuvo tan acabada como era en mi mano hacerlo, la transportaron muy cuidadosamente a la orilla del mar en un carro tirado por yahoos, bajo la dirección del potro alazán y otro criado.

Todo listo, y llegado el día de mi partida, me despedí de mi amo y su señora y demás familia, con los ojos arrasados en lágrimas y el corazón destrozado por la pena. Pero su señoría, llevado de la curiosidad, y quizá —sí puedo decirlo sin que me tenga por vanidoso— por cortesía, quiso asistir a mi marcha en la canoa, e invitó a algunos vecinos a que le acompañasen. Tuve que esperar más de una hora a que subiese la marea, y luego, encontrando que el viento soplaba muy prósperamente hacia la isla a que pensaba dirigir el rumbo, me despedí por segunda vez de mi amo; por cierto que cuando iba a arrodillarme a besar su casco me hizo el honor de levantarlo suavemente hasta mi boca. No ignoro cuánto se me ha censurado al referir este último detalle, pues a mis detractores les cumple suponer improbable que persona tan ilustre descendiera a dar tan gran señal de deferencia a una criatura tan inferior como yo. Tampoco he olvidado la inclinación de algunos viajeros a alabarse de haber recibido extraordinarios favores. Pero si estos censores míos conociesen mejor la condición noble y cortés de los houyhnhnms, cambiarían bien pronto de opinión.

Hice entonces presentes mis respetos a los demás houyhnhnms que acompañaban a su señoría, y entrándome en la canoa, dejé la playa.

CAPITULO XI

Peligroso viaje del autor. — Llega a Nueva Holanda con la esperanza de establecerse allí. — Un indígena le hiere con una flecha. — Es apresado y conducido por fuerza a un barco portugués. — La gran cortesía del capitán. — El autor llega a Inglaterra.

Comencé esta desesperada travesía el 15 de febrero de 1714, a las nueve de la mañana. Aunque el viento era muy favorable, al principio empleé los remos solamente; pero considerando que me cansaría pronto y que era probable que se mudase el viento, me decidí a largar mi pequeña vela, y así, con la ayuda de la marea, anduve a razón de legua y media por hora según mi cálculo. Mi amo y sus amigos siguieron en la playa casi hasta perderme de vista, y yo oía con frecuencia al potro alazán, quien siempre sintió gran cariño por mí, que gritaba: *Xnuy illa nyha majah yahoo* (¡Ten cuidado, buen yahoo!)

Mi designio era descubrir, si me fuera posible, alguna pequeña isla inhabitada, pero suficiente para proporcionarme con mi trabajo lo necesario para la vida. Esto lo habría tenido por mayor felicidad que ser primer ministro en la corte más civilizada de Europa; tan horrible era para mí la idea de volver a la vida de sociedad y bajo el gobierno de yahoos. Al menos, en la sociedad que anhelaba podría gozarme en mis propios pensamientos y reflexionar con delicia sobre las virtudes de aquellos inimitables houyhnhnms, sin ocasión de degenerar hasta los vicios y corrupciones de mi propia especie.

El lector recordará lo que dejé referido acerca de la conjura de mi tripulación y de mi encierro en mi camarote; cómo seguí en él varias semanas, sin saber qué rumbo llevábamos, y cómo los marinos, cuando me llevaron a la costa en la lancha, me afirmaron con juramentos, no sé si verdaderos o falsos, que no sabían en qué parte del mundo nos hallábamos. No obstante, yo juzgué entonces que estaríamos a unos 10 grados al Sur del cabo de Buena Esperanza, o sea, a unos 45 de latitud Sur, por lo que pude adivinar de algunas palabras sueltas que les entreoí; al Sudeste, suponía yo, en su proyectado viaje a Madagascar. Y aunque esto valía poco más que una simple suposición, me resolví a tomar rumbo Este, con la esperanza de encontrar la costa Sudoeste de Nueva Holanda y tal vez alguna isla como la que deseaba yo, situada a su Oeste. El viento soplaba de lleno por el Oeste, y hacia las seis de la tarde calculé que habría andado lo menos dieciocho leguas al Este; descubrí como a media legua de distancia una isla muy pequeña, que no tardé en alcanzar. Era sólo una roca con una caleta abierta, naturalmente, por la fuerza de las tempestades. En esta caleta metí la canoa, y trepando a la roca, descubrí con toda claridad tierra al Este, que se extendía de Sur a Norte. Pasé la noche en la canoa, y continuando mi viaje por la mañana temprano, en siete horas llegué a la parte Sudoeste de Nueva Holanda. Esto me confirmó en la opinión, que vengo de antiguo sosteniendo, de que los mapas y cartas sitúan este país por lo menos a tres grados más al Este de lo que realmente está; pensamiento que hace muchos años comuniqué a mi digno amigo Mr. Herman Moll, y cuyas razones le expuse, aunque él prefirió seguir a otros autores.

No vi habitantes en el sitio donde desembarqué, y, como iba desarmado, tuve miedo de internarme en el país. Encontré en la playa algunos mariscos, que comí crudos, pues temía que haciendo fuego me descubriesen los indígenas. Pasé tres días más alimentándome de ostras y lápades, a fin de ahorrarme víveres, y por ventura encontré un arroyo de agua excelente, la que me sirvió de gran alivio.

El cuarto día me aventuré por la mañana temprano un

poco más al interior, y vi veinte o treinta indígenas en una loma, no más de quinientas yardas de mí. Estaban por completo desnudos, hombres, mujeres y chicos, alrededor de una hoguera, según pude conocer por el humo. Uno de ellos me advirtió y dio cuenta a los demás; avanzaron hacia mí cinco, dejando a las mujeres y los chicos junto al fuego. Corrí a la costa todo lo ligero que pude, y saltando a la canoa emprendí la retirada. Los salvajes, al ver mi huida, corrieron tras de mí, y sin darme tiempo a entrarme bastante en el mar, me dispararon una flecha que me produjo una profunda herida en la cara interna de la rodilla izquierda, de la que tendré cicatriz mientras viva. Temiendo que la flecha estuviese envenenada, una vez que a fuerza de remos —el día estaba en calma— me puse fuera del alcance de sus dardos, me hice la succión de la herida y me la curé como pude.

No sabía qué partido tomar, pues no me atrevía a volver al mismo desembarcadero, sino que me mantenía al Norte a fuerza de remo, porque el viento, aunque suave, me era contrario y me arrastraba al Noroeste. Buscaba con la vista un desembarcadero seguro, cuando vi una embarcación al Nornordeste, que se hacía más visible por minutos. Dudé si aguardarla o no; pero al fin pudo más mi aversión a la raza yahoo, y, volviendo la canoa, huí a vela y remo hacia el Sur y entré en la misma caleta de donde había partido por la mañana, más dispuesto a aventurarme entre aquellos bárbaros que a vivir con los yahoos europeos. Acerqué la canoa a la playa todo lo que pude y me escondí detrás de una piedra cerca del arroyuelo, que, como he dicho ya, era de agua riquísima.

El barco llegó a menos de media legua de esta ensenada y envió la lancha con vasijas para hacer aguada —pues, a lo que parece, el lugar era muy conocido—; pero yo no lo advertí hasta que casi estaba el bote en la playa y ya era demasiado tarde para buscar otro escondite. Los marinos, al saltar a tierra, vieron mi canoa, y después de registrarla minuciosamente coligieron que el propietario no debía de encontrarse lejos de allí. Cuatro de ellos, bien armados, buscaron por todas las grietas y rincones, hasta que por fin me encontraron acostado boca abajo detrás de la piedra. Contemplaron por buen espacio con admiración mi traje singular, mi chaqueta hecha de pieles, mis zapatos con piso de madera, mis medias forradas de piel, lo que por lo pronto les sirvió para conocer que yo no era natural de aquella tierra, en que todos van desnudos. Uno de los marinos me dijo en portugués que me levantase y me preguntó quién era. Yo sabía este idioma muy bien, y poniéndome en pie respondí que era pobre yahoo desterrado del país de los houyhnhnms, y suplicaba que me permitiesen partir. Se asombraron ellos de oírme hablar en su propia lengua, y por el color de mi piel pensaron que debía de ser europeo; pero no les era posible comprender lo que yo quería decir con mis yahoos y mis houyhnhnms, y al mismo tiempo les provacaba la risa el extraño tono de mi habla, que se parecía al relincho de un caballo. Temblaba yo, en tanto, de miedo y de odio, y de nuevo pedí licencia para partir y fui a acercarme poco a poco a la canoa; mas se apoderaron de mí con la pretensión de que les contestase quién era, de dónde venía y a muchas preguntas más. Les dije que había nacido en Inglaterra, de donde había salido hacía unos cinco años, época en que su país y el nuestro vivían en paz. Y esperaba, en consecuencia, que no me tratasen como enemigo, ya que no hacía daño alguno, pues era un pobre yahoo que buscaba un lugar desolado donde pasar el resto de su infortunada vida.

Cuando empezaron a hablar me pareció no haber oído nunca cosa tan extraña. Se me antojó tan monstruoso como si hubiera roto a hablar en Inglaterra un perro o una vaca, o en Houyhnhnmlandia un yahoo. Los honrados portugueses se asombraban a su vez de mis extrañas vestiduras y del modo raro en que yo pronunciaba las palabras, que, no obstante, entendían muy bien. Me hablaban con toda humanidad, y me dijeron que estaban seguros de que su capitán me conduciría gratis a Lisboa, desde donde podría regresar a mi país; dos marineros volverían al barco, informarían al capitán de lo que habían visto y recibirían órdenes. En tanto, a menos que les hiciese solemne juramento de no escaparme, tendrían que sujetarme por la fuerza. Juzgué que lo mejor sería allanarme a su proposición. Mostraron gran curiosidad por saber mi historia, pero yo les di satisfacción muy escasa; por donde vinieron a pensar que las desventuras me habían vuelto el juicio. Al cabo de dos horas, el bote, que marchó cargado de vasijas de agua, volvió con orden del capitán de llevarme a bordo. Caí de rodillas implorando mi libertad; pero todo en vano; los hombres, después de amarrarme con cuerdas, me llevaron al bote, de éste al barco y luego al cuarto del capitán.

Llamábase éste Pedro de Mendes. Era hombre muy amable y generoso. Me rogó le dijese quién era y qué quería comer o beber; añadió que se me trataría como a él mismo, y tantas cortesías más, que me sorprendió recibir tales atenciones de un yahoo. No obstante, yo permanecía silencioso y taciturno; solamente el olor que exhalaban él y sus hombres me tenía a punto de desvanecerme. Por último, pedí que me llevasen de mi canoa algo de comer; pero el capitán hizo que me sirviesen un pollo y vino excelente, y mandó luego que me llevaran a acostar a un muy aseado camarote. No me desnudé, sino que me eché sobre las ropas de la cama, y a la media hora, cuando calculé que la tripulación estaba comiendo, me escabullí, corrí al costado del navío, e iba a arrojarme al agua, más dispuesto a luchar con las olas que a seguir entre yahoos. Pero un marinero me lo impidió, e informado el capitán me encadenaron en el camarote.

Después de comer fue a verme don Pedro, y me pidió que le dijese la razón de tan desesperado intento. Me aseguró que su único propósito era prestarme servicio en todo aquello que pudiera, y habló, en suma, tan afectuosamente, que al fin descendí a tratarle como a un animal dotado de una pequeña dosis de razón. Le hice una corta relación de mi viaje, de la conjura de mi gente contra mí, del país en que me desembarcaron y de mi estancia allí durante tres años. El consideró todo aquello un sueño o una alucinación, de lo que yo recibí gran ofensa, pues había olvidado completamente la facultad de mentir, tan peculiar en los yahoos en todos los países en que dominan, y la consiguiente predisposición a poner en duda las verdades de los de su misma especie. Le pregunté si en su país había la costumbre de decir la cosa que no era; le aseguré que casi había olvidado lo que él designaba con la palabra «falsedad», y que así hubiera vivido mil años en Houyhnhnmlandia, no hubiese oído una mentira al criado más ruin; y añadí que me era por completo indiferente que me creyese o no, aunque, por corresponder a sus favores, estaba dispuesto a conceder a su naturaleza corrompida la indulgencia de contestar cualquier objeción que quisiera hacerme, y así él mismo podría fácilmente descubrir la verdad.

El capitán, hombre de gran discreción, luego de intentar varias veces cogerme en renuncios sobre alguna parte de mi historia, empezó a concebir mejor opinión de mi veracidad. Pero me pidió, ya que profesaba a la verdad tan inviolable acatamiento, que le diese palabra de honor de acompañarle en el viaje sin atentar contra mi vida, pues de otro modo tendría que considerarme prisionero hasta que llegásemos a Lisboa. Le hice la promesa que me pedía, pero al mismo tiempo protesté que, antes de volver a vivir entre los yahoos, prefería sufrir las mayores penalidades.

La travesía transcurrió sin ningún incidente digno de referencia. A veces, por gratitud hacia el capitán y a insistente requerimiento suyo, me sentaba con él y me esforzaba en ocultar mi antipatía hacia la especie humana, que, sin embargo, estallaba a menudo a pesar mío, lo que él toleraba sin decir nada. Pero la mayor parte del día me lo pasaba encerrado en mi camarote para no ver a ninguno de la tripulación. El capitán quiso muchas veces convencerme de que me despojara de mis vestiduras salvajes y me ofreció prestarme el traje mejor que tenía; pero no pudo conseguir que lo aceptara, pues aborrecía cubrirme con nada que hubiese tenido un yahoo sobre su cuerpo. Solamente le pedí que me prestara dos camisas limpias, que, lavadas después de usadas, creía yo que no me ensuciarían tanto. Me las cambiaba un día sí y otro no y las lavaba yo mismo.

Llegamos a Lisboa el 5 de noviembre de 1715. Al desembarcar me obligó el capitán a cubrirme con su capa, para impedir que la gente me rodease. Me llevó a su casa, y a formal requerimiento mío me instaló en la habitación trasera más alta. Le rogué encarecidamente que ocultase a todo el mundo lo que yo le había dicho de los houyhnhnms, pues la menor insinuación de tal historia no sólo atraería a verme gentes en gran número, sino que probablemente me pondría en riesgo de ser encarcelado o quemado por la Inquisición. El capitán me persuadió para que aceptase un traje nuevo, pero no quise consentir que el sastre me tomase la medida; sin embargo, como don Pedro venía a ser de mi cuerpo, no me sentó mal el vestido hecho como para él. Me equipó de otras cosas necesarias, todas nuevas, que aireé veinticuatro horas antes de usarlas.

El capitán no tenía esposa ni más de tres criados, a los cuales no se permitía servir la mesa; y su conducta obsequiosísima, unida a un clarísimo entendimiento humano, me hicieron en verdad ir tolerando su compañía. Tanto llegó a influir en mí, que me aventuré a mirar por la ventana trasera. Poco a poco me llevó a otra habitación, desde donde me asomé a la calle; pero aparté la cabeza horrorizado. En una semana consiguió que bajase a la puerta. Noté que mi terror disminuía gradualmente, mas parecían aumentar mi odio y mi desprecio. Al fin tuve el valor de pasear por la calle en su compañía, pero tapándome bien las narices con ruda o a veces con tabaco.

A los diez días, don Pedro, a quien yo había dado cuenta de mis asuntos domésticos, me presentó como caso de honor y de conciencia la obligación de volver a mi país natal y vivir con mi mujer y mis hijos. Díjome que había en el puerto un barco inglés próximo a darse a la vela y que él me proporcionaría todo lo preciso. Sería cansado repetir sus argumentos y mis contradicciones. Me hizo observar que era de todo punto imposible encontrar islas solitarias como en la que yo quería vivir; en cambio, dueño en mi casa, podía pasar en ella mi vida tan retirado como me acomodase.

Accedí al cabo, como lo mejor que podía hacer. Salí de Lisboa el 24 de noviembre en un barco mercante inglés, del que no pregunté quién fuese el patrón. Me acompañó don Pedro hasta el navío y me prestó veinte libras. Se despidió de mí cortésmente, y al partir me abrazó, lo que yo conllevé como pude. Durante el último viaje no tuve relación con el capitán ni con ninguno de sus hombres; fingiéndome enfermo, me mantuve encerrado en mi camarote. El 15 de diciembre de 1715 echamos el áncha en las Dunas, sobre las nueve de la mañana, y a las tres de la tarde llegué sano y salvo a mi casa de Rotherhithe.

Mi mujer y demás familia me recibieron con gran sorpresa y contento, pues tenían por cierta mi muerte. Pero debo confesar con toda franqueza que a mí su vista sólo me llenó de odio, disgusto y desprecio, y más cuando pensaba en los estrechos vínculos que a ellos me unían. Porque aunque después de mi desgraciado destierro del país de los houyhnhnms me había obligado a tolerar la vista de los yahoos y a conversar con don Pedro de Mendes, mi memoria y mi imaginación estaban constantemente ocupadas por las virtudes y las ideas de aquellos gloriosos houyhnhnms; y cuando empecé a considerar que por cópula con un ser de la especie yahoo me había convertido en padre de otros, quedé hundido en la vergüenza, la confusión y el horror más profundos.

Tan pronto como entré en mi casa, mi mujer me abrazó y me besó, y como llevaba ya tantos años sin sufrir contacto con este aborrecido animal, me tomó un desmayo por más de una hora. Cuando escribo esto, hace cinco años que regresé a Inglaterra. Durante el primero no pude soportar la presencia de mi mujer ni mis hijos; su olor solamente me era insoportable, y mucho menos podía sufrir que comiesen en la misma habitación que yo. En la hora presente no osan tocar mi pan ni beber en mi copa, ni he podido permitir que me

336

coja uno de ellos de la mano. El primer dinero que desembolsé fue para comprar dos caballos jóvenes, que tengo en una buena cuadra, y, después de ellos, el mozo es mi favorito preferido, pues noto que el olor que le comunica la cuadra reanima mi espíritu. Mis caballos me entienden bastante bien; converso con ellos por lo menos cuatro horas al día. Sin conocer freno ni silla, viven en gran amistad conmigo y en intimidad mutua.

CAPITULO XII

*La veracidad del autor. — Su propósito al publicar
esta obra. — Su censura a aquellos viajeros que se
apartan de la verdad. — El autor se sincera de todo
fin siniestro al escribir. — Objeción contestada. — El
método de establecer colonias. — Elogio de su país
natal. — Se justifica el derecho de la Corona sobre
los países descritos por el autor. — La dificultad de
conquistarlos. — El autor se despide por última vez
de los lectores, expone su modo de vivir para lo futuro,
da un buen consejo y termina.*

Ya he hecho, amable lector, fiel historia de mis viajes
durante dieciséis años y más de siete meses, en la que no me
he cuidado tanto del adorno como de la verdad. Hubiera
podido tal vez asombrarte con extraños cuentos inverosímiles;
pero he preferido relatar llanamente los hechos, en el modo y
estilo más sencillos, porque mi designio principal era instruirte,
no deleitarte.

Es fácil para nosotros los que viajamos por apartados países,
rara vez visitados por ingleses y otros europeos, inventar
descripciones de animales maravillosos, así del mar como de
la tierra, siendo así que el principal fin de un viajero ha de
ser hacer a los hombres más sabios y mejores, y perfeccionar su
juicio con los ejemplos malos, y también buenos, de lo que
relatan con referencia a extranjeros lugares.

Desearía yo muy de veras una ley que prescribiese que
todo viajero, antes de permitírsele publicar sus viajes, vi-

niese obligado a prestar juramento ante el gran canciller de que todo lo que pretendía imprimir era absolutamente verdadero según su más leal saber y entender, pues así no seguiría engañándose al mundo, como hoy generalmente se hace por ciertos escritores, que, a fin de buscar aceptación para sus obras, extravían al incauto lector con las más groseras fábulas. En mis días de juventud he examinado con gran deleite muchos libros de viajes; pero habiendo ido después a las más partes del globo y podido contradecir muchas referencias mentirosas con mi propia observación, he concebido gran disgusto por este género de lectura, y alguna indignación de ver cuán descaradamente se abusa de la credulidad humana. Así, pues, que mis amistades quisieron suponer que mis menguados esfuerzos no resultarían inaceptables para mi país, me obligué, como máxima de que no debía apartarme nunca, a sujetarme puntualmente a la verdad, aunque tampoco podría caer por lo más remoto en la tentación de separarme de ella, mientras perduren en mi ánimo las lecciones y los ejemplos de mi noble amo y los otros ilustres houyhnhnms, de quienes tanto tiempo había tenido el honor de ser humilde oyente.

Nec si miserum Fortuna Sinonem
Finxit; vanum etiam; mendacemque improba finget.

Demasiado conozco cuán escasa reputación puede alcanzarse con escritos que no requieren talento, ni estudio, ni dote alguna que no sea una buena memoria o un exacto diario. También sé que quienes escriben de viajes, como quienes hacen diccionarios, se ven sepultados en el olvido por el peso y la masa de aquellos que vienen detrás y, por más nuevos, más perfectos en la mentira. Y es más que probable que los viajeros que en adelante visiten los países que yo en este trabajo doy a conocer, logren, rectificando mis errores, si alguno hubiera, y agregando muchos nuevos descubrimientos de cosecha propia, restarme toda estima, ocupar mi puesto y hacer que el mundo olvide si yo fui autor jamás. Esto sería, sin duda, cruel mortificación si yo escribiese en busca de fama; pero como mi aspiración sólo fue el bien general, no ha de servirme en ningún modo de desengaño. Pues, ¿quién podrá leer lo que yo refiero de las virtudes de los gloriosos houyhnhnms sin sentir vergüenza de sus vicios, cuando se considere el animal dominante y razonador de su país? Nada diré de aquellas remotas naciones en que gobiernan yahoos, entre las cuales es la menos corrompida la de los brobdingnagianos, cuyas sabias máximas de moral y de gobierno serían nuestra felicidad si diésemos en observarlas. Pero dejo los comentarios, y al juicioso lector, que por cuenta propia haga observaciones y establezca analogías.

Me produce no pequeña satisfacción pensar que no es posible que esta mi obra encuentre censores; pues ¿qué objeciones pueden hacerse en contra de un escritor que relata únicamente simples hechos, acaecidos en países de tal modo distantes, que no puede movernos respecto de ellos interés alguno, bien sea de comercio, bien de negociaciones políticas? He evitado cuidadosamente caer en todas aquellas faltas que de ordinario y con demasiada justicia se imputan a los que escriben de viajes. Además, no me ocupo para nada de partido ninguno, sino que escribo sin pasión, prejuicio ni malevolencia contra ningún hombre, cualquiera que sea. Escribo con el nobilísimo fin de informar e instruir al género humano, propósito para el que puedo, sin inmodestia, preciarme de cierta superioridad, basada en las enseñanzas recibidas durante el largo tiempo que conversé con los houyhnhnms más eminentes. Escribo sin mira alguna de provecho ni de nombradía, sin dar jamás curso a una palabra que pueda parecer repercusión de afectos personales o suponer la menor ofensa, aun para aquellos que más prontos estén a tomarla. Así que espero tener justo derecho a calificarme de autor completamente irreprensible, contra el cual los ejércitos de la réplica, el examen, la observación, la interpretación, la averiguación y la anotación no encontrarán nunca motivo para ejercitar sus talentos.

Confieso que se me ha indicado que el deber me obligaba, como súbdito de Inglaterra, a escribir un memorial a un secretario de Estado inmediatamente después de mi regreso, pues cualesquiera tierras que un súbdito descubre pertenecen a la Corona. Pero dudo que nuestras conquistas en los países de que trato, fuesen tan fáciles como fueron las de Hernán Cortés sobre americanos desnudos. Creo que los liliputienses apenas valen el gasto de una flota y un ejército para reducirlos, y pregunto yo si sería prudente ni seguro atacar a los brobdingnagianos, y si un ejército inglés se encontraría muy tranquilo con la isla volante sobre sus cabezas. Los houyhnhnms no parecen tan bien preparados para la guerra, ciencia a que son extraños por completo, ni mucho menos para librarse de armas arrojadizas; no obstante, si yo fuese ministro de Estado, jamás aconsejaría la invasión de aquel territorio. La prudencia, la magnanimidad, el desconocimiento del miedo y el amor al país que reinan entre los habitantes, compensarían con largueza todos los defectos en el arte militar. Imagínense veinte mil de ellos lanzándose en medio de un ejército europeo, desordenando sus filas, volcando sus carros, destrozando la cara a los guerreros con terribles sacudidas de sus patas traseras; sin duda que se harían dignos de la reputación de Augusto: *Recalcitrat undique tutus*. Pero, en vez de proyectos para conquistar aquella nación magnánima, preferiría yo que ellos pudieran y quisieran enviar suficiente número de sus habitantes para civilizar a Europa, instruyéndonos en los elementales principios del honor, la justicia, la verdad, la templanza, el espíritu público, la fortaleza, la castidad, la amistad, la benevolencia y la fidelidad. Virtudes todas estas cuyos nombres se conservan aún entre nosotros en la mayoría de los idiomas, y se encuentran así en los autores modernos como los antiguos, según puedo aseverar fundado en mis escasas lecturas.

Pero había otra razón que me detenía en el camino de aumentar los dominios de Su Majestad con mis descubrimientos. A decir verdad, había concebido algunos escrúpulos respecto de la justicia distributiva de los príncipes en tales ocasiones. Por ejemplo: una banda de piratas es arrastrada por la tempestad no saben adónde; por fin, un grumete descubre tierra desde el mastelero; desembarcan para robar y saquear; encuentran un pueblo sencillo, que los recibe con amabilidad; toman de él formal posesión en nombre de su rey; erigen en señal un tablón podrido o una piedra; asesinan a dos o tres docenas de indígenas; se llevan por la fuerza una pareja como muestra; regresan a su patria y alcanzan el perdón. Aquí comienza un nuevo dominio, adquirido con título de derecho divino. Se envían barcos en la primera oportunidad; se expulsa o se destruye a los naturales; se tortura a sus príncipes para obligarlos a declarar dónde tienen su oro; se concede plena autorización para todo acto de inhumanidad y lascivia, y la tierra despide vaho de la sangre de sus moradores. Y esta execrable cuadrilla de carniceros, empleada en esta piadosa expedición, es una colonia moderna, enviada para convertir y civilizar a un pueblo idólatra y bárbaro.

Pero reconozco que esta descripción en ningún modo se refiere a la nación británica, que puede servir de ejemplo a todo el mundo por su sabiduría, cuidado y justicia en establecer colonias; sus liberales consignaciones para el progreso de la religión y la cultura; su elección de pastores devotos y capaces para propagar el cristianismo; su precaución de poblar las provincias con gentes de vida y conservación moderadas, enviadas de la madre patria; su riguroso celo en la administración de justicia, designando para el ministerio civil, en todas y cada parte de sus colonias, funcionarios de la mayor competencia, totalmente inaccesibles a la corrupción, y, por coronarlo todo, su tino para enviar a los más vigilantes y virtuosos gobernadores, que no tienen más aspiración que la felicidad de los pueblos que dirigen y el honor del rey, su señor.

Pero como los pueblos que yo he descrito no parecen tener el menor deseo de ser conquistados y esclavizados, asesinados ni expulsados por colonias, ni abundan en oro, plata, azúcar ni tabaco, juzgué humildemente que no eran de ningún modo objeto apropiado para nuestro celo, nuestro valor y nuestro interés. No obstante, si aquellos a quienes más directamente importa encuentran de su gusto sustentar contraria opinión, estoy dispuesto a declarar, cuando se me requiera legalmente, que ningún europeo visitó aquellos países antes que yo. Es decir, si hemos de creer a los naturales. Pero, por lo que hace a la formalidad de tomar posesión en nombre de mi soberano, jamás se me pasó por las mientes; y aunque se me hubiera pasado, visto el giro que mis asuntos llevaban por entonces, quizá lo hubiera diferido, por prudencia e instinto de conservación, para mejor oportunidad.

Contestada con esto la única objeción que como viajero pudiera ponérseme, me despido por fin en este punto de todos mis amados lectores y me vuelvo a absorberme en mis meditaciones y a mi pequeño jardín de Redriff; a poner por obra aquellas sabias lecciones de virtud que aprendí entre los houyhnhnms; a instruir a los yahoos de mi familia hasta donde llegue su condición de animal dócil; a mirar frecuentemente en un espejo mi propia imagen, para ver si así logro habituarme con el tiempo a soportar la presencia de una criatura humana; a lamentar la brutalidad de los houyhnhnms de mi tierra, aunque siempre tratando con respeto sus personas, en honor de mi noble amo, su familia, sus amigos y toda la raza houyhnhnm, a que éstos que viven entre nosotros tienen el honor de asemejarse en todas sus facciones, por más que sus entendimientos hayan degenerado.

La semana pasada empecé a permitir a mi mujer que se sentase a comer conmigo, en el extremo más apartado de una larga mesa, y me contestara, aunque con la mayor brevedad, a unas cuantas preguntas que le hice. Sin embargo, como el olor de los yahoos sigue molestándome mucho, tengo siempre la nariz bien taponada con hojas de ruda, espliego o tabaco. Y aun cuando es difícil para un hombre perder en época avanzada de la vida añejas costumbres, no dejo de tener esperanzas de poder tolerar en algún tiempo la próxima compañía de un yahoo sin el recelo que aún me inspiran sus dientes y sus garras.

Mi reconciliación con la especie yahoo en general no sería tan difícil si ellos se contentaran sólo con los vicios y las insensateces que la Naturaleza les ha otorgado. No me causa el más pequeño enojo la vista de un abogado, un ratero, un coronel, un necio, un lord, un tahur, un político, un médico, un delator, un cohechador, un procurador, un traidor y otros parecidos; todo ello está en el curso natural de las cosas. Pero cuando contemplo una masa informe de fealdades y enfermedades, así del cuerpo como del espíritu, forjada a golpes de orgullo, ello excede los límites de mi paciencia, y jamás comprenderé cómo tal animal y tal vicio pueden ajustarse. Los sabios y virtuosos houyhnhnms, que abundan en todas las excelencias que pueden adornar a un ser racional, no tienen en su idioma término para designar este vicio, como no lo tienen para expresar nada que signifique el mal, excepto aquellos con que califican las detestables cualidades de sus yahoos, y entre ellas no pueden distinguir ésta del orgullo por falta de completo conocimiento de la naturaleza humana, según se muestra en otros países en que este animal gobierna. Pero yo, con mi mayor experiencia, pude claramente reconocer algunos rudimentos de ella en los yahoos silvestres. Los houyhnhnms, que viven bajo el gobierno de la razón, no se encuentran más orgullosos de las buenas cualidades que poseen, que puedo estarlo yo de que no me falte un brazo o una pierna, lo que no puede constituir motivo de jactancia para ningún hombre en su juicio, aunque sería desdichado si le faltaran. Insisto particularmente sobre este punto, llevado del deseo de hacer por todos los medios posibles la sociedad del yahoo inglés no insoportable, y, de consiguiente, conjuro desde aquí a quienes tengan algún atisbo de este vicio absurdo para que no se atrevan a comparecer ante mi vista.

INDICE

INDICE